# Le monde en fiches

COLLECTION DIRIGÉE PAR

Bruno BENOIT
Professeur des universités — Professeur à l'IEP de Lyon

Roland SAUSSAC
Agrégé d'histoire – Professeur honoraire CPEC au lycée du Parc à Lyon

D1623025

# L'Europe

## 8e édition

par

### Jean KOGEJ
Agrégé d'histoire, professeur de chaire supérieure
en classes préparatoires économiques et commerciales
au lycée du Parc à Lyon

### Jean-François MALTERRE
Agrégé de géographie, professeur de chaire supérieure
en classes préparatoires économiques et commerciales
au lycée Michel-Montaigne à Bordeaux

### Alexandra MONOT
Professeure agrégée de géographie,
à l'université de Strasbourg

### † Christian PRADEAU
Agrégé de géographie, professeur de chaire supérieure
au lycée Camille-Jullian à Bordeaux

Dans la même collection

*Les mutations de l'économie mondiale en fiches du début du XXᵉ siècle aux années 1970*, J. Kogej.

*La mondialisation. Genèse, acteurs et enjeux*, G. Bacconnier, B. Benoit, G. Clément, G. Monteil, R. Saussac.

*La France*, B. Braun, F. Collignon.

*Les Amériques*, C. Augagneur Delaye, L. Braquet, A. Chaffel, A. Michalec, A. Monot.

*L'Asie*, G. Bacconnier, D. Benjamin, S. Buhnik, A. Demay, F. Dieterich, M. Gérardot, D. Roquet.

*L'Afrique et le Moyen-Orient*, G. Clément, P. Jambard.

Cartographie : René Dambron, Carl Voyer
Mise en page, infographie : René Dambron, Ad hoc

# SOMMAIRE

# Partie 3 - Europe : approche géopolitique

# 1

# Europe(s)

L'Europe est faite d'unités et de diversités issues de l'histoire longue.
La construction de l'Europe, commencée après la Seconde Guerre mondiale, est, depuis 1990 et l'ouverture à l'Est, une gageure, un pari.

# Chapitre 1

# Identités et diversités en Europe

Qu'est-ce-que l'Europe ? La réponse est en apparence aisée, mais plus on tente de définir l'Europe et plus elle apparaît dans sa complexité. L'Europe est à la fois unité et diversité.

Les **unités** de l'art, de la philosophie, des sciences et de l'économie font que l'Europe a une cohérence culturelle.

Les **diversités** nationales, régionales et les réticences de la politique fragmentent l'Europe ; ses antagonismes se sont manifestés dans des guerres sanglantes.

Les **deux vérités** ne s'excluent pas, elles se complètent. Edgar Morin, dans son ouvrage, *Penser l'Europe* (1987), montre que l'Europe se définit par un **modèle dialogique** qui fait que « **ce sont les interactions entre peuples, cultures, classes, États, qui ont tissé une unité elle-même plurielle et contradictoire** », la culture européenne évoluant selon une dialogique permanente. La dialogique étant ce qui unit deux notions contradictoires mais indissociables pour créer une même réalité, c'est cette réalité qu'il faut prendre en compte pour comprendre l'Europe et la construire.

# 1 « L'invention d'Europe »
## (Jacques Lévy)

### 1900 : un monde européen

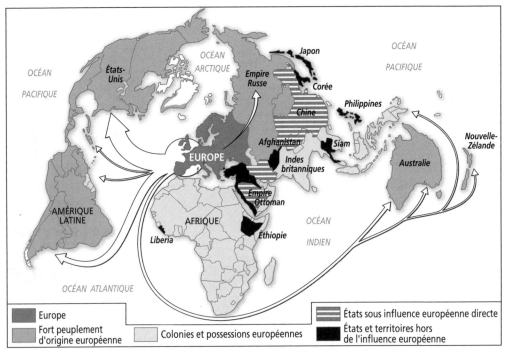

Source : d'après G. Chaliand et J.-P. Rageau, *Atlas des Européens*, Fayard, 1989.

## 1 L'Europe, presqu'île occidentale de l'Asie

### A. « Une sorte de cap du Vieux Continent, un appendice occidental de l'Asie. » (Paul Valéry)

Le mot est d'origine grecque. Dans la mythologie grecque, Europe est une princesse phénicienne, donc une Asiatique, enlevée par Zeus, qui, pour la séduire, avait pris la forme d'un taureau.

Fragmentée, sans unité géographique, l'Europe, péninsule du continent eurasiatique, est délimitée par des frontières maritimes qui se repèrent aisément sur un atlas : l'Atlantique à l'ouest, prolongé par les mers intérieures de la mer du Nord et de la mer Baltique, l'Arctique au nord, la Méditerranée au sud avec son prolongement de la mer Noire.

À l'est sur le continent, Hérodote, au Ve siècle av. J.-C., indiquait arbitrairement le Don comme frontière de l'Europe ; les géographes du XIXe siècle arrêtent l'Europe à l'Oural, qui dessine sur la carte une frontière bien visible du nord au sud, et sur 2 500 km de long. Le général de Gaulle avait repris cette idée qui permettait de refuser la coupure du rideau de fer.

## B. Des limites continentales mouvantes

**La frontière orientale** de l'Europe aux Monts Oural ne peut être retenue. L'Oural ne constitue pas une limite de peuplement ou de système économique. Pourquoi la Sibérie colonisée par les Russes ne ferait-elle pas partie de l'Europe si on y inclut une partie de la Russie ? Les villes de Sibérie sont plus européennes que Kiev. Où s'arrête l'Europe ? La Russie elle-même semble hésiter, comme le souligne J.-B. Duroselle : elle est entrée en Europe tardivement « sous Pierre le Grand, Élisabeth et Catherine II… mais elle en est sortie avec la révolution de 1917 ». L'effondrement de l'URSS et la constitution d'États indépendants posent désormais la question de l'appartenance de l'Ukraine à l'UE, alors que les pays Baltes ont déjà adhéré comme bon nombre de pays de l'Europe centrale et orientale.

**Au sud-est, la Turquie** considérée sous l'angle géographique est européenne pour une part infime de son territoire, c'est-à-dire la partie d'Istanbul qui se trouve sur la rive occidentale du Bosphore. Ce positionnement géographique permet la candidature de la Turquie à l'UE, puisque dès le Traité de Rome, il est précisé que, pour devenir membre de la Communauté, il faut être en Europe. Cette portion de territoire est-elle suffisante pour faire de la Turquie un pays européen ?

## C. Des frontières maritimes pas très sûres

Les frontières maritimes apparemment évidentes ne se révèlent pas très assurées non plus… Au sud, la Méditerranée, *Mare Nostrum*, est une mer d'union ; elle n'a jamais été une coupure mais un moyen de communication jusqu'à la conquête musulmane. À l'ouest, l'océan Atlantique est autant un trait d'union avec l'Amérique, « morceau d'Europe qui est parti aux Amériques », qu'une limite (*Edgar Morin*).

# ② L'Europe se partage le monde, puis le perd

## A. L'Europe « a fait le monde »

L'Europe a découvert la terre entière et a dominé tous les continents en les occidentalisant. Comme le résume Denis de Rougemont, l'aventure mondiale de l'Europe se déroule à partir de **Christophe Colomb**. Les étapes de la conquête terrestre par les Européens, c'est d'abord le premier tour du monde, accompli par **Magellan**, puis ce sont la conquête de l'Amérique du Sud et le peuplement de l'Amérique du Nord. De cette européanisation du continent américain, il reste les trois langues parlées prédominantes que sont l'anglais, l'espagnol et le portugais ainsi que la religion dominante, le christianisme. L'Europe, c'est la découverte des côtes africaines, la soumission du Proche-Orient puis des Indes au XVIIIᵉ siècle, la colonisation de l'Indonésie par les Portugais et les Hollandais, celle de l'immense Sibérie par les Russes, l'ouverture de l'Extrême-Orient à la civilisation européenne au milieu du XIXᵉ siècle, enfin la colonisation de l'Afrique noire à partir des années 1880 à 1900. En 1914, « l'Europe allait de Brest à Vladivostok et de Mourmansk au Cap » (*Pascal Ory*).

## B. L'Europe « a perdu le monde »

Hors d'elle-même, l'Europe est rejetée au nom même de ses principes de liberté, de justice et d'égalité. « Les continents découverts et régis par l'Europe se sont libérés de sa tutelle : l'Amérique du Nord la première, dès la fin du XVIIIᵉ siècle ; l'Inde, l'Indonésie, le Sud-Est asiatique et le Proche-Orient au lendemain de la Deuxième Guerre mondiale, puis presque toute l'Afrique vers 1960 » (*Denis de Rougemont*). L'Europe coloniale a perdu ses colonies au terme de guerres coûteuses, inutiles, laissant la place à des gouvernements autoritaires. L'Europe n'apparaît, après les deux guerres mondiales, **« guerres civiles européennes »**, que déclinante et de moins en moins présente dans le monde. L'Europe se retrouve réduite à elle-même, ramenée dans ses limites de cap asiatique. Elle a du mal à défendre son identité face à une Amérique impériale qui diffuse partout son concept de mondialisation souvent pris dans le sens d'américanisation.

# 2 Les confins de l'UE : une Europe hors d'Europe

**Les frontières de l'UE sont aussi « outre-mer »**

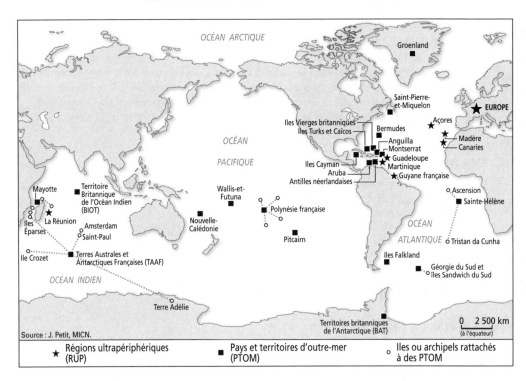

Source : J. Petit, MICN.

★ Régions ultrapériphériques (RUP)   ■ Pays et territoires d'outre-mer (PTOM)   ○ Iles ou archipels rattachés à des PTOM

## 1 Les territoires d'Outre-mer dans l'UE

Les frontières externes de l'Europe ne s'arrêtent pas seulement à ses territoires insulaires mitoyens de l'Europe continentale. Des territoires lointains sont rattachés à l'UE parce qu'ils font partie de l'un des 27 États membres. La prise en compte de la dimension périphérique de l'UE a longtemps été négligée par la construction européenne tournée vers le continent. Les territoires d'Outre-mer sont répartis en trois catégories.

### A. Les RUP

Les **régions ultrapériphériques (RUP)** sont au nombre de sept, elles font partie intégrante du territoire de l'Union européenne. Il s'agit pour la France des **départements français d'Outre-mer** (Guadeloupe, Martinique, Guyane et Réunion), pour l'Espagne de l'archipel des **Canaries** et pour le Portugal de l'archipel des **Açores et de Madère**. Les RUP bénéficient des programmes et aides des organisations européennes en faveur des régions en retard de développement comme les Fonds structurels (7,8 milliards d'euros entre 2007 et 2013).

### B. Les PTOM

La France, le Royaume-Uni, les Pays-Bas et le Danemark possèdent des **Pays et Territoires d'Outre-mer (PTOM)**. Pour la **France** : Mayotte, la Nouvelle-Calédonie, la Polynésie française,

Saint-Pierre-et-Miquelon, les Terres australes et antarctiques françaises, Wallis-et-Futuna. Pour le Danemark : le Groenland. Pour le **Royaume-Uni** : Anguilla, les îles Cayman, les Îles Falkland, la Géorgie du Sud et îles Sandwich du Sud, Montserrat, Pitcairn, Sainte Hélène et dépendances, les Territoire de l'Antarctique britannique, les Territoires britanniques de l'océan Indien, les îles Turks et Caicos, les îles Vierges britanniques. Pour les **Pays-Bas** : les Antilles néerlandaises et Aruba. Ces territoires ne font pas partie intégrante de l'UE mais ils bénéficient de relations privilégiées avec l'UE. Leurs habitants sont comme les habitants des RUP des citoyens européens et ont la liberté de circulation et d'établissement dans l'UE. Ils ont un accès libre au marché européen, sans droits de douane. Ils peuvent bénéficier des aides du Fonds européen de développement (FED), des prêts de la Banque européenne d'investissement. Ils participent à des programmes communautaires en matière d'éducation, de formation et d'aides aux entreprises.

## C. Les TS : territoires spécifiques

Quatre territoires ont un statut spécifique qui diffère des deux statuts précédents : Jersey, Guernesey, île de Man (Royaume-Uni), Féroé (Danemark).

# 2 Des régions hétérogènes

## A. Des situations démographiques disparates : entre stagnation et croissance démographique rapide

Les RUP totalisent une population totale de 4,4 millions d'habitants environ. Les **Canaries** ont la population la plus élevée avec plus de 2,12 millions d'habitants. Viennent ensuite la **Réunion** (839 500), la **Guadeloupe** (401 730) et la **Martinique** (397 700), **Madère** (267 000) et les **Açores** (246 700) et la **Guyane** (229 000). Parmi les PTOM : la **Polynésie française** est peuplée de 295 000 habitants, la **Nouvelle-Calédonie** de 245 600 et **Mayotte** de 209 000.

La population est pratiquement stationnaire dans les RUP portugaises, elle augmente peu en Guadeloupe et Martinique et un peu plus à la Réunion. La croissance de la population des Canaries est surtout due à l'immigration (retraités). Les Antilles françaises ont achevé leur transition démographique et le solde migratoire y est légèrement négatif. En Nouvelle-Calédonie, l'immigration joue encore un rôle primordial dans la croissance de la population. La croissance démographique rapide de la Guyane et de Mayotte s'explique par un taux de fécondité très élevé, plus de 3 enfants par femme, associé à un afflux d'immigrés : Brésil et Surinam pour la Guyane, les Comores pour Mayotte (J.-L. Rallu, INED).

## B. Les enjeux de l'ultrapériphéricité

Les RUP ont enregistré une forte croissance économique depuis les années 1980 (+ 3,5 % par an en moyenne) mais elles figurent toujours parmi les régions les moins avancées « d'Europe ». Le PIB moyen des RUP représente environ 77 % de l'UE-27. Elles sont fortement polarisées sur le secteur tertiaire (80 % du PIB).

Dans les DOM, l'écart de niveau de vie avec la métropole est de − 40 % mais le niveau de vie est supérieur à celui des plus riches à l'échelle régionale. L'activité touristique reste relativement marginale dans les DOM. Le faible emploi des jeunes, voire celui des adultes, est le problème majeur des départements d'Outre-mer français et ce malgré l'émigration.

La situation est différente aux Canaries où le niveau de vie est équivalent à celui de l'Espagne et à Madère où il est supérieur à celui du Portugal. Le tourisme est le moteur principal de la croissance aux Canaries et à Madère.

Aujourd'hui, l'UE dispose de près de 68 000 km de côtes et l'application du nouveau droit de la mer (ZEE de 200 milles) ouvre de nouveaux horizons. L'Europe dispose avec ses îles périphériques et ultrapériphériques d'un positionnement stratégique qui peut se révéler précieux au plan géostratégique dans le cas de la mise en place d'une politique étrangère et de sécurité unifiée.

# 3 L'Europe-civilisation : l'art

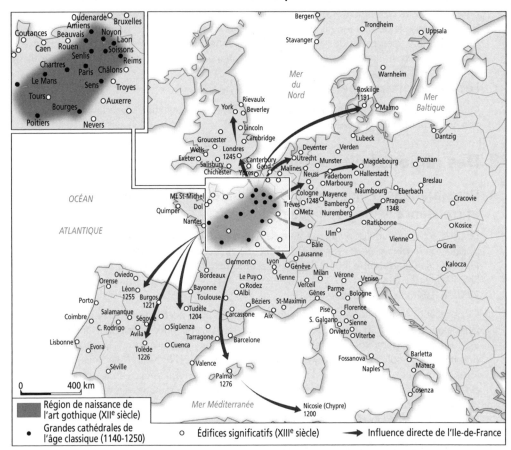

**La chrétienté en expansion**

Région de naissance de l'art gothique (XIIe siècle)

• Grandes cathédrales de l'âge classique (1140-1250)

○ Édifices significatifs (XIIIe siècle)

→ Influence directe de l'Île-de-France

## 1 Une et plurielle

**A.** Dans la *Grammaire des civilisations*, l'historien Fernand Braudel associe la « civilisation » à la longue durée en la définissant comme « ce qui, à travers des séries d'économies, des séries de sociétés, persiste à vivre en ne se laissant qu'à peine et peu à peu infléchir ». On peut dès lors en reprenant F. Braudel définir **une identité de l'Europe comme résultant des « unités brillantes de l'art et de l'esprit »**.

## B. L'Europe a été le cadre de foyers initiaux qui ont révolutionné l'art

C'est le cas de la **peinture** italienne de la **Renaissance**, avec les œuvres de Botticelli, Léonard de Vinci, Michel-Ange, Raphaël, Titien, le Tintoret et Véronèse, ou de **l'impressionnisme**, dès 1860, avec Paul Cézanne, Claude Monet, Pierre-Auguste Renoir, Alfred Sisley, Édouard Manet. La peinture du XXe siècle doit beaucoup à l'Europe, qui est le berceau du cubisme avec Georges Braque et Pablo Picasso et de la **peinture abstraite** avec Vassily Kandinsky. Que l'on considère les grands noms ou les grands foyers initiaux, c'est bien d'une peinture *européenne* qu'il s'agit, d'une peinture occidentale, car elle a débordé le continent européen (Fernand Braudel).

On pourrait aussi prendre l'exemple de **la musique**, depuis la polyphonie qui apparaît au IXe siècle, suivie par la création du concert avec la musique instrumentale dite « de chambre », jusqu'à l'avènement de la symphonie, grande musique d'orchestre avec de nombreux instruments et de nombreux auditeurs.

**C.** **Les unités n'excluent pas les diversités nationales ou régionales** sous-jacentes. Chaque État a toujours tendu à former un monde culturel en soi, mais ceci n'empêche pas les unissons qui donnent à **la civilisation européenne « une allure presque fraternelle, presque uniforme, comme si elle était envahie par une seule et même lumière… Tout mouvement, surgi en un point de son espace, a tendance à le saisir en son entier »** (Fernand Braudel). Tel bien culturel peut se heurter à des réticences, des refus peuvent exister en certains points de l'Europe ou au contraire déborder les frontières pour devenir mondial. Il n'en demeure pas moins que l'Europe présente une cohérence culturelle affirmée malgré ses divisions et ses ruptures face au reste du monde.

## ❷ « D'immenses marées, lentes à recouvrir sa totalité » (Fernand Braudel)

### A. L'Europe médiévale de l'art roman et de l'art gothique

**L'art roman**, fruit d'une société profondément religieuse et rurale, naît en Europe autour de l'an mille. Il s'étend d'abord dans toute la zone qui va de l'Italie du Nord à la Catalogne. Il se propage ensuite en Europe occidentale pendant tout le XIIe siècle, en suivant les routes du commerce et les chemins de pèlerinages.

**L'art gothique** voit le jour au milieu du XIIe siècle avec la construction du chœur de la basilique de Saint-Denis. Il se diffuse depuis l'Île-de-France, prenant des formes régionales, et couvrant pendant trois siècles l'Europe de cathédrales. La culture gothique apparaît comme le lien unificateur de cette Europe politiquement fractionnée.

### B. De l'âge humaniste au temps des Lumières

À partir du XIVe siècle, un art nouveau apparaît en Toscane, l'art de la **Renaissance**. Cet art est introduit en France par les artistes italiens que François Ier fait venir. Il se propage aux XVe et XVIe siècles dans toute l'Europe. Il introduit une rupture avec l'art gothique dédié à Dieu, renoue avec la culture antique grecque et romaine, **l'homme** devient le centre de la réflexion. Ce courant bénéficie pour son rayonnement des progrès de **l'imprimerie**.

Au XVIe siècle, **l'art baroque**, instrument de la reconquête catholique, de la Contre-Réforme, est issu de Rome et de l'Espagne. Art de la mise en scène, art de masse, il doit impressionner le croyant et stimuler l'émotion collective. Il débordera l'espace de la Contre-Réforme pour recouvrir également l'Europe protestante, il pénètre tous les arts jusqu'au milieu du XVIIIe siècle. Il se répandra dans les colonies espagnoles et portugaises. L'Italie perdra sa primauté dans la peinture avec les œuvres de Rubens, Vélasquez et Rembrandt.

Si pendant deux siècles l'Europe devient baroque, la France résiste et développe au XVIIe siècle une voie originale qui exprime la grandeur du pouvoir royal, c'est le **classicisme**. Le symbole de ce style monumental qui privilégie les lignes droites, l'équilibre et la rationalité reste le château de Versailles et son jardin « à la française » dessiné par Le Nôtre. L'**art classique** colporté par les Français jusqu'au XVIIIe siècle fait naître en Europe une soixantaine de Versailles.

Le penchant pour l'Antiquité se traduit dans la deuxième moitié du XVIIIe siècle dans le **néo-classicisme**, cet art qui naît simultanément, en Italie, en Angleterre et en France.

La rupture avec le néoclassicisme interviendra avec le **romantisme** qui apparaît progressivement au XVIIIe siècle et s'imposera jusqu'au milieu du XIXe siècle à toute l'Europe, notamment en Angleterre, en France et en Allemagne.

# 4 L'identité sociologique

## Catholiques et protestants en Europe au XVe siècle

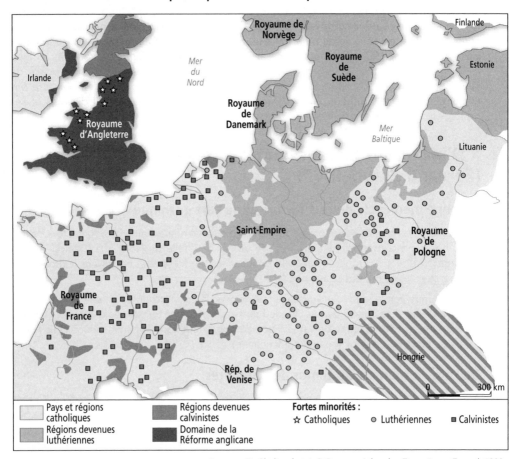

Source : G. Chaliand et J.-P. Rageau, Atlas des Européens, Fayard, 1988.

Dans son ouvrage l'Europe des Européens, le sociologue Henri Mendras définit l'Europe occidentale à partir de quatre traits : **individualisme, nation, capitalisme, démocratie**, qui sont les fondements d'un modèle inédit de civilisation expliquant les grandes structures et les grandes institutions de l'Europe.

## 1 L'individualisme

Contrairement à ce qui s'observe dans les autres civilisations, l'individu est premier, le groupe social est second. L'individualisme se manifeste particulièrement dans trois domaines : religieux, juridique et politique.

### A. Religieux

Pour Henri Mendras, les Évangiles fondent l'individualisme occidental en « établissant un rapport direct entre la créature et son Créateur ». Dans l'Évangile, chaque créature attend son salut personnel de son Créateur et de lui seul. Paradoxalement, c'est une institution, l'**Église romaine**, qui imposera pendant seize siècles sa médiation pour accéder au royaume de Dieu, et condamnera toutes « les hérésies » qui tentent de renouer avec le lien direct par la lecture de la Bible, jusqu'au succès du protestantisme, qui conteste à l'Église cette médiation. Il en résultera une division de l'Europe entre l'Europe du Nord protestante et l'Europe du Sud catholique.

## B. Juridique

La deuxième racine de l'individualisme occidental se trouve dans le **droit romain**. Il n'est pas de droit plus individualiste, tant pour le droit des personnes que pour le droit des biens. Il affirme que **« nul n'est censé rester dans l'indivision »**, principe qui détruit toutes les communautés familiales. Il affirme qu'une « chose ne peut avoir qu'un seul maître, et que celui-ci a tous les droits sur sa chose : *usus, fructus, abusus...* Sur sa terre, le maître a tous les droits d'usage et de récolte des fruits, personne d'autre ne peut partager ce droit ». Ce principe ne se retrouve pas dans la plupart des civilisations où la terre peut être l'objet de plusieurs formes de droits d'usage mais non de propriété. La proclamation de la propriété comme un droit de l'homme dans la Déclaration de 1789 est très édifiante à ce propos.

## C. Politique

La philosophie du **siècle des Lumières,** enfin, est individualiste. La Déclaration des droits de l'homme et du citoyen se donne pour objectif d'assurer le bonheur des citoyens. La souveraineté du peuple résultant de l'amalgame de leurs volontés.

# ② Nation, capitalisme et démocratie

## A. L'idée de nation

Cette idée d'**État-nation** qui fait coïncider sur un même territoire un peuple et une langue, avec ses « frontières naturelles », les frontières linéaires, est une rupture majeure avec la féodalité. L'Europe occidentale apparaît, globalement et avec le recul de l'histoire, comme le foyer par excellence de cette construction qui s'est généralisée à l'échelle de la planète. Cette construction n'est pas allée sans mal, il a fallu des siècles pour y parvenir : l'Italie, l'Allemagne n'ont terminé leur unité qu'en plein XIXᵉ siècle. De plus cette édification a entraîné des affrontements internationaux majeurs, comme les trois guerres qui opposèrent la France et l'Allemagne entre 1870 et 1945.

## B. Le capitalisme

Le capitalisme est né véritablement en Europe, au XVIᵉ siècle, et s'épanouit ensuite avec l'âge de l'industrie. Les travaux de Max Weber (1864-1920) ont souligné l'importance de **la dimension culturelle dans l'origine du capitalisme**. Dans son ouvrage *L'Éthique protestante et l'Esprit du capitalisme* (1901), il montre la légitimité apportée par le protestantisme et sa valorisation du travail, en faisant des succès d'ici-bas la préfiguration de la rédemption dans l'au-delà. C'est en Europe occidentale que s'établit peu à peu **« la distinction entre économique, politique et religieux**, reconnaissant à chacun des trois domaines une légitimité propre, qui est le fondement même de notre conception de l'**Église,** de l'**État** et du **capitalisme »** (Henri Mendras). Ce sont les Européens **Adam Smith** (1723-1790) et **David Ricardo** (1772-1823) qui décrivent, les premiers, les lois de l'économie libérale, ils sont les fondateurs de l'économie classique. C'est de la critique du système capitaliste que naît également en Europe la théorie de **Karl Marx** (1818-1883).

## C. La démocratie

« Que la moitié plus un gouverne avec le consentement de la moitié moins un est une règle bien étrange, qu'aucune société n'a jamais pensé légitimer, dans aucune civilisation autre que l'Europe occidentale et les États-Unis depuis deux siècles ». **Alexis de Tocqueville** insiste, lui, sur le respect de la minorité qui est essentiel.

L'individualisme poursuit aujourd'hui en Europe sa « course millénaire » et constitue la trame des relations avec les grandes institutions, la religion, la famille, l'État.

# 5 Le bouillon de culture

### Reflux chrétien face à l'expansion de l'islam à la fin du VIII<sup>e</sup> siècle

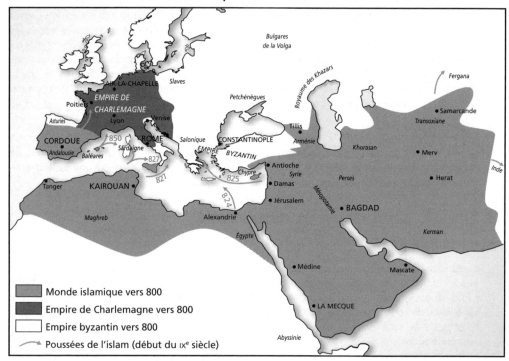

Source : G. Chaliand, J.-P. Rageau, Atlas des Européens, Fayard, 1988.

*Les sources juives, chrétiennes, grecques, latines forment le substrat de l'Europe.*

## ❶ Les sources antiques de la citoyenneté

**A.** Dans la démocratie athénienne (V<sup>e</sup> siècle avant J.-C.), la citoyenneté est la participation active aux affaires de la cité, c'est la démocratie directe. Le citoyen n'est pas seulement gouverné, il est aussi gouvernant. Tous ceux qui ne sont pas considérés comme libres par nature ne participent pas cependant à la vie publique, c'est le cas des esclaves, des femmes et des affranchis.

**B.** À Rome, l'édit de Caracalla en 212 étend la citoyenneté à tous les hommes libres de l'Empire. Ceci implique un double mouvement : l'exclusion des non libres et l'inclusion d'anciens esclaves ou des étrangers de race et de culture différentes.

**C.** Ces prémices de la démocratie seront reprises au XVIII<sup>e</sup> siècle et consacrées par la **Déclaration des droits de l'homme et du citoyen** de 1789 qui dit que « tous les hommes naissent et demeurent libres et égaux en droits ». Il s'agit cependant ici d'une anthropologie différente, fondée sur la liberté naturelle de tous, l'état de nature est devenu l'état de liberté pour tous. C'est le point de départ d'une nouvelle histoire de la citoyenneté établie sur une aspiration à l'égalité.

## 2 Le christianisme vecteur d'unité

**A.** **Le christianisme** prolonge le **judaïsme** dans la mesure où l'Ancien Testament, selon les chrétiens, annonce prophétiquement la venue du Christ. **Adopté officiellement par l'Empire romain au début du IVe siècle**, le christianisme se diffuse et devient même la religion des Barbares. Dès le Moyen Âge, il est présent chez les Slaves. Le christianisme enveloppe les contenus judaïques grecs et latins qu'il a incorporés.

**B.** **L'empire chrétien de Charlemagne.** « C'est la lutte contre les envahisseurs arabes, des chrétiens contre les musulmans qui crée une nouvelle solidarité, renforcée par l'action des papes. » C'est **« l'armée des Européens »**, dit Isidore le Jeune, qui arrête les Arabes à Poitiers en 732. **Charlemagne**, devenu empereur en 800, recrée un **« Empire romain »** en remontant le centre de gravité de l'Europe vers le nord. Charlemagne est appelé « père de l'Europe » par le poète Angilbert (799). L'Europe de Charlemagne s'étend de « l'Elbe à l'Èbre », c'est une Europe fondée sur la **religion chrétienne**. Après sa mort, l'Empire éclate ; le traité de Verdun en 843 divise l'Empire et institue durablement une coupure entre monde roman et monde germanique.

**C.** **Au sud de l'Europe, le christianisme se heurte à la présence de l'islam**, qui constitue en un siècle un empire qui va de l'Espagne au Pendjab. L'empereur byzantin Léon l'Isaurien stoppe l'avance musulmane sur Constantinople en 718. La poussée chrétienne de la **Reconquista** ne chasse les musulmans de Grenade qu'à la fin du XVe siècle. La cohabitation avec le monde musulman reste d'actualité avec la question de l'adhésion de la Turquie. Le facteur culturel doit-il être déterminant dans la question de son adhésion ?

## 3 Le christianisme vecteur de divisions

**A.** **Le schisme d'Orient consommé en 1054 sépare définitivement l'Église romaine de l'Église byzantine.** La cassure religieuse entre l'Orient et l'Occident reste fortement inscrite dans l'Europe actuelle. **L'Église orthodoxe**, héritière de l'Église byzantine, a survécu au communisme en Europe centrale et orientale où elle laisse de nombreux vestiges : églises, fresques, mosaïques.

**L'Église de Rome**, quant à elle, a façonné la « religion culturelle » de l'Occident tout en subissant un processus de laïcisation. Son influence en Europe est primordiale dans les domaines de la culture, de l'éthique, de la vie sociale et de la politique.

**B.** **Catholiques contre protestants.** La Réforme née au XVIe siècle va couper l'Europe en deux : au nord et nord-ouest, une Europe protestante séparée de l'Église méditerranéenne latine et romaine au sud. La Réforme marque durablement l'Europe. Elle s'est morcelée en trois tendances : **luthéranisme** apparu en Allemagne avec Martin Luther (1483-1546), **calvinisme** avec Jean Calvin (1509-1564) en France et en Suisse, et **anglicanisme** avec Henri VIII (1491-1547) en 1534, subordonnant la vie de l'Église aux intérêts de l'État. La Réforme diffusée par les progrès de **l'imprimerie** a apporté des changements profonds en Europe en favorisant l'individualisme, en mettant l'accent sur le savoir, en valorisant le travail et la vie familiale.

Catholiques et protestants se sont opposés en Europe dans les **guerres de Religion** qui vont durer pendant toute la **deuxième moitié du XVIe siècle**.

# 6 L'identité culturelle : la philosophie et la science

## La pensée des Lumières : naissance de l'Europe moderne

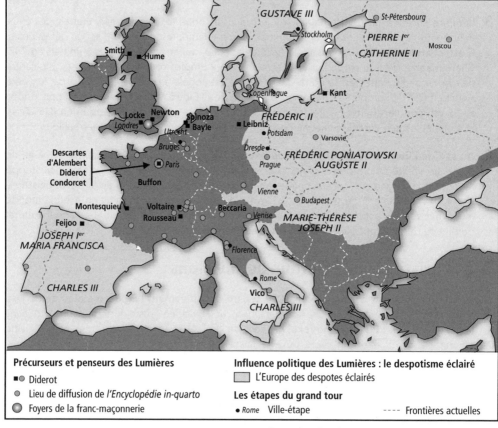

**Précurseurs et penseurs des Lumières**

- ■● Diderot
- ○ Lieu de diffusion de *l'Encyclopédie in-quarto*
- ◎ Foyers de la franc-maçonnerie

**Influence politique des Lumières : le despotisme éclairé**

- ☐ L'Europe des despotes éclairés

**Les étapes du grand tour**

- ● *Rome* Ville-étape
- ---- Frontières actuelles

Source : M. Foucher, *Fragments d'Europe*, Fayard, 1993.

## 1 L'Europe des Lumières

### A. L'unité par la Raison

Il faut attendre le **XVIIIᵉ siècle** pour que l'usage du mot « Europe » apparaisse dans son sens actuel. Cette Europe consciente d'elle-même se définit à partir d'une identité culturelle et philosophique, **les Lumières**, alors qu'auparavant, lorsqu'on parlait d'Europe, on entendait principalement la chrétienté. L'Europe commence à se laïciser.

L'âge des Lumières qui coïncide avec le XVIIIᵉ siècle est une création typiquement européenne. Il constitue un profond bouleversement dans l'histoire de la conscience européenne, il est l'accomplissement du mouvement de la « **Renaissance**, qui, entre foi et raison, religion et humanisme », pose l'homme comme le fondement de toute valeur. Les philosophes des Lumières refusent désormais les dogmatismes et prônent le primat de la raison. Le philosophe ne se contente plus de chercher la vérité, mais il se préoccupe aussi de la répandre : « **imposer les Lumières de la connaissance contre les ténèbres de la superstition** ». La raison doit être appliquée à tous les domaines : « religieux, politique, social et moral ». **Montesquieu, Voltaire,**

**Rousseau, Diderot, Condorcet, Hume, Kant** et les monarques « éclairés » Frédéric II, Joseph II, Catherine II, sont les figures de proue de cette époque capitale dans la genèse de la « **civilisation** » **européenne**. Les dix-sept volumes de textes, les onze volumes de planches de l'*Encyclopédie* (1745-1772) de Diderot et d'Alembert ont joué un rôle capital dans la diffusion de l'idéologie des Lumières auprès d'une opinion publique en voie de constitution.

## B. L'héritage des Lumières

C'est d'abord l'idéologie du **progrès**, dont le but est d'assurer le **bonheur des hommes**, c'est le combat pour faire triompher **la raison et la tolérance**. Toutes ces idées, fondements de la pensée des Lumières, restent celles de l'Europe du XXIᵉ siècle.

L'Europe a apporté au monde les grands principes : **liberté, égalité, souveraineté du peuple**, qui fondent la démocratie actuelle. Les philosophes des Lumières ont ensuite pensé que ces principes étaient potentiellement **universels**. **La Déclaration des droits de l'homme et du citoyen** stipule, dès 1789, que tous les « hommes naissent et demeurent libres et égaux en droits ».

L'unité de l'Europe, définie à partir d'**un socle commun de valeurs**, se retrouve dans le projet de la future **Constitution européenne**. Il précise, dans son préambule, que « l'Europe est un continent porteur de civilisation ; que ses habitants, venus par vagues successives depuis les premiers âges de l'humanité, y ont développé progressivement les valeurs qui fondent l'humanisme : **l'égalité des êtres, la liberté, le respect de la Raison** ».

# ② Les aventures de la science

## A. La science « objective »

Il n'est pas concevable de présenter en quelques lignes l'extraordinaire aventure de la science. On se contentera de citer la phrase de Fernand Braudel, « pour la science objective, aucune question : elle est strictement une, en Europe, et dès ses premières réussites ».

Dans son ouvrage, *Penser l'Europe*, Edgar Morin indique que le champ proprement scientifique se constitue véritablement au XVIIᵉ siècle : « **Galilée** définit le rôle du modèle théorique, **Bacon** le rôle du recours à l'expérience, **Descartes** formule la disjonction entre la philosophie, vouée à la réflexion du sujet, et la science, vouée à l'étude des objets. » Tandis qu'elle se dissocie de la philosophie, la science s'associe à la technique. Au XVIIIᵉ **siècle, les sociétés scientifiques** apparaissent en Europe, les inventions se diffusent chez tous les savants de l'Europe, et les scientifiques se différencient des philosophes. De la **biologie**, de la **chimie**, de la médecine, on ne saurait dire qu'elles appartiennent à tel ou tel pays d'Europe, tant elles furent élaborées partout à la fois.

**Européenne et universelle.** Selon Edgar Morin, la science est « typiquement européenne, non pas seulement par ses conditions de formation, mais aussi par la nature de ses concepts fondamentaux qui relèvent de son expérience culturelle et historique ». La science est devenue universelle par son principe fondamental de vérification, et par ses caractères « empiriques-rationnels ». « Le mérite singulier de la culture européenne est d'avoir accouché, avec la science, d'une véritable universalité ».

## B. Les sciences de l'homme

Fernand Braudel écrit que, pour « les sciences spécifiques de l'homme, leurs mouvements se présentent plutôt, tels ceux de la philosophie, comme des mouvements nationaux à rapide diffusion européenne ». La **sociologie** est plutôt d'origine française, l'**économie politique** anglaise, la **géographie** allemande et française (Ratzel et Vidal de la Blache), l'**histoire** surtout allemande au XIXᵉ siècle, avec Leopold von Ranke.

Parmi les fondateurs de la sociologie, la génération des précurseurs est ancrée dans le XIXᵉ siècle avec **Auguste Comte, Alexis de Tocqueville, Karl Marx et Herbert Spencer**. La génération des fondateurs se situe à la charnière du siècle avec **Max Weber, Émile Durkheim** et aussi l'école de Chicago.

# 7 Espace et économies en Europe

**En 1775, la pieuvre des trafics européens s'étend au monde entier. Londres est devenue le centre du monde.**

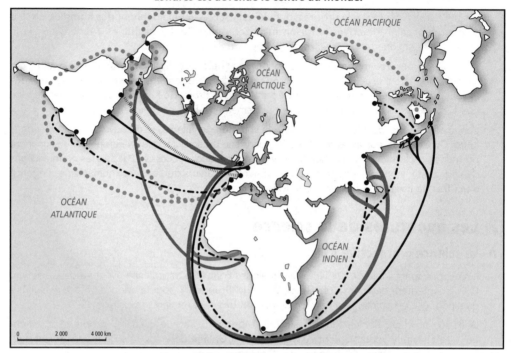

Source : *F. Braudel,* Civilisation matérielle, économie et capitalisme (XVᵉ-XVIII siècle).

## 1 L'héritage des anciens courants commerciaux

### A. L'ancienne bipolarité européenne

« Tout s'est probablement décidé vers les IXᵉ et Xᵉ siècles : deux économies régionales à large rayon se sont formées précocement presque en dehors l'une de l'autre » (Fernand Braudel).

**Au nord**, apparaît l'aire de la Baltique et de la mer du Nord, constituée autour de la Hanse, organisation de marchands qui prospère du XIIᵉ au XVIᵉ siècle. La Hanse s'arroge le contrôle du commerce maritime de Novgorod à Londres, son centre névralgique étant à Lübeck. Il reste de cette **« civilisation de marchands »** une forte tradition pour le commerce et un paysage urbain commun à toutes ces villes.

**Au sud**, l'aire de la Méditerranée, qui fait converger vers **Venise et Gênes** les marchandises de l'Asie. Leur jonction se fera par les routes de terre nord-sud, dont les **foires de Champagne** seront la première manifestation notable dès le XIIᵉ siècle. **La Flandre et l'Italie** vont devenir les deux pôles économiques de l'Europe.

Dès la fin du XIIᵉ siècle, les routes terrestres sont concurrencées par les courants maritimes qui prennent la direction du détroit de Gibraltar. Le commerce de l'Atlantique s'impose peu à peu, les grandes découvertes consacreront définitivement le glissement des flux commerciaux vers l'Atlantique.

### B. Le réseau des banquiers de la Renaissance

C'est en Europe que naissent et se perfectionnent les techniques monétaires qui annoncent la banque moderne. C'est pour répondre aux besoins du négoce des marchandises, devant s'accompagner de la rapidité et de la sûreté des paiements, que les maisons de commerce sont à l'origine des affaires financières. Le réseau des banquiers de la Renaissance couvre toute l'Europe. Les plus célèbres sont **les Fugger d'Augsbourg, les Médicis de Florence** et surtout les **banquiers-financiers génois** de la fin du XVIe siècle et du début du XVIIe siècle. Ces banquiers ont développé le maniement des capitaux et du crédit devenant les arbitres des paiements et règlements dans toute l'Europe. Les lettres de change et les actions des compagnies de commerce vont se négocier dans des bourses.

# 2 De « l'économie-monde » européenne à l'économie mondiale

## A. L'« économie-monde » européenne

L'historien Fernand Braudel, dans sa trilogie monumentale, *Civilisation matérielle, économie et capitalisme (XVe-XVIIIe siècle)*, publiée entre 1967 et 1979, définit le concept **« d'économie-monde »** comme une partie du monde formant un ensemble cohérent, un système. « L'économie-monde ne met en cause qu'un fragment de l'Univers, un morceau de la planète économiquement autonome, capable pour l'essentiel de se suffire à lui-même et auquel ses liaisons et ses échanges intérieurs confèrent une certaine unité organique. » Une **économie-monde s'identifie à un espace bien défini**, traversé par des flux matériels, technologiques et humains. Cet espace est polarisé à partir de centres donneurs d'ordres, avec **une ville dominante**, organisant les régions périphériques en fonction d'une division du travail et des productions. **Jusqu'au XVIIIe siècle, le monde est constitué de plusieurs économies-mondes** qui ont peu de relations entre elles. Les économies-mondes naissent, se développent, passent par un apogée et déclinent.

**L'économie-monde européenne** s'est développée successivement autour de plusieurs pôles. « **L'Italie** l'aura emporté jusqu'au XVIe siècle, tant que la Méditerranée est restée le centre du Vieux Monde. Mais vers 1600, l'Europe bascule d'elle-même, au bénéfice du Nord » (Fernand Braudel). **Venise** est le centre du monde de la fin du XIVe siècle jusqu'à la fin du XVe siècle. C'est ensuite la prépondérance successive d'**Anvers**, de **Gênes** puis d'**Amsterdam** qui domine tout le XVIIe siècle. Avec Amsterdam, le Nord reprend l'avantage sur le Sud et cette fois définitivement. Au XVIIIe siècle, **Londres** succède à son tour à Amsterdam. L'Amérique ne constitue pas à proprement parler une économie-monde mais reste longtemps une « périphérie dominée ». À partir de l'Angleterre, l'économie va progressivement s'internationaliser du fait de la diffusion de la révolution industrielle à l'ensemble de la planète et du dynamisme du capitalisme britannique. Le XIXe siècle est celui du passage des économies-mondes à une **« économie mondiale »**.

## B. La révolution industrielle, née en Europe, se propagera dans l'ensemble de la planète

La première révolution industrielle émerge en **Angleterre** vers 1750, elle annonce une nouvelle ère et se traduit par de grands bouleversements. C'est une **révolution technologique** avec l'utilisation du charbon et de la machine à vapeur inventée par l'Anglais **James Watt** en 1769, entraînant l'essor des chemins de fer et des transports maritimes. Parallèlement le développement du **capitalisme industriel** fait naître en Europe de véritables régions industrielles et l'exode rural fournit la main-d'œuvre nécessaire à l'industrie. De **nouvelles classes sociales** antagonistes apparaissent, il s'agit du prolétariat et de la bourgeoisie.

Les historiens débattent aujourd'hui des causes et des facteurs de la révolution industrielle, dont les origines seraient anciennes, certains avançant même l'hypothèse d'une **industrialisation sans révolution**. « La révolution industrielle serait le produit d'une interaction entre technologie, innovation sociale, contexte politique, rôles stimulants du marché et de l'État, importance des infrastructures, de l'éducation, rôle des minorités innovantes. » (*Panorama des connaissances*, éditions Sciences Humaines). Si l'idée d'une cause unique doit être abandonnée, il reste à démontrer comment les phénomènes se sont enchaînés. La seule certitude, c'est que les conditions ont été réunies en Angleterre à la fin du XVIIIe siècle, avant de s'emparer du continent européen et de l'ensemble de la planète entière. **« La révolution industrielle, c'est l'acte de naissance de notre monde »** (Jean-Pierre Rioux, *La Révolution industrielle*, 1780-1880).

# 8   Les divisions de l'histoire

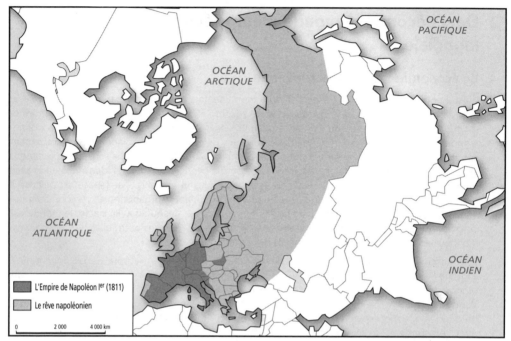

**Le rêve continental et hégémonique de Napoléon,
des « colonnes d'Hercule au Kamtchatka »**

OCÉAN
PACIFIQUE

OCÉAN
ARCTIQUE

OCÉAN
ATLANTIQUE

OCÉAN
INDIEN

L'Empire de Napoléon Ier (1811)

Le rêve napoléonien

0    2 000    4 000 km

Source : M. Foucher, Fragments d'Europe, Fayard, 1993.

*Le territoire européen a été le théâtre de guerres nombreuses depuis l'Antiquité. L'Europe est aussi le fruit de cette histoire dramatique qui constitue son « identité complexe ». On peut analyser quelques traits qui ont laissé des traces profondes dans l'époque contemporaine. Le totalitarisme est aussi une invention européenne.*

## 1 La montée des États-nations

### A. L'apparition des États modernes

L'État se constitue à partir d'une monarchie, qui agrandit son territoire par des conquêtes de provinces dont les habitants sont intégrés dans une identité nationale commune. Les premiers modèles d'États modernes avec la constitution d'armées et d'impôts permanents, d'une administration forte, apparaissent en Europe au XVe siècle en Angleterre, en France et en Espagne. Aux XVIe et XVIIe siècles, l'État national devient souverain, la prééminence de l'État sur la religion s'imposera de plus en plus, notamment dans les pays protestants d'Europe centrale (*cujus regio ejus religio*).

### B. La confrontation des États-nations

Dans la deuxième moitié du XVIIIe siècle, se développe l'idée selon laquelle **« l'État doit coïncider avec une vaste communauté, la nation »** (Jean-Baptiste Duroselle). Le principe des nationalités donnera naissance au nationalisme pour lequel la nation est la valeur suprême, il sera, par son caractère belliciste, **générateur de guerres**. La France est le premier modèle accompli de l'État-nation. Le modèle servira de référence pour la constitution d'**États-nations** de peuples asservis dans les empires autrichien, tsariste et ottoman ou dispersés en petits États comme l'Italie et l'Allemagne qui se constituent au XIXᵉ siècle. En 1870-1871, la guerre franco-allemande cimente l'unité allemande, tout en provoquant en France la chute de l'Empire de Napoléon III. Cette Europe des États-nations est une « Europe polycentrique où va régner la guerre de tous contre tous » (Edgar Morin). Les « passions nationalistes » s'emparent des États-nations avant de les faire s'affronter avec vigueur dans la **« Guerre-Suicide » de 1914-1918**, véritable guerre civile européenne qui fera des millions de morts.

## ② La tentative napoléonienne d'hégémonie

### A. Des conquêtes qui s'inscrivent dans la continuité des guerres de la révolution

Au principe ancien selon lequel un territoire appartient à un souverain qui peut le céder à un autre par un traité, se substitue un principe nouveau avec la Révolution française qui vise à faire accéder les peuples à la liberté contre les tyrans. Ceci aboutit aussi à l'expansion révolutionnaire et à l'annexion de nouveaux peuples à la **« Grande Nation »**. Les conquêtes napoléoniennes s'inscrivent, pour une part, dans la continuité des guerres de la révolution.

### B. D'autres raisons poussent Napoléon à intervenir dans toute l'Europe

C'est d'abord **l'engrenage de la guerre économique** contre l'Angleterre, Napoléon organise un blocus continental, s'engage jusqu'en Espagne et en Russie. Après 20 ans de guerres, Napoléon rassemble toute l'Europe sous son autorité. Il poursuit aussi le rêve de **« reconstituer l'Empire de Charlemagne sous une dynastie bonapartiste »**. Le **« Grand Empire »** de 1812 constitue une forme d'unification juridique avec l'extension du code civil, l'abolition du système seigneurial et la mise en place de la centralisation administrative. Mais les « messagers de la liberté » vont devenir des occupants haïs. Paradoxalement, Napoléon est, à son corps défendant, le grand artisan de **l'Europe des nationalités** qui va se former en réaction à **l'impérialisme français** en Espagne, en Autriche, en Allemagne, en Russie. Il ne faut que deux ans pour que la chimère de l'Empire disparaisse, le nationalisme moderne poursuivant son essor.

## ③ L'échec des unités violentes du XXᵉ siècle

### A. « L'Europe nouvelle » d'Hitler

L'Europe d'Hitler est basée sur un **impérialisme raciste** visant à coloniser l'Europe. La grande Allemagne réunit près de 100 millions d'habitants. Les autres territoires sont organisés en « protectorats », « pays occupés » et « pays satellites » pour les alliés de l'Europe centrale. L'Europe d'Hitler consacre l'idée de hiérarchie des peuples, dominés par la **race aryenne** dont les seuls vrais représentants sont les Allemands. La race aryenne étant la race des seigneurs, elle doit dominer les peuples « mêlés » comme les Latins et les peuples « inférieurs » dont les Slaves. La conquête de « l'espace vital » s'accompagne de la croisade contre le bolchevisme et du pillage de l'Europe. L'Europe hitlérienne est enfin celle de **l'holocauste,** c'est-à-dire celle du génocide de millions de juifs par les nazis.

### B. L'Europe de Staline

Les avancées militaires des Américains et de leurs alliés, ainsi que celle des Soviétiques, déterminent les nouvelles frontières de la guerre froide en Europe. Dans les pays « libérés » par l'Armée rouge, les Soviétiques installent des régimes satellites de l'URSS. C'est **« l'Occident kidnappé »** (Milan Kundera). Dans cette Europe, les dirigeants en place sont dévoués à Staline et les constitutions calquées sur le modèle de l'URSS. L'économie est organisée sur le modèle de la planification soviétique. Toute forme de contestation est vigoureusement réprimée comme en Hongrie en 1956 ou en Tchécoslovaquie en 1968. L'effondrement des régimes communistes d'Europe centrale intervient avec la **chute du mur de Berlin en 1989** qui marque la fin de l'ordre bipolaire en Europe.

# 9 Les ambiguïtés du nationalisme régional en Europe occidentale

## La Catalogne

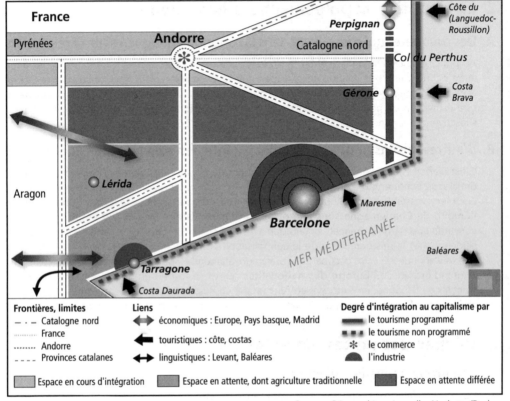

Source : Géographie universelle, *Hachette/Reclus.*

## ① De l'État-nation à la région-nation

### A. Une autre façon d'envisager l'identité au XXIᵉ siècle

La quête d'identité se joue de plus en plus sur la nationalité. Le siècle passé a connu l'affrontement sanglant des États-nations, aujourd'hui le nationalisme se déplace à l'échelon des régions qui, au nom de leur singularité culturelle, affrontent l'État-nation. Dans les cas les plus extrêmes, le nationalisme régional fonde ses récriminations sur l'identité culturelle, raciale, la politique de l'ethnie.

### B. L'ethnonationalisme régional

En Europe, les revendications identitaires des régions-nations trouvent aujourd'hui leur place dans une certaine modernité dont elles exprimeraient, conjointement à la globalisation, la vivacité économique et politique. Ceci concerne donc l'ensemble des communautés qui se pensent comme des petites nations, refusant la tutelle de l'État-nation, cherchant l'autonomie, voire l'indépendance, et une reconnaissance internationale.

## 2 Les formes du nationalisme régional

### A. La richesse économique

C'est un des principaux ressorts du nationalisme régional, comme le souligne Béatrice Giblin dans un article de la revue *Hérodote*. Le nationalisme économique traduit une forme d'égoïsme régional, il s'agit de garder les richesses pour soi et d'améliorer les performances de la région. Ceci semble s'appliquer pour l'Écosse, qui revendique sa place de septième nation la plus riche du monde en terme de PIB par habitant, du fait de l'exploitation du pétrole dans la mer du Nord. La langue gaélique, peu parlée, n'est pas un marqueur décisif dans le nationalisme régional écossais. Le nationalisme économique est aussi primordial en **Flandre,** beaucoup plus riche que la **Wallonie**. Le cas extrême est en **Italie,** celui de la ligue du Nord d'Umberto Bossi qui fonde ici son discours séparatiste, accusant le Mezzogiorno de « vol » et de dilapidation des richesses. Toutes les régions riches d'Europe ne sont pas tentées par le séparatisme, c'est le cas de la Bavière, qui en aurait les attributs, car jouissant d'une grande autonomie, ancien royaume à la tradition catholique et à l'identité bien marquée face aux protestants du Nord. L'**Allemagne** ne semble pas concernée par les revendications régionalistes. Miracle du fédéralisme ou sentiment implicite que la « nation allemande se fonde sur la pratique de la langue commune et d'une culture commune ? »

### B. Le « ressort du mépris »

C'est un dénominateur commun, favorable au développement du nationalisme régional. Béatrice Giblin le définit comme « le sentiment, vrai ou faux, d'avoir été méprisé ou injustement traité à un moment ou à un autre par le pouvoir central ». Il s'agit alors de réclamer réparation, voire d'obtenir l'indépendance. C'est le cas des nationalismes **basque** et **catalan** à l'époque du franquisme, c'est aussi le fait du « nationalisme **flamand** à cause de la domination politique, économique, culturelle de la minorité francophone » (Béatrice Giblin). Dans le cas français, les nationalismes régionaux **corse** et **breton** dénoncent la mainmise économique de l'État, avant de remettre en cause « l'État oppresseur et dominateur ». Les issues à ces revendications varient. La Bretagne a évolué globalement vers une revendication culturelle. Ce n'est pas le cas en Corse pour les mouvements nationalistes clandestins qui multiplient les attentats et réclament « la Corse aux Corses ». Des affrontements violents avec l'État central sont le fait de groupes armés comme l'**IRA** en Ulster ou l'**ETA** au Pays basque. L'Europe est cependant réfutée par les organisations clandestines de lutte armée qui dénoncent sa nature « capitaliste et colonisatrice ». Le glissement progressif du régionalisme paisible au nationalisme agressif est le véritable danger. La tentative d'ethnicisation du politique en Europe occidentale entraî-nera-t-elle des conflits semblables à ceux qui ont ensanglanté les Balkans ?

## 3 La Catalogne : autonomie ou indépendance ?

### A. La spécificité catalane

La **richesse économique** est un ressort primordial. Avec une population de 7,5 millions d'habi-tants, la Catalogne produit à elle seule près de 20 % du PIB espagnol. Il n'y a pas, ici, de reven-dication de la pureté ethnique, comme ce peut être le cas au Pays basque. La **langue** n'est pas en péril du fait de sa diffusion parmi la population. Le Tribunal constitutionnel envisage de remettre en cause plusieurs aspects de l'actuel « statut » de la Catalogne, qui a accordé en 2006 une autonomie élargie à la région élevée au rang de « nation ». Un référendum symbolique organisé en décembre 2009 a plébiscité l'indépendance de la Catalogne mais seulement 30 % des 700 000 Catalans concernés par cette consultation ont voté. Le débat sur les relations entre « la Catalogne et l'Espagne » reste ouvert.

### B. Un État-région

La Catalogne possède plus de trente délégations dans le monde. Dans son ouvrage, *De l'État-nation aux États-régions*, Kenichi Ohmae note que, parallèlement au dépérissement des grands **États-nations**, émergent de nouvelles entités économiques « naturelles » : les **États-régions**. Ces unités territoriales par leur taille et leur échelle sont les véritables unités opérationnelles naturelles de l'économie planétaire, sans frontières, contemporaine. La Catalogne serait une de ces régions, au même titre que la Silicon Valley, la zone San Diego/Tijuana, Hongkong et le sud de la Chine.

# 10 L'Europe : un contexte favorable au fait régional ?

**Charte européenne des langues régionales ou minoritaires**

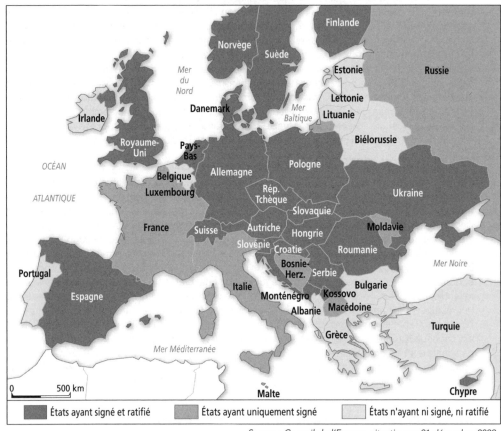

Source : Conseil de l'Europe, situation au 21 décembre 2009.

## 1 L'Europe de Bruxelles

### A. Une prise en compte ancienne de la dimension régionale

On peut en donner quelques exemples avec la création du Fonds européen de développement économique régional (FEDER). La politique régionale de l'Europe se renforce avec le traité de Maastricht, avec l'augmentation significative des fonds structurels régionaux. Le Comité des régions créé par Maastricht est seulement consultatif, mais il est l'organe par lequel les régions tentent une représentation directe, « par-dessus les États ». Elles trouveront une oreille attentive à la Commission de Bruxelles, soucieuse de rendre l'Europe plus proche des citoyens. Comme le dit Béatrice Giblin (*Hérodote*) « la politique de l'UE, concernant les régions, consiste, d'une part, à atténuer leurs disparités économiques et, d'autre part, à accroître leurs particularités culturelles… La lutte contre les trop fortes inégalités économiques est connotée de façon positive, comme l'est la défense des plus faibles sur le plan culturel ». L'Europe est un espace favorable à l'épanouissement des revendications des minorités. Face à la mondialisation, la défense du patrimoine européen ne passe-t-elle pas par la sauvegarde de la culture, de la langue, des traditions des minorités ?

## B. Le dépérissement de l'État-nation

Par le haut, avec la construction européenne qui étend les compétences communautaires qui conduisent à l'effacement progressif des frontières nationales. La souveraineté absolue des États-nations n'existe plus pour la monnaie dans le cas des pays qui ont adopté l'euro, les exemples de défonctionnalisation des frontières entre les pays de l'UE peuvent être multipliés.

Par le bas, c'est-à-dire par les régions. C'est le cas de l'Espagne où l'État central a cédé une partie de ses compétences à dix-sept communautés autonomes, la **Catalogne**, le **Pays basque**, l'**Andalousie** et la **Galice** bénéficiant de pouvoirs étendus. Si les régions aspirent à modifier leurs statuts pour obtenir plus de souveraineté, cela illustre la confrontation de conceptions antagonistes entre l'État qui estime avoir accordé par sa constitution un maximum d'autonomie et la revendication nationaliste s'appuyant sur l'Europe. Une menace qui pourrait faire exploser à terme l'Espagne.

Certains voient dans ce glissement vers la région une possible relance de l'idée d'une « Europe des régions », formulée par Denis de Rougemont, fédéraliste européen, après la Seconde Guerre mondiale.

## ❷ Le Conseil de l'Europe et la Charte européenne des langues régionales ou minoritaires

### A. La Charte

Il y a environ quarante-cinq langues en Europe dont certaines sont dites de « moindre diffusion ». Pour tenter de préserver ce patrimoine et permettre une renaissance de ces langues, le **Conseil de l'Europe de Strasbourg** a établi en 1992 la **Charte européenne des langues régionales ou minoritaires**. Il y est dit que le « droit de pratiquer une langue régionale ou minoritaire dans la vie privée et publique constitue un droit imprescriptible ». Au-delà de l'aspect culturel, il s'agit d'utiliser la langue régionale dans l'administration, la justice, l'éducation.

### B. Les limites de son application

La Charte a été signée et ratifiée par la plupart des pays européens. Le débat fut vif en **France**, où l'on n'a pas ratifié la Charte ; la décision du Conseil constitutionnel du 15 juin 1999 estimait que la Charte n'était pas compatible avec l'article 2 de la Constitution, stipulant que « la langue de la République est le français ». L'usage du français sur tout le territoire national, fait que la France jouit d'une unité linguistique assez rare en Europe qui fait partie de son identité. Le contexte géopolitique européen, favorable aux langues régionales, va à l'encontre de celui dans lequel il avait été décidé d'imposer le français à l'école sous la IIIᵉ République.

### C. Les enjeux

Les partisans de la Charte mettent en avant les aspects culturels, les opposants dénoncent les germes de rivalités opposant les groupes ethniques entre eux, du fait de la territorialisation des droits linguistiques (Y. Bollmann). Dominique Schnapper, dans *La Démocratie providentielle, essai sur l'égalité contemporaine*, met l'accent sur les risques mal perçus de nouvelles discriminations, alors que les revendications identitaires de chaque groupe ou de chaque communauté apparaissent comme légitimes. Comment concilier la citoyenneté, source du lien social, qui transcende toutes les formes d'appartenances particulières (ethniques, religieuses, culturelles) et satisfaire les revendications identitaires de chaque groupe ou de chaque communauté qui sont réclamées au nom de cette même égalité ? Dès lors comment conjuguer universalisme et particularismes ?

# Conclusion

**Conflits et tensions communautaires :
les zones de fragmentation de l'Europe**

Source : *L'Atlas du Monde diplomatique.*

# Chapitre 2

# La construction européenne

L'Europe de l'après Seconde Guerre mondiale est celle de la reconstruction, de la réconciliation franco-allemande et de la solidarité dans la guerre froide face au stalinisme.

La construction européenne n'est pas l'application d'un modèle conceptualisé, la méthode adoptée est celle d'une démarche pragmatique qui part de l'économie pour aboutir à la construction politique. Pour ce faire, l'Europe se dote d'institutions originales et complexes qui cependant n'ont véritablement tranché entre la coopération entre États et la supranationalité.

Depuis la chute du mur de Berlin et après les derniers élargissements, la question des frontières orientales est nouvellement posée.

Après le double *non* franco-néerlandais au projet de Constitution (2005) et le *non* irlandais au traité de Lisbonne (2008), l'Europe est difficilement sortie de l'impasse institutionnelle en décembre 2009. Le bon fonctionnement d'une Europe à 27 États reste un défi.

# 11 L'idée d'Europe

## 1 Les rêves d'unité

Dans l'histoire du Vieux Continent, de nombreux desseins concernent le « désir d'Europe ». Ils font tous appel à l'aspiration de paix et d'unité.

### A. Un idéal de paix fondé sur l'appartenance à une culture ou à une civilisation commune

**Dante Alighieri** (1265-1321), dans la *Divine Comédie*, préconise la mise en place d'un empereur au-dessus des autres souverains.

**Didier Érasme** (1469-1536), à la Renaissance, propose la paix chrétienne à travers l'Europe des États.

**Maximilien de Béthune, duc de Sully** (1560-1641) envisage dans ses *Mémoires* une véritable union, un « Grand Dessein » avec un « Conseil commun de la République très chrétienne » formé de membres renouvelables et avec une armée communautaire qui pourrait servir contre les Turcs.

**Emmanuel Kant** (1724-1804) écrit *De la paix perpétuelle* et ajoute à l'idée fédéraliste la mise en place d'un traité entre les peuples.

**Claude Henri, comte de Saint-Simon** (1760-1825) propose « l'élection d'un parlement élu par les Européens alphabétisés et formé exclusivement de spécialistes ».

**Victor Hugo** (1802-1885) apporte son talent au service de l'idée européenne. En 1849, lors du premier congrès de la Paix qu'il préside, il trouve la formule frappante des « États-Unis d'Europe ». Il ne cessera ensuite de militer pour cette idée.

### B. L'émergence d'une conscience européenne après la Première Guerre mondiale

Le sentiment de la nécessité vitale de construire l'Europe pour la paix et contre le déclin de l'Occident surgit après le désastre de la **Première Guerre mondiale**. La période des années 1920 se caractérise par un véritable engouement pour l'Europe. L'idée d'une **« Union européenne »**, qui aboutirait à une confédération d'États, est proposée en 1930 par **Aristide Briand** à la **Société des Nations**.

C'est à cette époque que se situe l'action d'un diplomate austro-hongrois, **Richard Coudenhove-Kalergi**, fondateur de l'**Union paneuropéenne**, en 1923. Deux mille personnalités majeures se réunissent à son premier congrès à Vienne, en 1926. Le mouvement rallie des hommes politiques de premier plan, mais aussi de nombreux intellectuels comme Paul Valéry, Paul Claudel, Jules Romains, Heinrich et Thomas Mann, Stefan Zweig, Sigmund Freud, Albert Einstein, José Ortega y Gasset, Miguel de Unamuno. L'arrivée d'Hitler au pouvoir transforme le rêve en cauchemar.

## C. L'effervescence de l'après Seconde Guerre mondiale

**Un nouvel âge d'or** de l'idée européenne réapparaît après la Seconde Guerre mondiale : tous les grands courants politiques ou syndicaux (sauf le Parti communiste) créent des organisations européennes. Ils se retrouvent au **congrès de La Haye, en mai 1948**. Les congressistes adressent un vibrant appel à l'unité dans un **« Message aux Européens »**. Le congrès est à l'origine de la création du Conseil de l'Europe, mais l'enthousiasme suscité est de courte durée.

La guerre froide détourne la majeure partie des intellectuels de la cause européenne, trop engagée à l'Ouest et trop technocratique. Avec la chute du mur de Berlin, les liens anciens sont renoués avec « l'Autre Europe » qui se réclame de la même culture et qui a été, selon le mot de Milan Kundera, « kidnappée » par le communisme soviétique.

# ❷ L'Europe des pères fondateurs

Alors qu'on assiste à une crise de l'idée européenne chez les intellectuels, l'Europe actuelle va naître avec une génération d'hommes profondément marqués par le désastre de la Seconde Guerre mondiale ; ce sont ceux, qui avec Jean Monnet, sortent l'Europe des « limbes de l'Utopie ». (François Duchêne)

### Konrad Adenauer (1876-1967)

Né à Cologne, catholique, il est le fondateur de la **CDU** et le premier chancelier de la RFA, en 1949 ; il le restera jusqu'en 1963. Adenauer est l'artisan du rapprochement avec la France. Il est partisan de l'alliance atlantique avec les États-Unis, de la construction de l'Europe afin de contenir le communisme. Il veut redonner à l'Allemagne le rang qui doit être le sien, tout en réduisant le pangermanisme.

### Alcide De Gasperi (1881-1954)

« Italien né en terre autrichienne », chef de la Démocratie chrétienne, président du Conseil après la Seconde Guerre mondiale, il est le farouche partisan d'une Europe fédérale, indispensable au renouveau de l'Italie.

### Robert Schuman (1886-1963)

Né au Luxembourg, il a grandi en Lorraine, région annexée par l'Allemagne après la guerre de 1870, jusqu'en 1918 ; c'est un homme de deux cultures. Juriste, député de la Moselle, c'est l'un des chefs du Mouvement républicain populaire. Il est ministre des Finances en 1945, président du Conseil en 1947, ministre des Affaires étrangères de 1948 à 1952. Il reste l'homme qui a lancé en mai 1950 le plan qui porte son nom et qui est l'acte fondateur de la **CECA**, première étape vers une Europe fédérale.

### Paul Henri Spaak (1899-1972)

Avocat belge, socialiste, chef du gouvernement après la Seconde Guerre mondiale, ministre des Affaires étrangères, puis secrétaire général de l'OTAN de 1957 à 1961, il avance des idées audacieuses sur la voie de la supranationalité. Après l'échec de la **CED**, c'est l'homme de la relance de la construction qui aboutira au traité de Rome, en 1957.

# 12 Jean Monnet (1888-1979)

> « Nous ne coalisons pas des États, nous unissons des hommes. »
>
> Jean Monnet, Mémoires.

## 1 Un personnage atypique

### A. Un provincial internationaliste

Né à Cognac en 1888, dans une famille de négociants en cognac, Jean Monnet parcourt le monde dès l'âge de 16 ans à la recherche de clients afin de renflouer l'entreprise familiale. Autodidacte, il acquiert « sur le terrain » une culture internationale rare pour son époque. Jean Monnet mena à certaines périodes de sa vie une activité privée et fut aussi financier international, banquier en Amérique et à Shanghai dans les années 1930. À la fois homme du terroir charentais et homme d'un projet mondial, c'est, selon François Duchêne, « **The first Statesman of interdependence** ».

### B. « L'inspirateur »

La place de Jean Monnet est capitale dans l'histoire du XXᵉ siècle ; pour John Kennedy, il était « l'homme d'État du monde ». Charles de Gaulle voyait en lui l'**« inspirateur » du processus d'intégration européenne**. C'est un homme d'influence au rayonnement universel qui échappe aux classifications politiques et idéologiques traditionnelles (Éric Roussel). Jean Monnet ne fut jamais titulaire d'un mandat électif et jamais ministre, il n'a jamais appartenu à un parti politique. C'est **« un homme de l'économique »**, un de ces négociants chers à Saint-Simon (Pascal Ory). La personnalité et le rôle exact de Jean Monnet font toujours l'objet de débats. Jean Monnet reste le « père de l'Europe » et le personnage clé des relations franco-américaines pendant toute cette époque.

## 2 Un homme d'action

### A. D'une guerre à l'autre

Dès 1914, Jean Monnet entreprend à Londres la coordination des efforts de guerre entre la France et l'Angleterre. De 1919 à 1922, il est **secrétaire général adjoint de la SDN**. Le 14 juin 1940, il suggère un **projet de fusion des deux empires** français et britannique face à l'agression nazie, projet que Winston Churchill propose en vain à Paul Reynaud. En 1941, aux États-Unis, Monnet participe à l'élaboration du **Victory Program** du président Roosevelt. En 1943, il est à Alger membre du Gouvernement provisoire de la République française (**GPRF**) présidé par de Gaulle.

### B. Après la Seconde Guerre mondiale

Jean Monnet devient, après la guerre, le premier **Commissaire général au Plan** (1947-1952) ; c'est le point de départ des Trente Glorieuses. Il est, en 1950, l'auteur du **Plan Schuman** qui crée la **Communauté européenne du charbon et de l'acier**, dont il sera le premier président. Il est l'inspirateur du projet européen de défense commune (**CED**), qui échouera. Paul Henri Spaak s'inspire de la démarche de Jean Monnet pour relancer l'Europe. Son mémorandum, adopté par les Six de la CECA, à Messine en juin 1955, aboutira à la naissance de la CEE en 1957.

Jean Monnet fonde, en 1955, et préside jusqu'en 1975, un groupe de pression, le **Comité d'action pour les États-Unis d'Europe (CAEUE)**, où l'on retrouve des politiques de droite et de gauche.

## C. L'opposition au général de Gaulle

Proche des présidents américains et des responsables européens, Jean Monnet rompra avec le général de Gaulle, en 1963, après le rejet par celui-ci de l'adhésion de la Grande-Bretagne à la CEE. Monnet est favorable à une Europe **supranationale** en butte à la vision gaullienne d'une Europe fondée sur la **coopération des États-nations**. En 1973, il imagine le projet de Conseil européen que Valéry Giscard d'Estaing fait aboutir.

# ③ « Le visionnaire de l'Europe concrète » (M. Noblecourt)

## A. Le pragmatiste : la méthode Monnet

L'Europe de Monnet diffère de l'« utopie d'Europe fédérale » exprimée au congrès de La Haye en 1948. Pour construire l'Europe, il faut amorcer un mouvement réel d'union, faire l'Europe plutôt que la rêver. Le **pragmatiste** Jean Monnet a su trouver la voie de la construction européenne. Adepte de **« la politique des petits pas »**, faite de « réalisations concrètes », « créant des solidarités de fait », « faisant immédiatement porter l'action sur un point limité mais décisif ». Le plan Schuman, dont il est l'inspirateur, la CECA, dont il sera le président, et le projet de CED, balisent la méthode Monnet. L'accord sectoriel de la CECA illustre la méthode. Moins de dix ans après la Seconde Guerre mondiale, la CECA permet la mise en commun des ressources et des marchés pour six pays européens et permet la réconciliation entre la France et l'Allemagne. Les Six de la CECA créent la CEE en 1957, ils sont aujourd'hui vingt-cinq. La méthode Monnet se retrouve dans la mise en place de la PAC, puis de l'intégration monétaire.

## B. Le visionnaire

L'Europe de Jean Monnet se construit à partir **« de la mise en place concrète, secteur par secteur, d'instances européennes qui prennent une parcelle de souveraineté aux nations et qui enclenchent un mouvement de fond menant naturellement au fédéralisme »** (Laurent Fléchaire). Jean Monnet est le **« fondateur des institutions, l'inventeur de la méthode permettant le transfert ou mieux la fusion des souverainetés »** (E. Roussel). Il reste l'inspirateur de solutions pacifiques non conformistes, fondées sur la concertation internationale. Le but constant chez Monnet est celui de l'union des hommes pour assurer la paix.

Les objectifs de Jean Monnet étaient-ils réalisables ? Lui-même reconnaissait que le projet de CED était prématuré. Il espérait, en commençant l'Europe par le charbon et l'acier, le nucléaire, la défense, atteindre l'union économique puis monétaire (par ordre croissant d'abandon de souveraineté) et enfin politique (*Gérard Bossuat*). **« La fédération de l'Ouest »**, qu'il dessine en 1948, part d'une union franco-allemande, se prolonge par un amarrage de la Grande-Bretagne et s'affirme en partenaire indépendant des États-Unis (*Michel Noblecourt*). La paix passe, pour Jean Monnet, par l'unité institutionnelle de l'Europe, ce qui semble vrai, mais sa vision reste inscrite dans l'atlantisme et la guerre froide qui sévit en Europe au moment de sa mort en 1979.

Pour Jean Monnet, « le monde se divise en deux : ceux qui veulent être quelqu'un et ceux qui veulent réaliser quelque chose ».

# 13 L'Europe de l'après-guerre

**Les « deux Europes » de l'après-guerre**

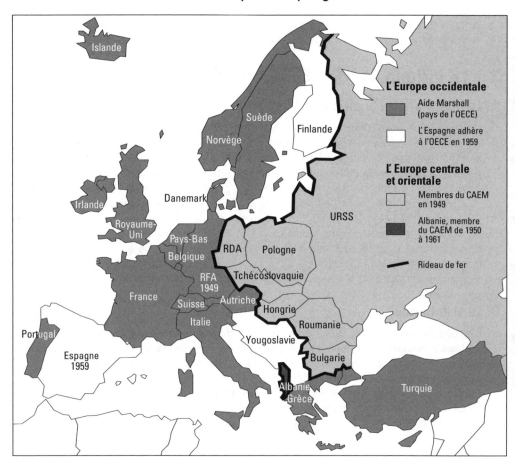

L'Europe occidentale

- ■ Aide Marshall (pays de l'OECE)
- □ L'Espagne adhère à l'OECE en 1959

L'Europe centrale et orientale

- ▫ Membres du CAEM en 1949
- ■ Albanie, membre du CAEM de 1950 à 1961
- ▬ Rideau de fer

*L'unité de l'Europe dans la paix est longtemps restée une chimère. C'est après deux guerres mondiales (« deux guerres civiles européennes ») que s'ébauche une communauté dont les frontières se confondent avec celles d'une Europe occidentale.*

## ❶ L'Europe de la guerre froide

### A. L'Europe atlantique

Après la Seconde Guerre mondiale, la rupture entre Soviétiques et Occidentaux est le point de départ de la **guerre froide**. « Deux Europes » séparées par le rideau de fer voient le jour en 1947.

**L'Europe occidentale** se met en place autour de la proposition d'aide à la reconstruction proposée par le général **Marshall**[1], le 5 juin 1947. Les États de l'« **Europe de l'Est** », ayant refusé cette aide sous la pression de l'URSS, adhèrent au **CAEM**[2] en 1949.

## B. Construire la paix en Europe

**L'idée d'union apparaît d'abord comme le moyen de réconcilier la France et l'Allemagne**; c'est le sens du discours de Winston Churchill, en 1946, à l'université de Zurich, qui réclame la création « d'une sorte d'États-Unis d'Europe », sans inclure ici le Royaume-Uni. C'est aussi le sens de l'action de Konrad Adenauer.

**Au congrès de La Haye, le 7 mai 1948**, présidé par Churchill, huit cents délégués de mouvements politiques et idéologiques favorables à une unification se rassemblent. Parmi eux, on compte soixante ministres et deux cents parlementaires issus de différents États européens. Deux grands courants, que l'on retrouvera tout au long de l'histoire de la construction européenne, s'affrontent. Les « unionistes », partisans d'une simple coopération entre États, s'opposent aux « fédéralistes », qui prônent la fusion des États et un pouvoir politique indépendant des gouvernements nationaux.

# ② Le plan Marshall, l'OECE, le Conseil de l'Europe

## A. L'Organisation européenne de coopération économique (16 avril 1948)

**L'OECE** est créée à Paris pour mettre en application le **plan Marshall ou ERP** (European Recovery Program), l'aide américaine étant conditionnée par la mise en place d'organismes communs. L'OECE se charge d'abord de répartir l'aide américaine avant de servir d'ébauche à la construction européenne.

L'OECE a ainsi joué un rôle capital en organisant la libération progressive des échanges (réduction des contingentements) et en créant l'**Union européenne des paiements**[3] **(UEP)** en 1950. Cette organisation laisse la place, en 1960, à l'**OCDE**, qui cesse d'être uniquement européenne et qui consacre l'essentiel de son activité à la publication de rapports sur la situation économique.

## B. Le Conseil de l'Europe (5 mai 1949)

Le **Conseil de l'Europe**[4] nouvellement créé doit promouvoir la coopération entre les États membres. Son action portera sur la **protection des droits de l'homme** (Convention européenne des droits de l'homme signée à Rome en 1950), la santé, la culture (équivalence des diplômes) et l'environnement.

Depuis l'effondrement du mur de Berlin, le Conseil s'est élargi à des pays de « l'Europe de l'Est ». Son but est de faciliter les processus de démocratisation et de servir de **lien entre les « deux Europes »**. Il comporte quarante-sept États membres.

---

1. Plan Marshall : l'aide américaine s'élève à 13 milliards de dollars entre 1948 et 1951, dont 85 % sous forme de dons. Les principaux bénéficiaires sont le Royaume-Uni (24 %), la France (20 %), l'Italie (11 %), l'Allemagne de l'Ouest (10 %) et les Pays-Bas (8 %).

2. CAEM : Conseil d'assistance économique mutuelle (COMECON en anglais) créé en 1949 en réponse au plan Marshall ; le CAEM engage un processus d'intégration économique autour de l'URSS, dans le cadre d'une division internationale socialiste du travail. Le CAEM disparaît en janvier 1991.

3. UEP : elle permet le développement des échanges entre les pays de l'OECE en instaurant un mécanisme de compensation multilatéral et de crédits automatiques. L'UEP cesse d'exister avec le retour à la convertibilité des principales monnaies européennes en 1958.

4. Conseil de l'Europe : créé en 1949 par dix États fondateurs (Belgique, Danemark, France, Irlande, Italie, Luxembourg, Pays-Bas, RFA, Royaume-Uni, Suède). Son siège est à Strasbourg.

# 14 De la CECA à la CED, succès et échecs de la supranationalité

**La petite Europe de la CECA**

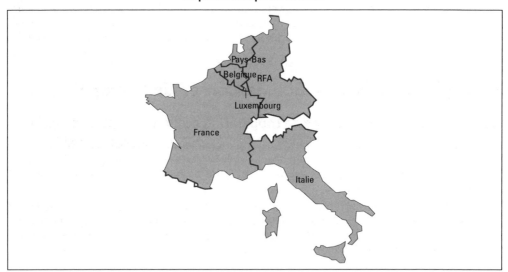

## 1 La « révolution » de la CECA (1951)

### A. Une « stratégie des petits pas » à caractère supranational

**Jean Monnet**, Commissaire général au plan depuis 1946, propose, dans le contexte économique difficile de l'après-guerre, de faire progresser la construction européenne par des **réalisations concrètes et limitées**. La nouvelle organisation ne doit pas dépendre directement des États, mais d'un **organisme placé au-dessus**.

La déclaration de **Robert Schuman**, ministre français des Affaires étrangères, le 9 mai 1950, reprend les idées de Jean Monnet et propose à l'ensemble des pays européens la mise en place d'une **Communauté européenne du charbon et de l'acier (CECA)**.

### B. Naissance de la « petite Europe »

**Six pays:** France, RFA, Italie, Benelux (Belgique, Pays-Bas et Luxembourg), signent le 18 avril 1951 le **traité de Paris**, instituant la CECA. La Communauté européenne du charbon et de l'acier supprime les contingentements, les droits de douane sur le charbon, l'acier, le fer et les ferrailles entre les pays membres. La mise en place d'un **tarif douanier commun aux six pays** protège cette nouvelle organisation de la concurrence extérieure.

La CECA fonctionne sous l'égide d'un organisme collégial: la **Haute Autorité**[1], dont le premier président est Jean Monnet. Cette **instance supranationale** dispose seule du pouvoir de décision (elle se place au-dessus des États). Elle est aussi indépendante sur le plan financier puisque ses ressources proviennent directement d'un impôt sur la production.

La CECA engage de façon concrète la **réconciliation franco-allemande**, elle stimule la production d'acier, mais elle a du mal à faire face au déclin charbonnier. Son domaine d'action se révèle également trop limité. En 1965, les institutions de la CECA fusionnent avec celles qui sont créées par le traité de Rome.

## ❷ L'échec de la CED (1954)

### A. L'ordre Est-Ouest

La guerre froide, qui oppose, en Europe, Américains et Soviétiques, est à l'origine de la coopération militaire européenne : **l'Union occidentale**, créée en 1948, devient en 1954 l'**Union de l'Europe occidentale (UEO)**. Elle constitue un système d'alliance rassemblant les six pays de la CECA et le Royaume-Uni. **L'Organisation du traité de l'Atlantique Nord (OTAN)**,[2] mise en place en 1950, regroupe la plupart des pays ayant accepté le plan Marshall, les États-Unis et le Canada.

### B. « L'armée européenne »

Reprenant le processus du plan Schuman, c'est-à-dire la réalisation de l'Europe par étapes, secteur par secteur, **René Pleven**, président du Conseil français, lance, le 24 octobre 1950, l'idée d'une armée européenne intégrant l'armée allemande et les militaires des autres pays de la CECA. Le **traité de Paris (27 mai 1952) institue la Communauté européenne de défense (CED)**, dirigée elle aussi par un organisme supranational.

**L'enterrement de la CED.** Les pays de la CECA ratifient le traité, mais le Parlement français le rejette le 30 août 1954 par 319 voix contre 264. Gaullistes, communistes, une partie des socialistes, des radicaux et des élus de droite étaient opposés à la CED, défendue surtout par les démocrates chrétiens.

**L'échec de la CED** marque l'arrêt de la construction européenne par la voie de la supranationalité. Il faut trouver une nouvelle issue, l'Europe est en panne. L'autre conséquence est l'intégration de la RFA à l'OTAN.

---

### Déclaration de Robert Schuman du 9 mai 1950

L'Europe ne se fera pas d'un coup, ni dans une construction d'ensemble : elle se fera par des réalisations concrètes créant d'abord une solidarité de fait. Le rassemblement des nations européennes exige que l'opposition séculaire de la France et de l'Allemagne soit éliminée ; l'action entreprise doit toucher au premier chef la France et l'Allemagne (…) le gouvernement français propose de placer l'ensemble de la production franco-allemande de charbon et d'acier, sous une Haute Autorité commune, dans une organisation ouverte à la participation des autres pays d'Europe (…).

La solidarité de production qui sera ainsi nouée manifestera que toute guerre entre la France et l'Allemagne devient non seulement impensable, mais matériellement impossible. L'établissement de cette unité puissante de production, ouverte à tous les pays qui voudront y participer, aboutissant à fournir à tous les pays qu'elle rassemblera les éléments fondamentaux de la production industrielle aux mêmes conditions, jettera les fondements réels de leur unification économique (…).

Par la mise en commun de productions de base et l'institution d'une Haute Autorité nouvelle, dont les décisions lieront la France, l'Allemagne et les pays qui y adhéreront, cette proposition réalisera les premières assises concrètes d'une fédération européenne indispensable à la préservation de la paix.

---

1. Haute Autorité : organe essentiel de la CECA. Collège de neuf membres, huit nommés d'un commun accord par les gouvernements, le neuvième choisi par cooptation par les huit autres. Chaque membre exerce son mandat en toute indépendance par rapport à son pays d'origine.

2. OTAN : Organisation du traité de l'Atlantique Nord créé en 1949. États membres dès la fondation : Belgique, Canada, Danemark, États-Unis, France, Islande, Italie, Luxembourg, Norvège, Pays-Bas, Portugal, Royaume-Uni. Adhésions postérieures : Grèce et Turquie en 1952, RFA en 1955, Espagne en 1982. Pologne, Hongrie, République tchèque en 1999. But : assurer la sécurité des pays membres. L'Estonie, la Lettonie, la Lituanie, la Roumanie, la Bulgarie, la Slovénie et la Slovaquie ont rejoint l'organisation. Ceci marque définitivement l'effondrement de l'ancien pacte de Varsovie et la fin de la guerre froide.

# 15 La naissance de la Communauté économique européenne (CEE)

---

**Le traité de Rome (25 mars 1957)**

**Article 1.**
Par le présent traité, les hautes parties contractantes instituent entre elles une communauté économique européenne.

**Article 2.**
La Communauté a pour mission, par l'établissement d'un Marché commun et par le rapproche-ment progressif des politiques économiques des États membres, de promouvoir un développement harmonieux des activités économiques dans l'ensemble de la Communauté, une expansion continue et équilibrée, une stabilité accrue, un relèvement accéléré du niveau de vie et des relations plus étroites entre les États qu'elle réunit.

---

## 1 Les étapes de la formation

### A. La dernière ligne droite

Après l'échec de la CED, les pays européens choisissent la voie économique pour relancer la construction européenne. Les ministres des Affaires étrangères des six pays de la CECA se réunissent à Messine (Italie) en juin 1955 ; ils décident de prévoir la création d'un « Marché commun[1] » et **« l'harmonisation progressive de leurs politiques sociales »**. Le ministre belge des Affaires étrangères, Paul Henri Spaak, rédige un rapport qui sert de base à la future CEE.

**1956 : une année charnière**, le contexte international est favorable à l'Europe.

– **En France :** les gaullistes sont battus aux élections, le gouvernement de **Guy Mollet** relance les négociations jusqu'à la signature des traités de Rome. L'échec de l'expédition franco-anglaise de Suez pousse la France, « puissance moyenne », à jouer la carte de la construction européenne.

– **En Allemagne :** la liquidation du contentieux avec la France, à propos de la Sarre qui intégrera la RFA, la conversion des sociaux-démocrates à la cause européenne, permettent au chancelier **Konrad Adenauer** (CDU) de bénéficier d'une grande marge de manœuvre pour négocier les nouveaux traités.

– L'intervention soviétique en **Hongrie** (novembre 1956) renforce la solidarité des pays de l'Europe de l'Ouest.

### B. Les traités de Rome (1957)

**La signature du traité de Rome, le 25 mars 1957, donne naissance à la Communauté économique européenne (CEE).** Le traité n'est pas un aboutissement mais un point de départ qui prévoit d'assurer par une « action commune, le progrès économique et social en éliminant les barrières qui divisent l'Europe » (préambule).

Un second traité, signé le même jour, fonde une **Communauté européenne de l'énergie atomique (Euratom)**, devant favoriser le développement de l'utilisation de l'énergie nucléaire en Europe, à des fins pacifiques.

# 2 L'apparition d'un espace économique européen

## A. La Communauté poursuit plusieurs objectifs

La réalisation d'un **Marché commun** fondé d'abord sur une **Union douanière**[2].

L'établissement de **politiques communes** (agriculture, transports, commerce extérieur).

La création d'un **Fonds social européen (FSE)**[3] et d'une **Banque européenne d'investissement (BEI)**[4].

La possibilité **d'élargissement** à d'autres pays démocratiques européens (Royaume-Uni par exemple).

**Des institutions nouvelles** sont créées pour mener à bien ces différentes missions.

## B. Les premières réalisations

La CEE et l'Euratom entrent en vigueur le 1er janvier 1958 après la ratification des traités par les différents pays membres.

Les organes exécutifs distincts de la CECA, de la CEE et de l'Euratom fusionnent le 8 avril 1965 (cette fusion est effective le 1er juillet 1967).

Dix ans après la signature des traités (1968), les droits de douane entre les différents pays de la CEE sont abolis. L'Union douanière est réalisée ; un **Tarif extérieur commun (TEC)** entre en vigueur à l'égard des pays tiers.

**Un système identique de taxes sur les marchandises et les services (TVA)** est étendu à tous les pays membres à partir de 1967, **mais les taux ne sont pas harmonisés**.

L'année 1968 est celle de la mise en place de la Politique agricole commune (PAC). En revanche, il n'existe pas de politique commune des transports ni de politique industrielle commune, cette dernière n'étant pas prévue par le traité de Rome.

**L'Europe sociale** reste à la traîne.

---

1. Marché commun : c'est un but à atteindre. Il s'agit de la libre circulation des marchandises, des services, des capitaux et des personnes. On désigne souvent de façon impropre l'Union douanière par le terme de Marché commun.

2. Union douanière : zone de libre-échange, c'est-à-dire de libre circulation des marchandises entre les pays concernés par la suppression des droits de douane et des contingentements. Les pays membres instaurent un tarif douanier commun vis-à-vis des pays tiers, le TEC (Tarif extérieur commun).

3. FSE : créé en 1960, alimenté par la contribution des États membres (chacun essaiera de récupérer ce qu'il a versé). Il doit améliorer les conditions de vie au sein de la CEE. Le FSE joue un rôle limité.

4. BEI : créée en 1957, institution financière de la CEE. Le capital de la banque est souscrit par les pays membres. La BEI intervient pour des investissements (prêts) accordés aux différents pays membres. La BEI est une institution autonome qui emprunte sur les marchés des capitaux. Elle a contribué à la mise en valeur des régions les moins favorisées, à l'amélioration des infrastructures de transport (liaisons autoroutières des Alpes), à la protection de l'environnement, au soutien de l'activité des PME...

# 16 Le système institutionnel

**Quatre institutions principales**

| COMMISSION | PARLEMENT OU ASSEMBLÉE | CONSEIL DES MINISTRES | COUR DE JUSTICE |
|---|---|---|---|
| Siège : Bruxelles<br>■ Propose et exécute | Siège : Strasbourg<br>■ Représente les peuples<br>■ Consultation<br>■ Coopération<br>■ Codécision (pouvoir législatif) | Siège : Bruxelles et Luxembourg<br>■ Décide (pouvoir législatif) | Siège : Luxembourg<br>■ Veille à la bonne application des traités et de la législation communautaire |

*L'Europe actuelle a été construite par une succession de traités qui ont pris en compte la volonté d'approfondissement et les élargissements successifs. Le traité de Rome (1957), l'Acte unique européen (1986), le traité de Maastricht (1992), le traité d'Amsterdam (1997), le traité de Nice (2001) et le traité de Lisbonne (2007) modifient les institutions. Néanmoins, depuis les origines, la réalisation des tâches confiées à la Communauté est assurée par quatre institutions fondamentales : une Commission, un Parlement ou Assemblée, un Conseil des ministres, une Cour de Justice.*

## 1 La Commission propose, exécute, contrôle

### A. Attributions

La Commission est l'organe essentiel de la Communauté. Elle a le **droit d'initiative en matière législative**, elle présente au Parlement européen et au Conseil des ministres des propositions de textes.

Elle est l'**organe d'exécution** des Communautés ; elle est chargée de l'application des politiques communes.

Elle est la **gardienne des traités**. Elle peut émettre des avis motivés aux États de l'UE qui ne respecteraient pas leurs engagements, elle a la possibilité de saisir la Cour de justice des Communautés européennes si les États ne se conforment pas à ses avis.

Elle **représente la Communauté européenne** dans les négociations commerciales internationales (GATT, OMC).

### B. Composition et fonctionnement

**La Commission** est composée de **27 commissaires** européens, désignés pour cinq ans par les États membres et investis par le Parlement européen, soit un commissaire par État. Le **traité de Lisbonne** prévoit que cette composition sera maintenue pour la Commission investie entre 2009 et 2014. Après cette date, le nombre de commissaires correspondra aux deux tiers des États membres (18 pour une UE à 27). Un système de rotation égalitaire entre les États sera alors appliqué. Le président de la Commission joue un rôle central dans le fonctionnement des institutions.

**Jacques Delors**[1], président de la Commission de 1985 à 1995, a été un des grands artisans de la construction européenne dans le droit fil des pères fondateurs. Ses successeurs ont été le Luxembourgeois **Jacques Santer** (1995-1999), l'Italien **Romano Prodi** (1999-2004) et depuis 2004, le Portugais **José Manuel Barroso** reconduit pour la période 2009-2014.

**José Manuel Barroso** est un homme politique portugais. Président des étudiants maoïstes au moment de la « Révolution des œillets » de 1974, il soutiendra d'abord le socialiste Mario Soares avant de devenir membre du Parti social démocrate de centre-droit. Élu puis réélu député à six reprises, il sera ministre des Affaires étrangères du Portugal de 1991 à 1995 puis Premier ministre de 2002 à 2004. Il orientera la diplomatie de son pays vers l'atlantisme et est considéré comme partisan d'un libéralisme économique peu interventionniste.

Les actes sont généralement adoptés à la majorité. Les commissaires doivent agir dans l'intérêt de la Communauté sans recevoir d'instruction d'aucun gouvernement. Ils ne sont soumis qu'au contrôle du Parlement européen. La Commission, qui siège à Bruxelles, est assistée par 24 000 fonctionnaires européens.

## Membres de la Commission européenne (2009-2014)

| Nom | Attribution |
| --- | --- |
| José Manuel Barroso | (Président) |
| Joaquín Almunia | Concurrence. Vice-président de la Commission |
| László Andor | Emploi, affaires sociales et intégration |
| Catherine Ashton | Haut représentant de l'Union pour les affaires étrangères et la politique de sécurité et vice-présidente de la Commission |
| Michel Barnier | Marché intérieur et services |
| Dacian Ciolos | Agriculture et développement rural |
| John Dalli | Politique en matière de santé et de protection des consommateurs |
| Maria Damanaki | Affaires maritimes et pêche |
| Karel De Gucht | Commerce |
| Stefan Fule | Élargissement et politique européenne de voisinage |
| Johannes Hahn | Politique régionale |
| Connie Hedegaard | Action en faveur du climat |
| Marie Geoghegan-Quinn | Recherche et innovation |
| Kristalina Georgieva | Coopération internationale, aide humanitaire et réaction aux crises |
| Siim Kallas | Transports. Vice-président de la Commission |
| Neelie Kroes | Agenda numérique. Vice-présidente de la Commission |
| Janusz Lewandowski | Budget et programmation financière |
| Cecilia Malmström | Affaires intérieures |
| Günter Oettinger | Énergie |
| Andris Piebalgs | Développement |
| Janez Potocnik | Environnement |
| Viviane Reding | Justice, droits fondamentaux et citoyenneté. Vice-présidente de la Commission |
| Olli Rehn | Affaires économiques et monétaires |
| Maros Sefcovic | Vice-président de la Commission, chargé des relations interinstitutionnelles et de l'administration |
| Algirdas Semeta | Fiscalité et union douanière, audit et lutte antifraude |
| Antonio Tajani | Industrie et entrepreneuriat. Vice-président de la Commission |
| Androulla Vassiliou | Éducation, culture, multilinguisme et jeunesse |

## ❷ Le Conseil des ministres décide

**La pondération des voix au Conseil des ministres (UE-27)**

| État membre | Voix attribuées | État membre | Voix attribuées |
|---|---|---|---|
| Allemagne | 29 | Slovaquie | 7 |
| Royaume-Uni | 29 | Danemark | 7 |
| France | 29 | Finlande | 7 |
| Italie | 29 | Irlande | 7 |
| Espagne | 27 | Lituanie | 7 |
| Pologne | 27 | Lettonie | 4 |
| Roumanie | 14 | Slovénie | 4 |
| Pays-Bas | 13 | Estonie | 4 |
| Grèce | 12 | Chypre | 4 |
| République tchèque | 12 | Luxembourg | 4 |
| Belgique | 12 | Malte | 3 |
| Portugal | 12 | | |
| Hongrie | 12 | | |
| Suède | 10 | | |
| Autriche | 10 | **Total** | **345** |
| Bulgarie | 10 | **Majorité qualifiée** | **255** |

## A. Attributions

Le Conseil des ministres[2] ou Conseil de l'Union européenne vote les actes de l'UE proposés par la Commission. Longtemps seul véritable détenteur du pouvoir législatif, il le partage désormais avec le **Parlement européen** par la généralisation de la procédure de **codécision** (voir Parlement européen). Il « présente les caractéristiques d'une organisation à la fois supranationale et intergouvernementale, statuant sur certaines questions à la majorité qualifiée et sur d'autres à l'unanimité ».

La **loi « européenne »**, édictée par le Conseil (ou par le Parlement et le Conseil dans le cadre de la procédure de codécision), peut prendre plusieurs formes :

- Un **règlement communautaire** fait naître directement et immédiatement des droits et obligations applicables à tous les citoyens de la Communauté.
- Une **directive communautaire** s'adresse aux États membres, qui devront la traduire dans leur législation nationale.
- Une **décision** est obligatoire **en tous ses éléments** pour les destinataires désignés (États, entreprises, particuliers).
- Des **recommandations** et avis qui ne sont pas obligatoires.

## B. Composition et fonctionnement

Il est composé par les **vingt-sept représentants des gouvernements des États membres**, en général les ministres des Affaires étrangères, mais ils peuvent être représentés par des ministres techniciens (Agriculture, Finances).

**Le Conseil se réunit périodiquement à Bruxelles ou à Luxembourg**. Les décisions sont préparées par le Comité des représentants permanents (COREPER).

Les décisions étaient prises à **l'unanimité**[3] jusqu'à l'entrée en vigueur de l'Acte unique (1987), ce qui bloquait beaucoup de décisions ; depuis, le vote à la **majorité qualifiée**[4] est le plus souvent utilisé pour les questions concernant l'agriculture, le marché unique, l'environnement, les transports.

La **majorité qualifiée** est définie à partir d'un système de pondération des voix selon lequel les États membres bénéficient d'un certain nombre de voix calculées principalement sur leur importance démographique. La majorité qualifiée pour l'UE à 27 est de 255 voix sur un total de 345 (voir tableau).

### Traité de Lisbonne : une nouvelle règle de décision

Avec l'entrée en vigueur le 1er décembre 2009 du traité de Lisbonne, une nouvelle règle dite de « double majorité » des États et des citoyens est prévue. Pour qu'une « loi » soit adoptée, il faudra qu'elle obtienne au moins l'accord de 55 % des États de l'Union (soit 15 États dans l'UE-27) représentant au moins 65 % de la population de l'Union. Ce nouveau système devant faciliter la formation de majorités dans une UE à 27 et donc la prise de décision, dans la mesure où le vote à la majorité qualifiée est élargi à de nouveaux domaines. Une minorité de blocage doit inclure au moins 4 États membres. La nouvelle règle de vote ne s'appliquera pas avant 2014 ou 2017 si un État le demande.

---

1. Jacques Delors (social-démocrate) : né en 1925, chef de service à la Banque de France (1945-1962), il adhère au MRP en 1945, milite à la CFTC puis à la CFDT. Après une carrière au Commissariat général au Plan (1962-1969), il devient en 1969 conseiller pour les Affaires sociales et culturelles du Premier ministre Chaban-Delmas. Député au Parlement européen en 1979, ministre de l'Économie et des Finances de 1981 à 1984, il quitte le gouvernement en 1984 pour devenir président de la Commission de Bruxelles (1985-1995). Partisan d'une union politique et monétaire, il est l'artisan du traité de Maastricht

2. Conseil des ministres : il ne faut pas confondre le Conseil des ministres avec le Conseil européen, qui réunit, au moins deux fois par an, les chefs d'États ou de gouvernements des pays membres dans des « sommets européens ». Le Conseil européen fixe les priorités, détermine les grandes orientations que doit prendre la Communauté (Acte unique, traité de Maastricht).

3. Unanimité : elle prévaut toujours dans les domaines sensibles tels que la fiscalité, la sécurité sociale, la politique étrangère, la défense commune.

4. Majorité qualifiée : la question de la majorité qualifiée est primordiale dans l'histoire de la construction européenne. À partir du 1er juillet 1965 (fin de la phase de transition), il était prévu que certaines décisions ne seraient plus prises à l'unanimité mais à la majorité des membres du Conseil des ministres. Le général de Gaulle, dès le 30 juin 1965, pratique « la politique de la chaise vide ». La France ne participe pas pendant sept mois au Conseil, bloquant ainsi le fonctionnement de la CEE. La crise s'achève par l'arrangement du Luxembourg le 29 janvier 1966, qui stipule qu'un seul membre peut s'opposer à une décision du Conseil. Depuis 1986, un changement important est intervenu avec le vote à la majorité qualifiée, qui s'applique à toutes les décisions concernant la réalisation du marché unique. Les traités d'Amsterdam (1999), de Nice (2001) et de Lisbonne (2007) étendent le régime de la majorité qualifiée à de nombreux nouveaux domaines.

# 17 Le Parlement européen, la Cour de justice et les autres organes communautaires

**Le nouveau Parlement européen (2009-2014)**
**Répartition des députés par groupes politiques**

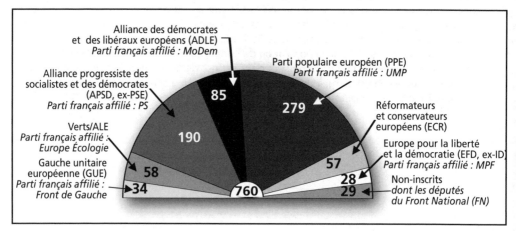

Source : Parlement européen, données du 8 juillet 2009.

## 1 La montée en puissance du Parlement européen

### A. Les attributions de la « plus grande assemblée multinationale du monde »

Le traité de Rome (1957) n'accordait au Parlement européen qu'un rôle consultatif. Les traités ultérieurs ont considérablement renforcé ses attributions (procédure de codécision[1] du traité de Maastricht).

**Le Parlement :**

- vote les lois européennes avec le Conseil. L'accord final du Parlement européen est indispensable ;
- investit la Commission ; il peut la contraindre à démissionner par une majorité des deux tiers ;
- vote le budget de la Communauté, dont il partage la responsabilité avec le Conseil. Il en contrôle l'exécution ;
- donne son avis pour les élargissements de la Communauté.

### B. Fonctionnement et composition

Depuis 1979, les membres du Parlement sont élus au suffrage universel pour une durée de cinq ans. Le Parlement siège à Strasbourg une semaine par mois. Les députés font partie de groupes politiques transnationaux[2].

Le Parlement européen compte 760 députés depuis décembre 2011.

**Jerzy Buzek** (Pologne) PPE-DE, ancien membre du syndicat « Solidarnosc », a été le premier président du Parlement européen originaire des pays de l'Est de juillet 2009 à janvier 2012. Il a été Premier ministre de Pologne de 1997 à 2001 et a œuvré à l'intégration de la Pologne à l'UE et à l'OTAN. Depuis le 17 janvier 2012, Martin Schulz (Allemagne), du SPD-PSE, lui a succédé.

# ② La Cour de justice des Communautés européennes

## A. Attributions

Elle veille au **respect de la législation communautaire** par tous les États membres. Les arrêts de la Cour de justice européenne priment sur les lois nationales.

Elle règle les **litiges entre États membres**, entre la Communauté et les États membres, entre les institutions, entre les particuliers et la Communauté. Ses compétences se sont élargies avec l'entrée en vigueur du traité d'Amsterdam (droit d'asile, immigration, passage des frontières…).

## B. Fonctionnement

Elle se compose de juges et d'avocats généraux, nommés par les gouvernements des États membres pour six ans et renouvelables. Elle est installée à Luxembourg.

# ③ Les autres organes communautaires

**Le Comité économique et social**. Organe consultatif du Conseil, du Parlement et de la Commission, il est composé de membres représentant les différentes catégories de la vie économique et sociale de chaque pays. Il émet des avis et élabore des rapports d'information. Il siège à Bruxelles.

**La Cour des comptes**. Promue par le traité de Maastricht au rang d'institution, elle contrôle et gère les recettes et les dépenses de la Communauté (budget). Elle est obligatoirement consultée sur tout projet de la Communauté dans le domaine financier et budgétaire. La Cour des comptes est composée de membres nommés pour six ans par le Conseil des ministres et siège à Luxembourg.

**La Banque européenne d'investissement**. C'est la conscience financière, la gardienne des finances de l'Union européenne. Elle accorde ou garantit des prêts à des organismes publics ou à des entreprises privées appartenant à la Communauté. Elle contribue à la mise en œuvre de la politique de coopération et de développement. Son capital est souscrit par les États.

**Les organes constitués par le traité de Maastricht** sont un **Comité des régions**, qui est consulté dans les domaines d'aménagement régional, de la culture et de la formation profes-sionnelle et une **Banque centrale européenne**.

---

1. Codécision : « La procédure de codécision donne au Parlement le pouvoir d'arrêter les actes législatifs sur un pied d'égalité avec le Conseil. En cas de désaccord entre le Parlement et le Conseil, un comité de conciliation – composé à parité de représentants du Conseil et du Parlement, avec participation de la Commission – a pour tâche d'aboutir à un accord sur un projet commun, qui est ensuite soumis au Conseil et au Parlement pour adoption conjointe. En cas de désaccord, le Parlement peut tout simplement reje-ter la proposition. La procédure de codécision est applicable à un large éventail de domaines. »

2. Groupes politiques transnationaux : groupes parlementaires rassemblant par familles politiques des députés originaires d'États différents.

# 18 Budget européen et construction européenne

**Contribution nette des pays de l'Union au buget européen\* pour l'année 2007**

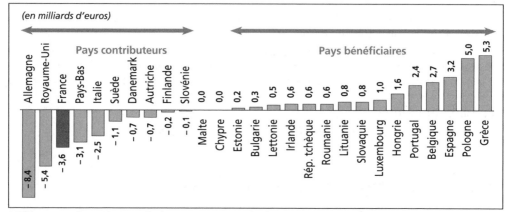

*(en milliards d'euros)*

Pays contributeurs — Pays bénéficiaires

Allemagne –8,4 ; Royaume-Uni –5,4 ; France –3,6 ; Pays-Bas –3,1 ; Italie –2,5 ; Suède –1,1 ; Danemark –0,7 ; Autriche –0,7 ; Finlande –0,2 ; Slovénie –0,1 ; Malte 0,0 ; Chypre 0,0 ; Estonie 0,2 ; Bulgarie 0,3 ; Lettonie 0,5 ; Irlande 0,6 ; Rép. tchèque 0,6 ; Roumanie 0,6 ; Lituanie 0,8 ; Slovaquie 0,8 ; Luxembourg 1,0 ; Hongrie 1,6 ; Portugal 2,4 ; Belgique 2,7 ; Espagne 3,2 ; Pologne 5,0 ; Grèce 5,3

\* Différence entre la contribution au budget communautaire et les dépenses de ce budget pour chaque pays de l'UE.

*Source : Commission européenne.*

*L'histoire du budget montre les difficultés, les limites et les enjeux de l'intégration.*

## 1 De la contribution des États membres aux ressources propres

### A. Les premières complications

À l'origine, le budget de la CEE est alimenté par une contribution annuelle de chaque **État membre** votée par les Parlements nationaux. Ainsi, ces derniers restent souverains et évitent toute dérive supranationale en matière budgétaire. Le budget est sous le contrôle des États.

**À partir de 1962, la mise en place de la PAC** implique la nécessité d'un changement du mode de financement. La France s'oppose au projet de juin 1965 qui donne plus de pouvoir à la Commission et au Parlement en matière budgétaire. Le général de Gaulle y voit une dérive vers un pouvoir supranational. Le compromis du Luxembourg[1] (29 janvier 1966) met fin à sept mois de crise, mais le problème du financement de la CEE reste posé.

### B. La réforme de 1970

La réforme de 1970 remplace les contributions financières des États par trois sortes de ressources propres :

– les prélèvements agricoles perçus dans le cadre de la PAC ;

– le bénéfice des droits de douane provenant de la mise en place du Tarif extérieur commun (TEC) ;

– des ressources basées sur un pourcentage de TVA perçu dans les divers États membres et ne pouvant dépasser 1 %.

## 2 Crises budgétaires et crises de la CEE

### A. Élargissement de la CEE au Royaume-Uni et financement de la PAC

**La réforme de 1970** entraîne un automatisme dans le versement des recettes au budget communautaire, qui est contesté par le Royaume-Uni. Celui-ci obtient (compromis de Dublin en 1975) une possible réduction de la contribution d'un pays membre, donc la remise en cause du financement.

**Entre 1976 et 1979**, le développement excessif des dépenses liées à la PAC (taux d'augmentation annuel de 23 %) provoque une grave crise. En rejetant le budget, le Parlement impose un recours aux **« douzièmes provisoires**[2] **»** pour l'exercice de 1980. Le Royaume-Uni obtient une réduction de sa contribution pour 1981 et 1982; il faut une nouvelle réforme.

### B. Le temps de la rigueur (depuis 1984)

En 1984, le déficit de la CEE est tel qu'il faut faire appel à une avance des États. On décide alors que les dépenses seront fonction des moyens disponibles et non l'inverse. Une réforme de la PAC est envisagée (Conseil européen de Fontainebleau de 1984). La décision d'augmenter le plafond du pourcentage de TVA de 1 % à 1,4 % est une mesure qui s'est vite révélée insuffisante.

Ce n'est qu'avec la réforme de 1988, et grâce à une volonté commune de « réussir l'Acte unique » dans la perspective du Grand Marché de 1993, qu'est créée la **« quatrième ressource »** versée par les États membres au prorata de leur PNB; le taux variable est fixé chaque année.

## 3 La bataille autour du budget européen

### A. Un élargissement au rabais

**L'Agenda 2000** définissait le cadre financier de l'UE jusqu'en 2006, c'est une réponse provisoire qui repousse les échéances budgétaires à la période 2007-2013. L'Agenda précise que **le plafond des ressources propres sera maintenu au niveau de 1,23 % du revenu national brut (RNB)** des États membres de l'Union (anciennement calculé sur la base de 1,27 % du PNB).

L'UE n'a consacré pour les nouveaux États membres que 40 milliards d'euros sur trois ans, de 2004 à 2006. Une somme inférieure à 0,15 % du PIB des Quinze. Les deux tiers des sommes allouées iront aux aides structurelles et régionales.

### B. Les Européens restent divisés sur les questions financières

**Les contributeurs nets** comme l'Allemagne, le Royaume-Uni, la France, les Pays-Bas, l'Autriche, la Suède s'accordent sur le plafonnement du budget autour de 1 % du revenu national brut (RNB), ce qui n'est pas l'avis de la Commission et des nouveaux États membres qui estiment au contraire qu'il faut dépenser davantage pour renforcer la cohésion de l'ensemble européen.

**Des positions difficilement conciliables**
**L'Allemagne**, plus gros contributeur au budget communautaire (20 % en 2009), juge sa participation disproportionnée. **La France**, autre gros contributeur (17,4 % en 2009), est le principal bénéficiaire de la PAC. Concernée par la baisse des aides, elle remet en question le rabais obtenu par le Royaume-Uni en 1984. **Le Royaume-Uni** (8,8 % en 2009) contribue faiblement au budget communautaire et « ne veut pas rendre son chèque ». Il propose une révision complète des priorités. **L'Espagne** (9,6 % en 2009) veut conserver les aides régionales menacées par les nouveaux élargissements. **Les nouveaux États membres** craignent que la politique régionale, dont ils espèrent bénéficier, ne devienne la variable d'ajustement dans les années à venir.

---

1. Compromis du Luxembourg : *cf.* majorité qualifiée (fiche 16 : Le Système institutionnel).

2. Douzièmes provisoires : pratique budgétaire consistant à débloquer les crédits mois par mois, en tenant compte du budget précédent et du projet en cours de discussion.

# 19 Le budget de l'Union européenne

### Budget 2012 de l'Union européenne (dépenses)

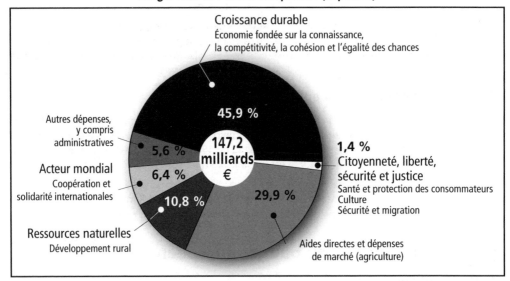

Source : Commission européenne.

*Le budget 2012* représente un volume global de 147,2 milliards d'euros en engagements, soit environ 1,12 % du revenu national brut de l'UE. Il privilégie les dépenses en faveur de l'emploi et de l'économie (Commission européenne).

## ❶ Les recettes

**A.** Les ressources propres « traditionnelles » occupent une place de plus en plus réduite dans le financement de la Communauté. Les **droits de douane** sur les produits venant hors de l'UE et les **droits agricoles** constituent 12 % des recettes.

**B.** La Taxe sur la valeur ajoutée (**TVA**) fournit 11 % des recettes. Le taux d'appel de la TVA a baissé et la diminution des recettes qui en résulte a été compensée par l'appel à la ressource RNB.

**C.** La « ressource RNB » ou ressource fondée sur le revenu national brut est un taux de pourcentage uniforme appliqué au RNB de chaque État membre. Cette ressource prend de plus en plus d'importance, elle représente 76 % des recettes de l'UE, ce qui traduit, pour certains, une rationalisation de fait du financement communautaire.

**D.** D'autres recettes (1 %) sont inscrites au budget : impôts des fonctionnaires européens, intérêts de paiement, amendes infligées par la politique de concurrence, etc.

## ❷ Les dépenses

### A. La croissance durable : 67,5 milliards d'euros (45,9 % des dépenses)

**La compétitivité** : 14,7 milliards d'euros pour la recherche et l'innovation dont la moitié pour le **7ᵉ programme-cadre de recherche**, soit près de 9,1 % de plus qu'en 2011. Il s'agit de soutenir la recherche dans les domaines tels que les sciences de l'environnement, la médecine, l'informatique. Les ressources allouées aux réseaux transeuropéens (RTE) qui relient les infrastructures de transport, les réseaux énergétiques et les réseaux de télécommunications à travers l'Europe, progresseront de près de 10 % par rapport à 2009. 2,2 milliards d'euros seront consacrés au Plan de relance de l'économie européenne (**PREE**) qui soutient des projets énergétiques stratégiques tels que les installations éoliennes en mer, ou des projets visant à fournir aux zones rurales un accès à l'Internet à haut débit.

**La cohésion** : 52,7 milliards d'euros seront consacrés à la convergence économique et à la lutte contre le chômage. Il s'agit ici d'aider les régions européennes les moins développées et de les rendre plus attractives. L'aide est fournie par trois fonds : le **Fonds européen de développement régional** (FEDER), le **Fonds social européen** (FSE) et le **Fonds de cohésion**. Pour la première fois en 2010, les pays de l'UE-12, c'est-à-dire les nouveaux entrants, ont reçu la plus grande part des crédits du Fonds de cohésion et des Fonds structurels (52 %).

# B. Ressources naturelles

Les **dépenses agricoles (44 milliards d'euros en 2012) n'absorbent plus l'essentiel des dépenses** et cette part a tendance à baisser. On observe également dans ce domaine une réorientation progressive des crédits, qui vont davantage servir à relever les **défis environnementaux** et à favoriser le **développement dans les zones rurales**. Un montant additionnel de 15,9 milliards d'euros aidera les agriculteurs à mieux gérer l'eau et à encourager l'agriculture biologique.

**La PAC est remise en cause** :
  – par une fraction des agriculteurs qui estime qu'elle profite surtout aux plus grosses exploitations ;
  – par le nouvel élargissement qui augmente les besoins de financement ; l'UE-12 a reçu en 2010 près de 20 % des aides agricoles, le revenu des agriculteurs de l'UE-12 est désormais supérieur de 47 % à leur revenu d'avant l'adhésion ;
  – par les négociations au sein de l'OMC (États-Unis et pays du Sud dénoncent les « subventions déloyales ») ;
  – par le Royaume-Uni, au sein même de l'Europe.

Les dépenses de la PAC sont en principe préservées jusqu'en 2013, mais au niveau de 2006 augmenté de l'inflation, et il faudra partager à 27 ! Ce n'est qu'en 2013 que les agriculteurs de l'Est auront les mêmes droits que ceux de l'UE.

# C. Liberté, sécurité et justice, citoyenneté

1,4 milliard d'euros financera les secteurs de la sécurité, de la criminalité, de l'immigration (gestion des flux migratoires), des soins de santé et de la protection des consommateurs.

# D. L'Union en tant qu'acteur mondial (9,4 milliards d'euros)

Il s'agit de promouvoir l'engagement des pays en développement en matière de protection de l'environnement (2,5 milliards d'euros), d'encourager le progrès des pays candidats et candidats potentiels (1,6 milliard d'euros) et de financer la politique étrangère de sécurité commune de l'UE (**PESC**).

# E. Les **dépenses administratives** concernant l'ensemble des institutions de l'UE s'élèvent à 8,3 milliards d'euros.

# 20 Le Grand Marché de 93

**Échanges intracommunautaires (1976-1992)**

Échanges totaux (%) tous produits

*Source : M. Ayral, Le Marché intérieur de l'Union européenne, La Documentation française, 1995.*

*La législation prévue par l'Acte unique est largement adoptée et l'intégration des marchés progresse à partir de 1985 comme le montre le tableau des échanges intracommunautaires.*

L'« **Eurosclérose** » caractérise l'Europe de la crise des années 1970. Le chacun pour soi l'emporte. La relance de l'intégration se fait au milieu des années 1980 avec l'arrivée de Jacques Delors à la tête de la Commission. L'idée est ingénieuse : achever la réalisation du traité de Rome de 1957, mais avec une date butoir : le 1er janvier 1993.

## ❶ La relance de l'intégration européenne

### A. Un marché non commun

Le Marché commun prévu par le traité de Rome n'existe pas encore. **Les obstacles non tarifaires**, les règles techniques, les normes de santé, les différences de fiscalité indirecte, séparent les marchés par des « barrières invisibles ».

La relance de la construction est l'œuvre de Jacques Delors, soutenu par François Mitterrand et Helmut Kohl. La réalisation du **Grand Marché de 93** fonde « un mythe vertueux et devient en France un substitut à la modernisation »* (A. Minc). L'**europtimisme** regagne toute l'Europe.

### B. Le *Livre blanc* (1985) et le rapport Cecchini

Le 14 juin 1985, la Commission publie le ***Livre blanc***, qui recense toutes les barrières qui entravent le Marché intérieur. Le *Livre blanc* propose un ensemble de textes législatifs qui doivent les éliminer ; il expose les conséquences de la disparition de chaque barrière et précise les mesures d'accompagnement nécessaires. Le *Livre blanc* est un programme et un calendrier pour **l'achèvement du Marché intérieur** de 1985 à 1993.

Le **rapport Cecchini** (1988) sur le coût de la « non-Europe » montre les avantages potentiels de la suppression de ces barrières (meilleures perspectives de croissance, économies d'échelle et lutte plus efficace contre la concurrence américaine et japonaise).

# ❷ L'Acte unique

## A. Un traité

L'**Acte unique fait passer dans les faits les propositions du *Livre blanc***. L'Acte unique est signé le 17 février **1986** par les représentants des douze gouvernements. Il est ratifié par tous les États membres avant d'entrer en vigueur le 1er juillet 1987. C'est juridiquement un traité.

## B. Des institutions plus efficaces

Il s'agit surtout de rendre les institutions plus efficaces dans la prise de décision. La modification primordiale est celle qui permet au Conseil des ministres de se prononcer à la **majorité qualifiée** dans les domaines liés à la réalisation du **Marché unique et non plus à l'unanimité**, qui est maintenue dans quelques secteurs seulement (fiscalité, monnaie, droit du travail, hygiène).

Le **Conseil européen** est institutionnalisé et **le Parlement est associé plus étroitement à l'élaboration de la législation communautaire**. L'Acte unique vise à renforcer la cohésion économique et sociale en réduisant l'écart entre les régions pauvres et les régions les plus favorisées.

# ❸ Le Marché unique

## A. 1er janvier 1993

**Le Marché commun, ébauché avec le traité de Rome de 1957, est devenu officiellement un Marché unique sans frontières intérieures**. Son but est de permettre la libre circulation des **marchandises**, des **services**, des **capitaux** et des **personnes**.

Au début de l'année 1993, plus de 90 % des mesures prévues par le *Livre blanc* sont adoptées grâce au recours à la règle de la majorité. Parmi les mesures non adoptées, certaines sont importantes : elles concernent l'harmonisation fiscale, la suppression totale des contrôles sur les personnes.

## B. Le Marché unique a transformé l'UE

Les Européens peuvent désormais vivre, étudier, travailler ou prendre leur retraite où ils le souhaitent en Europe.

Les **consommateurs** ont un choix plus large de produits de haute qualité.

Les **entreprises** ont un meilleur accès à un marché plus étendu. Le Marché unique a contribué à l'accroissement des échanges de produits manufacturés dans l'UE, 60 % des échanges commerciaux se font entre les pays de l'UE. Il a stimulé les IDE à l'intérieur de l'UE.

L'ouverture des frontières entre les pays européens a généré 2,5 millions d'**emplois supplémentaires** selon la Commission.

---

### La France et le rêve de 1992

*Derrière l'enthousiasme naïf et mobilisateur en vue de 1992 se glisse une démarche plus sophistiquée dont nous sommes familiers : le viol consenti. Ce n'est pas la première fois que l'économie française se fait imposer de l'extérieur l'effort de modernisation et de productivité qu'elle ne veut pas accomplir de son plein gré.*

*Les traités de libre-échange du XIXe siècle, le Marché commun de 1958 ou la menace de passer sous les fourches caudines du Fonds monétaire international : le forceps remplit à chaque fois son office.*

Source : A. Minc, La Grande Illusion, Grasset, 1989.

# 21 La libre circulation des marchandises dans le Grand Marché

**Taux de TVA en vigueur au 1ᵉʳ juillet 2009 dans les 27 États membres** (taux normal)

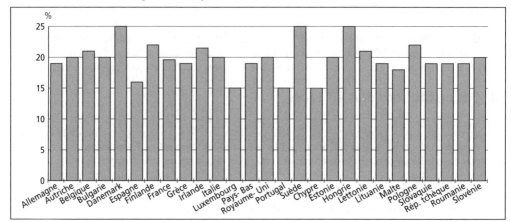

Source : Commission européenne.

***Éliminer les frontières physiques, fiscales et techniques*** *qui s'opposent à la libre circulation des produits.*

## 1 L'abolition des frontières physiques

### A. Avant 1993

Dès 1988, un **Document administratif unique (DAU)** remplace la trentaine de documents nécessaires à un camion franchissant la frontière d'un pays de la Communauté. De 1988 à 1992, les contrôles vétérinaires aux frontières sont supprimés. En revanche, la perception de la **TVA** ou des **droits d'accises**[1] se fait toujours au moment du passage de la frontière.

### B. Depuis le 1ᵉʳ janvier 1993

Les chauffeurs routiers vont de Milan à Londres sans obligation de s'arrêter aux frontières. Auparavant, il fallait parfois des heures d'attente avant de pouvoir franchir le tunnel du Mont-Blanc ou de traverser la Manche.

Les douaniers, les contrôleurs fiscaux, les inspecteurs vétérinaires ont disparu des postes frontières internes.

## 2 L'abolition encore incomplète des frontières fiscales

Ceci est particulièrement vrai pour la fiscalité indirecte.

### A. La TVA

La réalisation du Marché unique implique que la TVA soit perçue au lieu d'origine, là où est produite la valeur ajoutée, et non au lieu de destination des marchandises ou des services. Pour que ce système fonctionne correctement, on estime que les écarts de taux de TVA entre les pays doivent être limités à 2,25 %.

La Commission propose, en 1997, **un code de bonne conduite**, engageant les États à respecter les principes d'une concurrence loyale, un **« taux normal »** de 15 % est préconisé. L'harmonisation est loin d'être réalisée comme le montre le graphique sur le taux normal de TVA appliqué dans les États membres.

**La TVA continue d'être perçue dans les pays de destination** (au taux de ces États). Ceci concerne particulièrement les entreprises. À terme, la TVA devrait être perçue par le **pays d'origine**. Les particuliers peuvent déjà acheter librement dans les autres États membres ; ils acquittent la TVA dans le pays d'achat à condition qu'il s'agisse de leur consommation personnelle. Il existe des entorses à ce principe : ainsi, une voiture achetée dans un pays voisin sera imposée au taux de TVA du pays d'immatriculation ; la concurrence joue ici sur le prix de vente et non sur la TVA.

## B. Les droits d'accises

La fiscalité des produits soumis à **accises** reste très variable. **Des taux minimaux** ont été instaurés. Le principe depuis 1993 reste celui d'une **taxation dans le pays de consommation**. Cette règle assure la **libre circulation** sur l'ensemble du Marché intérieur, tout en laissant aux États membres une large marge de manœuvre. Les **particuliers en déplacement** dans l'UE peuvent acheter, sans limitation, pour leur usage personnel, des produits ayant supporté les accises du pays d'achat, mais ils paieront les taxes du pays de destination s'ils en font une utilisation commerciale ou s'ils les acquièrent par correspondance.

# ③ L'abolition des frontières techniques

## A. La reconnaissance mutuelle ou « principe du pays d'origine » (PPO)

Les réglementations et les normes nationales ont longtemps été utilisées pour faire du protection-nisme clandestin dans la CEE. Comment démanteler les 1 500 normes françaises, les 25 000 normes allemandes ? Le principe de « reconnaissance mutuelle », fixé par la Cour de justice dans l'arrêt cassis de Dijon[2] (1979), reste la règle générale, c'est-à-dire que « tout produit fabriqué et légitimement vendu dans un État membre peut aussi être vendu dans les autres États membres ». Une moitié des échanges de biens à l'intérieur de l'UE est couverte par les règlements harmonisés, l'autre moitié repose sur le principe de reconnaissance mutuelle.

## B. La « nouvelle approche »

La « nouvelle approche » est celle du Marché unique. Normalisée dans le *Livre blanc*, elle contourne l'obstacle de la méthode d'harmonisation totale, trop lourde et inefficace. Elle est fondée sur le **principe de reconnaissance mutuelle**. La Communauté a seulement des exigences concernant l'en-vironnement, la sécurité et la protection du consommateur. Un marquage « CE » signale un produit conforme aux directives. Il s'agit par exemple de protéger la sécurité des 70 millions d'enfants en ce qui concerne les jouets.

**La Communauté a dû abandonner son projet d'harmonisation pour adopter une attitude plus réaliste.** Les normes nationales subsistent (« NF » pour la France). En outre, la Communauté encourage les industriels à mettre au point des normes dans le cadre d'organismes européens (comme « CE ») ; elles sont facultatives mais ne pas s'y conformer est hasardeux pour les producteurs, le système européen de normalisation étant appelé à se développer.

**Des signes officiels de qualité.** L'Appellation d'origine protégée (**AOP**) – ou, en France, Appellation d'origine contrôlée (**AOC**) –, désigne un produit dont la production, la transformation et l'élaboration doivent avoir lieu « dans une aire géographique déterminée » avec « un savoir-faire reconnu » et cons-taté. L'Indication géographique protégée (**IGP**) garantit un lien avec le terroir à un des stades au moins de la production, de la transformation ou de l'élaboration. En France, elle est basée sur des labels et/ou des certificats de conformité. La mention Spécialité traditionnelle garantie (**STG**) ne fait pas réfé-rence à une origine mais met en valeur un mode de production traditionnel. Un logo européen pour **l'agriculture biologique** a été créé. Bénéficient, par exemple, des protections AOP et IGP, les eaux minérales naturelles et eaux de source, le crottin de Chavignol, le foie gras de canard du Sud-Ouest, le beurre d'Isigny, le saumon irlandais, les pommes de terre finlandaises…

---

1. Accises : impôt indirect portant sur certaines marchandises, en particulier les cigarettes, l'essence et les alcools. La moitié des recettes des droits d'accises provient des droits sur les produits pétroliers.

2. Le cassis de Dijon étant reconnu comme consommable en France, on devrait pouvoir le vendre en Alle-magne sans qu'il y ait besoin d'une nouvelle homologation auprès des autorités sanitaires de ce pays.

# 22 La libre circulation des capitaux, des services et des personnes

**L'élargissement de l'Europe de Schengen efface les frontières de la guerre froide**

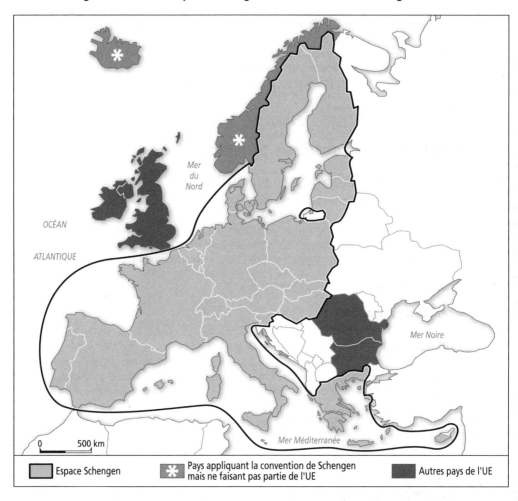

Mer du Nord

OCÉAN

ATLANTIQUE

Mer Noire

Mer Méditerranée

0    500 km

| | Espace Schengen | ✴ | Pays appliquant la convention de Schengen mais ne faisant pas partie de l'UE | | Autres pays de l'UE |

*Les avancées pour la libre circulation des services ont été plus lentes que celles qui ont été réalisées pour les marchandises. L'intégration se fait surtout ici par l'ouverture à la concurrence. La libre circulation des personnes est incomplète.*

## ❶ La libre circulation des capitaux et des services

### A. Les capitaux circulent librement

La libéralisation progressive de la circulation des capitaux depuis le **1er juillet 1990** est un élément fondamental de la mise en place du Marché unique. Le traité de Maastricht soumet à **la règle de l'unanimité** tout retour vers un régime de **contrôle des changes**, ce qui rend la mesure irréversible. Il interdit toute restriction aux mouvements des capitaux et des paiements. Une harmonisation des revenus du capital et de la fiscalité n'existe pas, ce qui suscite des dysfonctionnements importants.

## B. Le marché des services

**Les services bancaires et d'assurance.** Les **particuliers** peuvent ouvrir des comptes bancaires dans toute la Communauté, ils peuvent emprunter aux banques étrangères, être démarchés sur place par des sociétés d'assurance-vie européennes.

**L'organisation des services dits de réseau** (électricité, poste, téléphone, train…) a été progressivement organisée au niveau de l'Union.

**Les transports :** faire respecter la libre concurrence.

**La libéralisation des transports routiers** entre États membres est quasiment totale depuis 1993 ; le transport intérieur à chaque État est ouvert depuis le 1er juillet 1998 aux entreprises qualifiées établies dans un autre État membre. Les **compagnies aériennes européennes** ont libre accès aux liaisons intracommunautaires depuis le 1er avril 1997.

**L'essentiel du marché des services** se prête difficilement à l'exportation, sa principale caractéristique est d'être produit à proximité du client final.

Le projet de **directive Bolkestein** en 2005 (voir fiche sur l'Europe sociale) étendait le principe du pays d'origine aux services, ce qui, dans une Union aux disparités très fortes en matière économique et sociale, risquait de se traduire par un nivellement par le bas de la réglementation.

## ❷ La libre circulation des personnes n'est pas totale dans l'UE

### A. Les progrès liés au Marché unique

Le Marché unique permet à tout citoyen de la Communauté de s'installer pour une durée indéterminée dans un autre État membre et d'y exercer ou non une activité professionnelle :
– reconnaissance automatique des qualifications professionnelles principalement dans le secteur de la santé (médecins, infirmières, dentistes, intérimaires, pharmaciens) ;
– reconnaissance automatique de l'expérience professionnelle pour les professions artisanales, du commerce et de l'industrie.

Pour contourner la lenteur de la reconnaissance mutuelle des diplômes nationaux et pour **faciliter la mobilité des étudiants**, l'UE met en place **un espace européen de l'enseignement** par :
– le développement de **programmes européens** destinés aux jeunes (Leonardo, Socrates…) ;
– l'harmonisation des cursus (licence, master, doctorat).

### B. La suppression des contrôles aux frontières est impulsée par les accords de Schengen

**Les accords** signés le 14 juin 1985, complétés par la **convention de Schengen** (19 janvier 1990), prévoient la mise en place d'un espace de **libre circulation et de sécurité** par :
– des **mesures communes** pour contrôler l'immigration venant de l'extérieur de la Communauté ;
– la définition d'une politique d'asile, d'immigration et la lutte contre le séjour et le travail clandestins ;
– l'examen des demandes d'asile par le premier pays de la Communauté dans lequel arrive le demandeur ;
– une liste des pays dont les ressortissants doivent avoir un visa (plus de cent pays) ;
– des fichiers informatisés communautaires pour lutter contre le terrorisme, le banditisme…

**Le Système d'information Schengen (SIS)** permet aux policiers nationaux d'échanger leurs informations et d'exercer leur droit de poursuite sur le territoire d'un autre État membre. Cette action est prolongée ici par l'**office européen de police** (Europol) créé par le traité de Maastricht.

**Le traité d'Amsterdam,** entré en vigueur le 1er mai 1999, intègre la convention de Schengen. Les décisions concernant « le passage des frontières intérieures, les contrôles aux frontières extérieures, l'attribution des visas, la réglementation de l'immigration et du droit d'asile » sont prises par le Conseil des ministres de l'UE. Le **Royaume-Uni** et l'**Irlande** jouissent d'un statut particulier.

L'accession (2008) à la zone Schengen d'ex-pays communistes revêt une grande signification politique puisqu'il s'agit de l'intégration de pays jadis situés de l'autre côté du rideau de fer (*cf.* carte p. 56).

# 23 Le traité sur l'Union européenne ou traité de Maastricht

**Les agences européennes**

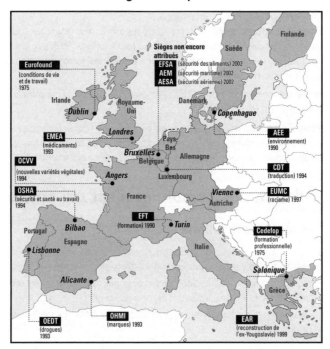

Les grandes étapes de la construction européenne sont marquées par des traités internationaux négociés entre les états membres, c'est le cas du traité de Maastricht qui poursuit la logique fonctionnaliste de la construction européenne, c'est-à-dire la recherche de l'intégration politique par le biais de l'intégration économique.

## ❶ Une avancée vers l'intégration européenne

### A. L'avènement de l'Union européenne

Avant l'achèvement du Grand Marché de 1993, les États européens décident d'approfondir la construction européenne. Ceci se traduit par l'adoption d'un nouveau traité au sommet de Maastricht, le 10 décembre 1991. Le traité sur l'Union européenne, signé par les chefs d'États et de gouvernements le 7 février 1992, est ratifié par chacun des douze États de la Communauté. **La CEE devient l'Union européenne (UE) le 1er novembre 1993**.

### B. Le traité de Maastricht

Il établit l'**Union économique et monétaire** (cf. fiche 25) ainsi que l'instauration d'une monnaie unique.

Il prévoit un renforcement de la coopération en matière de **justice** et d'**affaires intérieures**, avec la création, par exemple, de l'office européen de police (**Europol**).

### C. Une extension des compétences communautaires

De **nouvelles compétences** s'exercent dans le domaine de la protection des consommateurs, de la santé publique, de la politique industrielle, des réseaux transeuropéens, de la culture, etc.

La Communauté mettra en place une **Europe sociale** sans le Royaume-Uni, qui a obtenu une clause d'exception.

Le traité crée un **Comité des régions** et ajoute aux fonds structurels existants un **Fonds de cohésion économique et social** dont l'objectif est d'aider les pays les plus pauvres (Grèce, Irlande, Portugal, Espagne) pour qu'ils puissent participer à terme à l'UEM.

## ② « Une avancée démocratique »

### A. La naissance de la citoyenneté européenne

Les citoyens de la Communauté auront le droit de vote et d'éligibilité aux élections municipales et aux élections européennes, ainsi que le droit de séjourner librement dans tous les États membres. Ils bénéficieront, à l'extérieur de l'UE, de la protection consulaire des autres États que le leur. Le droit de pétition est prévu, ainsi que la nomination d'un médiateur européen.

### B. Le principe de subsidiarité[1]

Il est garanti pour prévenir les excès de l'intervention communautaire.

### C. Le Parlement européen

Il obtient des **droits nouveaux** : l'approbation de la composition de la Commission, dont la durée du mandat coïncidera avec celle du Parlement, une participation au pouvoir législatif (procédure de codécision avec le Conseil) et un droit d'initiative (voir fiche 16 : Le système institutionnel).

## ③ « Une avancée politique » difficile à mettre en pratique

### A. La PESC

Le traité de Maastricht, prenant en compte les bouleversements survenus dans l'Europe de l'Est, prévoit la mise en place d'une **Politique étrangère et de sécurité commune (PESC)**. L'un des objectifs de la PESC est la mise en place, à terme, d'une « défense commune ».
Les grandes lignes de la Politique étrangère et de sécurité commune seront fixées à l'unanimité par le **Conseil européen**. Le **Conseil des ministres** décide des domaines qui feront l'objet d'une action commune. Le cadre utilisé pour la mise en place d'une « **identité européenne de défense** » est l'**Union de l'Europe occidentale (UEO)**, créée après la Seconde Guerre mondiale.

### B. Les faiblesses militaires de l'Europe

Un corps d'armée de 60 000 hommes a été constitué à l'initiative de la France et de l'Allemagne. Il est loin de former l'ossature de la future force de défense européenne.

**Les dépenses consacrées à la défense restent faibles** : 2,8 % du PIB en Grèce et en Turquie, 2,4 % en France, 2,3 % au Royaume-Uni, 1,3 % en Allemagne. Le montant est de 4 % du PIB pour les États-Unis.

**La protection militaire de l'Europe est fondamentalement assurée par l'OTAN**, qui s'élargit à l'Est. La Pologne, la Hongrie, la République tchèque sont devenus membres de l'OTAN. La plupart des PECO (Pays d'Europe centrale et orientale) ont rejoint l'OTAN, qui regroupe aujourd'hui vingt-huit pays. Le retour de la France dans le commandement militaire intégré de l'OTAN en 2009 semble marquer le pas de la relance de la défense européenne.

**La crise irakienne** a montré les **divergences européennes**. Les pays comme la Pologne, la République tchèque, avant même d'intégrer l'Europe, se sont clairement démarqués de l'axe franco-allemand, hostile à l'intervention américaine. Ils ont été soutenus par les Britanniques, les Espagnols et les Italiens.

---

1. Principe de subsidiarité : « Dans les domaines qui ne relèvent pas de sa compétence exclusive, la Communauté n'intervient, conformément au principe de subsidiarité, que si, et dans la mesure où, les objectifs de l'action envisagée ne peuvent pas être réalisés de manière suffisante par les États membres [...] » (article 3b du titre II du traité).

# 24 Les prémices de l'Europe monétaire : du « Serpent » au SME

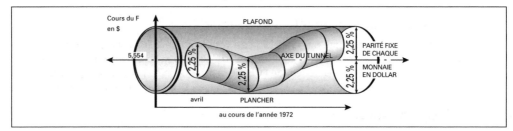

Le « Serpent dans le tunnel »

## 1 Le « Serpent » : l'échec d'une première tentative de solidarité monétaire

### A. La fin du système de Bretton Woods

Un marché commun ne peut se développer durablement que s'il existe des taux de change fixes entre les États membres. Dès la fin des années 1960, la politique des prix agricoles au sein de la CEE devient inapplicable du fait de la dévaluation du franc (août 1969), puis de la réévaluation du deutsche mark (automne 1969) : il faut créer les **Montants compensatoires monétaires (MCM)**. Le **Plan Werner** (octobre 1970), qui prévoit la mise en place d'une Union économique et monétaire, ne résiste pas à l'effondrement du système de Bretton Woods.

**Le 15 août 1971**, le président Richard Nixon annonce la suppression complète de la convertibilité en or du dollar. **C'est la fin du système de Bretton Woods**, les monnaies « flottent » sur les marchés des changes. **Le 18 décembre 1971, les accords de Washington rétablissent le système de « parités fixes »**, mais avec une marge de fluctuation de 2,25 % (au lieu de 1 %) en plus ou en moins par rapport au dollar. C'est le **tunnel**. L'écart entre deux monnaies européennes peut donc atteindre 4,5 % simultanément et 9 % dans le temps. Cet écart est incompatible avec le bon fonctionnement du Marché commun agricole.

### B. Naissance et mort du « Serpent »

**Les accords de Bâle de mars 1972 sont une réponse européenne** visant à réduire de moitié les marges de fluctuation entre les monnaies européennes (2,25 % au lieu de 4,5 %). C'est le « **Serpent dans le tunnel** ».

Le « Serpent » se heurte à des difficultés majeures :

– **La Communauté s'est agrandie de six à neuf États au 1er janvier 1973** ; les accords sont plus difficiles à tenir du seul fait du nombre.
– **En février 1973, les États-Unis dévaluent** une nouvelle fois leur monnaie ; le 12 mars 1973, les pays européens décident de conserver le « Serpent » mais en le laissant flotter par rapport au dollar : le « Serpent » sort du tunnel.
– **Entre 1974 et 1976, les pays à monnaie faible** (Italie, Royaume-Uni, Irlande, France) doivent quitter le « Serpent », qui ne regroupe plus que les pays de la « zone mark » (RFA, Belgique, Danemark et Pays-Bas). **Les accords de la Jamaïque, en janvier 1976, légalisent les changes flottants**, donc l'instabilité monétaire, incompatible avec le fonctionnement du Marché commun. Conscients de la gravité de la situation, Valéry Giscard d'Estaing et Helmut Schmidt lancent un nouveau projet de SME.

# ❷ Le SME : la relance de l'intégration monétaire

**Le Système monétaire européen** (SME), créé en mars 1979, a pour but d'instaurer « la stabilité de la monnaie et des taux de change en Europe et, à plus long terme, la stabilité des prix et une plus grande convergence des politiques économiques ». Il repose sur l'*ECU* et sur le **mécanisme des taux de change**.

## A. Le SME

L'*ECU* (*European Currency Unit*) est une nouvelle unité monétaire européenne. Elle se compose d'un panier de monnaies pondérées selon l'importance économique des États membres. L'écu (ou *ECU*) est **l'unité de compte** du SME, il est utilisé comme instrument de paiement entre les banques centrales. L'écu **« monnaie partielle »** a laissé la place à l'euro qui est une monnaie à part entière, émise par une banque centrale.

Le **mécanisme des taux de change** repose sur des **cours-pivots**.

Pour chaque monnaie participant au mécanisme de change est déterminé un cours initial ou cours-pivot, rattaché à l'écu. Les cours-pivots servent à établir une grille de cours-pivots bilatéraux. **Chaque monnaie a droit à une marge de fluctuation d'environ 2,25 %** (plus ou moins 6 % temporairement pour certains pays : cela a été le cas pour le Royaume-Uni et l'Espagne) **autour des cours-pivots bilatéraux.**

**Les banques centrales sont tenues d'acheter des devises faibles et de vendre des devises fortes** sur les marchés des changes **pour maintenir les marges de fluctuation** dans le cadre prévu. Si une monnaie a structurellement tendance à s'écarter des marges de fluctuation, on réaménage les cours-pivots par une **dévaluation** ou une **réévaluation**. La **révision de parités** donne de la souplesse au mécanisme et tient compte de la réalité économique.

## B. Une relative réussite

**Des performances non négligeables jusqu'aux années 1990.**

**Le SME a assuré la stabilité monétaire en Europe** dans un environnement international troublé par le deuxième choc pétrolier et les fortes variations de la monnaie américaine, ce malgré treize réajustements des parités de 1979 à 1992. Depuis sa création, **le SME a favorisé la convergence des politiques monétaires** au sein de la CEE, politiques de désinflation et de réduction du différentiel d'inflation entre les pays. L'**écu privé**, apparu spontanément, a connu un développement important.

**SME ou « zone mark » ?**
- La convergence des politiques monétaires signifie surtout un **ajustement sur la politique allemande, qui privilégie la lutte contre l'inflation aux dépens de la croissance et de l'emploi.**
- **La charge de la stabilité des changes pèse surtout sur les pays à monnaie faible,** par la nécessité d'utiliser leurs réserves et d'élever leurs taux d'intérêt. On reproche finalement au SME un **« déficit de croissance ».**

**Les crises du SME**
- **Le SME est sorti affaibli de la crise de l'automne 1992** provoquée par la spéculation sur les monnaies faibles. En septembre, la livre sterling et la lire italienne sortent du système pour revenir au flottement de leur taux de change, la peseta est dévaluée. Pour sa part, le franc résiste grâce aux interventions conjointes de la Bundesbank et de la Banque de France.
- **À l'été 1993, le SME doit faire face à une nouvelle vague de spéculation : le compromis de Bruxelles (1er août 1993) décide d'un élargissement des marges de fluctuation à plus ou moins 15 %** (au lieu de ± 2,25 %) autour de leurs cours-pivots. On a alors parlé d'une « implosion » et de la fin de la stabilité « d'un système de taux de change quasi flottants ». En fait, les gouvernements ont accentué la convergence des politiques monétaires. Le SME a préparé la mise en place de l'UEM prévu par le traité de Maastricht.

# 25 L'Union économique et monétaire (UEM)

**Les étapes pour accéder à l'euro**

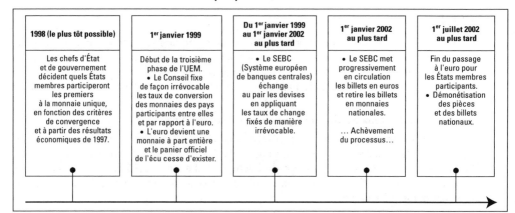

| 1998 (le plus tôt possible) | 1er janvier 1999 | Du 1er janvier 1999 au 1er janvier 2002 au plus tard | 1er janvier 2002 au plus tard | 1er juillet 2002 au plus tard |
|---|---|---|---|---|
| Les chefs d'État et de gouvernement décident quels États membres participeront les premiers à la monnaie unique, en fonction des critères de convergence et à partir des résultats économiques de 1997. | Début de la troisième phase de l'UEM. • Le Conseil fixe de façon irrévocable les taux de conversion des monnaies des pays participants entre elles et par rapport à l'euro. • L'euro devient une monnaie à part entière et le panier officiel de l'écu cesse d'exister. | • Le SEBC (Système européen de banques centrales) échange au pair les devises en appliquant les taux de change fixés de manière irrévocable. | • Le SEBC met progressivement en circulation les billets en euros et retire les billets en monnaies nationales. … Achèvement du processus… | Fin du passage à l'euro pour les États membres participants. • Démonétisation des pièces et des billets nationaux. |

Le **traité de Maastricht** propose de créer l'**Union économique et monétaire**. L'UEM se définit par la mise en place de politiques économiques convergentes, une politique monétaire unique, une monnaie unique (appelée à remplacer les monnaies nationales) émise par une **banque centrale unique** et indépendante des États.

## 1 Le traité de Maastricht : un scénario et des critères

Reprenant le rapport Delors (1989), la stratégie choisie par le traité est celle « d'une construction institutionnelle et de convergence progressive ».

### A. Trois étapes

**La première étape**

Commencée le 1er juillet 1990 par la libre circulation des capitaux, elle préconise un **rapprochement des politiques économiques**. Cette phase s'est achevée le 31 décembre 1993.

**La deuxième étape**

Elle a débuté comme prévu le 1er janvier 1994 par la création de l'Institut monétaire européen (IME) à Francfort. L'IME est la préfiguration de la future Banque centrale européenne. Il rassemble les gouverneurs des banques centrales des différents États et prépare le passage à la troisième phase.

**La troisième phase**

Elle s'est déroulée conformément au traité par la mise en vigueur de la **monnaie unique**[1] le **1er janvier 1999 pour les États remplissant les critères**. Dès le 1er janvier 2002, les pièces et billets en euros ont remplacé les monnaies nationales dans **douze pays de l'UE**.

La monnaie unique est gérée par la **Banque centrale européenne**, créée à cet effet. La réalisation de l'UEM dépendait de critères quantifiés mesurant un certain degré de convergence économique.

### B. Les critères de convergence nécessaires pour le passage à la monnaie unique

**« La réalisation d'un degré élevé de stabilité des prix. »**

Ici, un taux d'inflation voisin (pas plus de 1,5 %) du taux moyen annuel des trois pays les plus performants en ce domaine.

**« Le caractère soutenable de la situation des finances publiques »:**
– Le déficit budgétaire doit être inférieur à 3 % du PIB.
– L'endettement public doit être inférieur à 60 % du PIB.

**« Le respect des marges normales de fluctuation prévues par le mécanisme de change du SME pendant deux ans au moins, sans dévaluation de la monnaie par rapport à celle d'un autre État membre ».**

**« Le caractère durable de la convergence ».**
Un taux d'intérêt à long terme proche (pas plus de 2 %) du taux moyen des trois pays les plus performants en matière de stabilité des prix.

## ② Pourquoi une monnaie unique ?

### A. Marché unique, monnaie unique

**Au niveau microéconomique**, la monnaie unique permet:
– de limiter aux échanges extra-communautaires l'incertitude liée aux variations des taux de change (risques de change);
– de faire disparaître les coûts de transaction liés aux opérations de conversion entre les devises européennes (évalués à 0,3 % du PIB de la Communauté).

**Au niveau macroéconomique**, la monnaie unique facilite la lutte contre la spéculation internationale, qui oblige les banques centrales des États à maintenir des taux d'intérêt élevés pour défendre le taux de change de leur monnaie. Une baisse attendue des taux d'intérêt sera bénéfique à la croissance économique des pays de l'Union européenne.

**La monnaie unique européenne** jouera un rôle international comparable à celui du dollar et renforcera la cohésion des États membres. Les quatorze monnaies européennes fragmentaient le Marché unique.

Le pouvoir monétaire sera partagé au sein de la **BCE**, ce qui limitera la domination de la Bundesbank.

La monnaie unique bénéficiera aux **consommateurs**, en renforçant la transparence des prix des produits de la zone euro.

### B. Un traité trop contraignant ?

Le choix des critères de convergence pour le passage à la monnaie unique privilégie la lutte contre l'inflation à celle contre le chômage. Il s'inspire des politiques de **désinflation compétitive** appliquées durablement par l'Allemagne et par la France. Ces politiques ont permis de réduire la hausse des prix mais n'ont pu enrayer le chômage. La croissance faiblement inflationniste n'a pas permis de relancer l'emploi.

Les **opposants** à l'UEM lui reprochent **son caractère supranational**: ils déplorent le fait que les États renoncent à leur privilège souverain d'émettre de la monnaie et qu'un organisme fédéral, non élu, la BCE, « mène la politique monétaire de manière indépendante ». Les États ne disposent plus pour régler une crise locale des outils monétaires nationaux (maîtrise des taux d'intérêt, dévaluations).

---

1. Monnaie unique : les chefs d'État ont fixé de façon « irrévocable les taux de conversion des monnaies des pays participants, entre elles, et par rapport à l'euro » (1 euro = 6,55957 francs).

# 26 La naissance de la zone euro

## Les pays de la zone euro

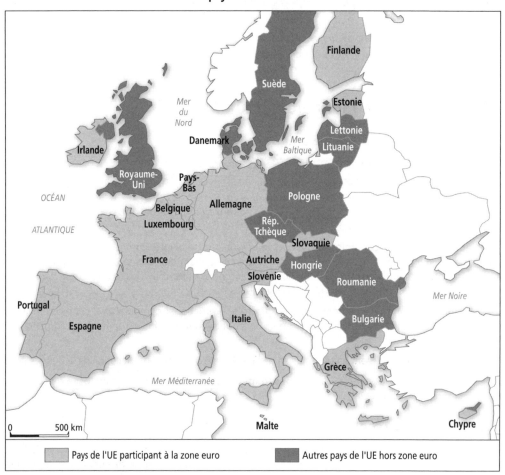

Légende :
- Pays de l'UE participant à la zone euro
- Autres pays de l'UE hors zone euro

# ❶ Le passage à l'euro

## A. Les pays de la zone euro

Le passage à la troisième étape de l'UEM (1er janvier 1999) s'est fait à onze pays : Allemagne, Belgique, Espagne, France, Irlande, Italie, Luxembourg, Autriche, Pays-Bas, Portugal et Finlande. Les pays du sud de l'Europe (Espagne, Italie, Portugal) ont consenti de gros efforts pour monter dans le train de l'euro.

La Grèce ne remplissait aucun critère ; éliminée de l'euro pour des motifs économiques en 1999, elle a rejoint les pays de l'« **Euroland** » en 2002. La **Slovénie** fait partie de la zone euro depuis le 1er janvier 2007. **Chypre** et **Malte** depuis le 1er janvier 2008, la **Slovaquie** depuis le 1er janvier 2009, l'**Estonie** depuis le 1er janvier 2011.

## B. Les récalcitrants à l'euro

Les **Danois** se sont prononcés par référendum contre la monnaie unique en 2000. Les **Suédois**, consultés par référendum en septembre 2003, ont refusé de troquer leur devise nationale, la couronne suédoise, contre l'euro.

**Le Royaume-Uni** a choisi de s'exclure provisoirement dès la signature du traité de Maastricht par une clause d'exception (*opting-out*). Tony Blair, favorable à l'euro, envisageait d'organiser un référendum, mais il a renoncé, 60 % des citoyens britanniques étant toujours hostiles à la monnaie unique. Certains patrons britanniques craignaient aussi, en rejoignant l'euro, devoir subir les contraintes du modèle social européen. Le Royaume-Uni n'adoptera pas l'euro bien qu'il respecte alors tous les critères de Maastricht.

# ❷ Les PECO et l'euro

## A. Malgré la crise, les critères de Maastricht restent la règle

Pour intégrer la zone euro, ils doivent :
– participer au SME *bis* pendant deux ans après leur adhésion en 2004 ;
– respecter les critères de Maastricht avant de pouvoir adhérer.

## B. Les PECO au cas par cas

Pour la BCE, le calendrier d'adoption de l'euro dans une région « très hétérogène », où la situation varie d'un pays à l'autre, reste spécifique à chaque pays et doit être décidé au cas par cas.

Le rattrapage économique des PECO a été brutalement ralenti par la crise. Les monnaies nationales ont subi d'importantes dépréciations depuis 2008 face à l'euro. La Banque mondiale, la BERD, la BEI, le FMI ont dû intervenir pour apporter un important soutien financier au secteur bancaire de ces pays.

# ❸ Priorité à la stabilité monétaire

## A. Le « Pacte de stabilité et de croissance »

Le conseil d'Amsterdam du 18 juin 1997 adopte un **Pacte de stabilité et de croissance**, qui est un contrat permanent de stabilité budgétaire. Si un État membre de l'UEM a un déficit budgétaire supérieur à 3 % du PIB, il s'expose à des pénalités financières pouvant aller jusqu'à 0,5 % du PIB. Seront exemptés de sanctions les pays en récession dont l'économie se sera rétractée de plus de 2 %. **La rigueur budgétaire devient permanente** mais elle est remise en cause par la crise actuelle.

## B. Le mécanisme de change européen (MCE2)

Le Conseil d'Amsterdam arrête également un mécanisme de change entre les pays membres de la zone euro (pays dits « **in** ») et les pays de l'UE aspirant à y entrer (pays dits « **pré-in** »).

Le 1ᵉʳ janvier 1999, un nouveau mécanisme de change européen (MCE2) entre en vigueur. Pendant une durée de deux ans, les fluctuations des monnaies des pays candidats doivent être limitées à 15 % par rapport à l'euro.

**Déficit budgétaire et dette des 27 en 2011**

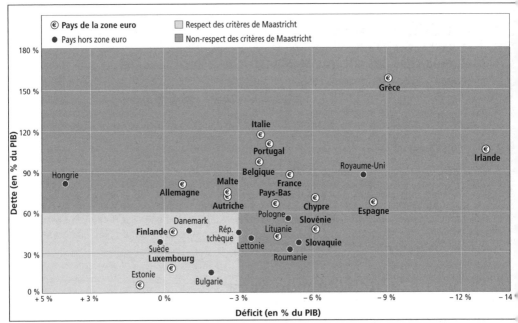

Source : Eurostat, 201..

# ① Comment l'euro est-il géré ?

## A. Les institutions de l'UEM

La Banque centrale européenne (BCE) a remplacé l'Institut monétaire européen (IME) en 1998, avant la mise en place de l'euro. La BCE détermine et conduit la politique monétaire de la zone euro. Le Conseil des gouverneurs de la BCE est l'organe supérieur de décision, c'est lui qui fixe le niveau des taux d'intérêt et définit les objectifs monétaires.

Le Conseil des gouverneurs est composé d'un directoire de six personnes (un président, un vice-président et quatre autres membres, tous nommés par les gouvernements des États membres de l'UEM) et des gouverneurs des **Banques centrales nationales des États membres** ayant adopté l'euro.

Le siège de la BCE est à Francfort. Le premier président du directoire de la BCE, Wim Duisenberg (Pays-Bas), a été remplacé, comme prévu, avant la fin de son mandat (2006) par Jean-Claude Trichet (France). Le 24 juin 2011, **Mario Draghi** a été nommé à la présidence de la BCE.

**Le Système européen de banques centrales (SEBC)** se compose de la BCE et des banques centrales nationales. Le SEBC a le pouvoir de création monétaire ; il est dirigé par les organes directeurs de la BCE.

## B. Deux instances coordonnent les politiques économiques

**Le Conseil économique et financier (Conseil Écofin).** Il est composé des ministres des Finances et de la Commission. Il est chargé de la coordination des politiques économiques et vérifie que les pays de la zone euro respectent en matière budgétaire le **Pacte de stabilité et de croissance** ; il peut décider de sanctions éventuelles en cas de déficit excessif du budget.

Le **Conseil de l'euro**, appelé aussi **Eurogroupe**, est un organe consultatif et informel qui réunit les ministres de l'Économie et des Finances des pays de la zone euro pour débattre de tous les sujets concernant le bon fonctionnement de l'UEM. Il peut faire des propositions au **Conseil Écofin**, seul habilité à prendre des décisions.

## C. Des problèmes non résolus

La bonne gestion de l'euro dépend :

– du « *policy mix* **européen** », c'est-à-dire de l'articulation entre la politique monétaire unique de la BCE et les politiques budgétaires nationales qui supportent l'essentiel de la régulation économique, avec des contraintes strictes (limitation du déficit budgétaire à 3 % du PIB pour maintenir un taux d'inflation bas) ;

– de la gestion de « **situations asymétriques** ». La clause de « *no bail out* » – non-renflouement – de Maastricht interdit en principe à l'Union de voler au secours d'un de ses membres. Le cas de la Grèce montre que cette règle est difficile à respecter aujourd'hui.

# ② L'euro à l'épreuve de la crise

## A. L'euro, « bouclier ou amplificateur de crise ? »

L'euro a incontestablement protégé l'Europe des turbulences internationales dues à la crise asiatique, à l'éclatement de la bulle Internet et à la flambée des prix pétroliers. L'euro a servi de bouclier face à la crise actuelle en étant un gage de stabilité financière. Sans l'euro plusieurs pays européens (l'Irlande, l'Espagne, la Grèce, l'Italie) auraient dévalué leurs monnaies déstabilisant encore plus l'économie européenne. Avec la crise, le divorce entre la souveraineté monétaire et la souveraineté politique dans la zone euro s'accentue. Si la politique monétaire unique n'est pas la seule responsable des difficultés actuelles, force est de constater qu'elle s'est avérée déstabilisante pour les pays les plus inflationnistes comme l'Irlande et l'Espagne, qui ont connu des bulles immobilières qui ont fini par éclater. On reproche à la BCE d'avoir accentué les divergences entre les pays de la zone. Le taux d'intérêt fixé par la BCE, depuis la création de l'euro s'est avéré trop élevé pour l'Allemagne et trop faible pour l'Espagne et l'Irlande, qui fondent leur croissance sur la consommation et l'immobilier, adossés à un endettement toujours plus important. Comment harmoniser une zone où l'Allemagne réalise un excédent de la balance courante égal à 7 % de son PIB alors que l'Espagne accuse un déficit de plus de 10 % ?

Aujourd'hui, de nombreux pays de la zone euro demandent à la BCE de racheter leurs dettes publiques. Mais ils se heurtent au refus des pays qui sont moins affectés par la crise comme l'Allemagne. D'économique, la crise est devenue politique.

## B. Le Pacte de stabilité et de croissance mis à mal par la crise financière

La crise a fait voler en éclats les critères de Maastricht (déficit budgétaire inférieur à 3 % du PIB, dette publique inférieure à 60 %). Le déficit cumulé des pays de la zone devrait atteindre 6,9 % du PIB en 2010 et 7,5 % en 2011 après 6,4 % en 2009. La dette cumulée de la zone devrait atteindre 84 % de son PIB en 2010, 95 % en 2011 contre 78,2 % en 2009. Tous les pays ne sont pas logés à la même enseigne comme le montre le graphique de la page précédente. La Finlande et le Luxembourg respectent le Pacte, l'Allemagne (1 % du PIB pour le déficit et 80,5 % pour la dette) a une meilleure position que la France (5,2 % du PIB pour le déficit et 86 % du PIB pour la dette).

La question de l'assainissement des finances publiques par un retour à l'orthodoxie budgétaire est loin d'être réglée. Les pays de la zone euro ont accepté les objectifs de réduction de leurs déficits budgétaires à plus ou moins long terme. L'Allemagne à fait voter une loi pour limiter les déficits à 0,35 % du PIB à partir de 2016. Ce qui anticipe une politique de rigueur que la France refuse d'envisager pour le moment repoussant à 2012 ou 2013 le début de la réflexion sur la réduction du déficit qui ne redescendrait sous la barre des 3 % qu'en 2017! Comment juguler un gonflement de la dette publique, même avec une inflation qui augmente et une croissance retrouvée? Comment éviter à terme des politiques de rigueur avec des hausses d'impôts et une réduction des dépenses publiques?

## C. Le cas de la Grèce

La situation de la Grèce illustre les turbulences actuelles. En 2011, la dette de la Grèce atteint 159 % du PIB alors que le déficit public est déjà de 9,1 % du PIB. Comment parvenir à réduire cette dette alors que le poids des intérêts rend toute politique économique autonome illusoire? La Grèce a déjà fait l'objet de deux plans de sauvegarde de 100 milliards d'euros chacun, sans résultat. Le pays est sous tutelle de la BCE et du FMI. À la crise économique et sociale a succédé une crise politique. Après maints rebondissements, la Grèce est parvenue à former un gouvernement éclectique en juin 2012 avec Antonis Samaras comme Premier ministre. Une nouveauté pour un pays peu habitué aux coalitions qui met fin à un semestre de crise.

Pour Daniel Cohen, « le respect des dogmes et la faillite de la Grèce seraient pour la BCE l'équivalent de ce qu'a été pour la FED et l'économie américaine la faillite de Lehman Brothers, en septembre 2008 ». Les sanctions qui pourraient être formulées en faisant référence au Pacte de stabilité n'ont plus cours. Les pays européens sont condamnés à la solidarité, passant outre les dispositions de Maastricht. La question du statut de l'euro, de celui de la BCE et du devenir de l'UE est plus que jamais posée.

# 3 Euro faible, euro fort

## A. Euro faible

La valeur de l'euro varie sur le marché des changes : au moment de sa création, en janvier 1999, l'euro cotait 1,17 dollar. En moins de deux ans, il avait perdu 25 % de sa valeur.

La dépréciation de l'euro par rapport au dollar avait renforcé la compétitivité de la zone euro vis-à-vis des pays tiers et surtout des États-Unis. L'euro faible dopait les exportations européennes.

## B. Euro fort

L'euro s'est ensuite envolé, pour atteindre 1,44 dollar en janvier 2010. L'euro fort fait planer une menace sur la croissance, déjà faible, en Europe.

**Inconvénients et avantages d'un euro fort sur:**
- **Le commerce extérieur :** les produits européens valent plus cher sur les marchés mondiaux, ce qui pénalise les exportations européennes en dehors de la zone euro. La facture pétrolière, par contre, est allégée alors que le prix du baril de brut a atteint 145 dollars en 2008 avant de se stabiliser autour de 70 dollars fin 2009.
- **Les comptes des entreprises** qui voient baisser leur chiffre d'affaires du fait d'une baisse des exportations. Pour les entreprises ayant investi aux États-Unis, la consolidation des bénéfices pâtit de la chute du dollar (« effet conversion »). La baisse du billet vert profite aux entreprises endettées en dollars, ou à celles qui importent des matières premières libellées en dollars.
- **Les délocalisations :** des firmes comme Airbus, Dassault ou Renault, prises en tenaille entre les évolutions divergentes de coûts de production élevés en euros et des prix de vente en dollars, menacent de délocaliser une partie de leur production en dehors de la zone euro.
- **La croissance économique :** les experts considèrent généralement que la monnaie européenne est trop forte par rapport aux fondamentaux économiques de la zone euro.
- **L'inflation :** la hausse de l'euro réduit le coût des importations et freine l'inflation.

Le **commerce extérieur** de la zone euro est cependant resté excédentaire jusqu'en 2009 (déficitaire depuis) contrairement au solde des échanges en dehors de l'UE-27. Malgré la vigueur de l'euro par rapport au dollar, les exportations allemandes restent parmi les premières du monde. Elles sont au 2e rang mondial derrière la Chine.

# 4 L'euro, 2e monnaie internationale

## A. L'euro : monnaie d'investissement

L'euro s'est imposé comme monnaie d'investissement et a dépassé le dollar sur le marché obligataire.

## B. L'euro : monnaie de réserve

Le rôle de l'euro est encore limité mais il progresse au niveau international (Chine, Japon) ; la monnaie européenne représente près de 28 % des réserves mondiales, en devises, des banques centrales, alors que le dollar reste la première monnaie internationale avec 60 % des réserves.

## C. L'euro : monnaie de règlement

Aujourd'hui, 50 % du commerce international est libellé en dollars et 39 % en euros. En Europe, une partie des échanges est encore réglée en dollars. La facturation en euros pour les pays européens progresse plus rapidement pour les exportations (du fait de la puissance industrielle et commerciale de l'UE) que pour les importations.

## D. L'euro : monnaie de financement

Le poids de l'euro dans les actifs internationaux des banques commerciales est d'environ 30 %, contre 45 % pour le dollar et 10 % pour le yen. La zone euro représente 15 % de la capitalisation des Bourses mondiales, ce qui est comparable au Japon mais reste loin derrière les États-Unis (plus de 50 %).

## E. L'euro : monnaie d'ancrage

De nombreux pays hors UEM ont indexé, en partie, leur monnaie sur l'euro, c'est le cas de la **zone franc**, des **PECO** et, dans une moindre mesure, de la **Russie**. En termes économiques, les PNB de la zone euro élargie devraient peser autant que ceux de la zone dollar. Soutenu par la puissance économique des pays dont il est la monnaie officielle depuis le 1er janvier 1999, l'euro est devenu la **deuxième monnaie internationale** mais peine à devenir une grande devise mondiale.

# 28 Les premiers élargissements : de six à douze

**La CEE et l'AELE en 1972...**

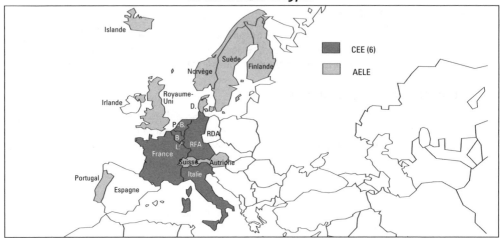

- CEE (6)
- AELE

**... et en 1993**

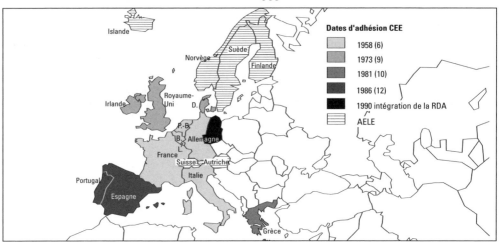

Dates d'adhésion CEE
- 1958 (6)
- 1973 (9)
- 1981 (10)
- 1986 (12)
- 1990 intégration de la RDA
- AELE

*Le traité de Rome prévoit que « tout État européen peut demander à devenir membre de la Communauté ».*

## ❶ L'élargissement vers le nord de l'Europe : de six à neuf

### A. Le revirement britannique

« Entre l'Europe et le grand large, nous choisirons toujours le grand large », déclarait Winston Churchill. **Le Royaume-Uni,** fidèle aux liens qui l'unissent aux pays du Commonwealth et aux États-Unis, est resté en dehors de la CECA puis de la CEE. Il est à l'origine de la création de l'**Association européenne de libre-échange (AELE[1]).**

**La position anglaise évolue sous l'effet d'un double impératif:**
- **économique:** les échanges commerciaux avec les pays de la CEE progressent plus vite qu'avec les pays de l'AELE ;
- **politique:** le Royaume-Uni craint d'être marginalisé par le rapprochement franco-allemand.

## B. L'adhésion du Royaume-Uni, du Danemark et de l'Irlande (1973)

**Le Royaume-Uni demande son entrée dans la CEE en 1961, 1967 et 1970.** Le général de Gaulle s'oppose à deux reprises à la candidature britannique. L'Angleterre pose des conditions inacceptables aux yeux de la France, comme le réaménagement des traités. En outre, elle est hostile à la PAC. Après le départ du général de Gaulle, les négociations finissent par aboutir.

**Le 1er janvier 1973, le Royaume-Uni, le Danemark et l'Irlande rejoignent la CEE.** L'Europe des Six devient l'Europe des Neuf. Le Royaume-Uni reste un partenaire difficile ; Harold Wilson renégocie le traité d'adhésion en 1974 ; plus tard, Margaret Thatcher obtient une réduction de la contribution britannique au budget de la CEE. Le Royaume-Uni « jouera l'Europe à la carte » (Alain Minc).

# 2 L'élargissement vers l'Europe du Sud: de neuf à douze

## A. La Grèce, l'Espagne, le Portugal

Trois pays méditerranéens intègrent la CEE: la **Grèce**, le 1er janvier 1981; l'**Espagne** et le **Portugal**, le 1er janvier 1986. L'Europe des Neuf devient l'Europe des Douze.

## B. Incidences pour les nouveaux membres

**Au plan politique:** l'adhésion consacre la reconnaissance de leur retour à la démocratie après la révolution des « œillets » au Portugal (1974), la fin de la dictature des colonels en Grèce (1974) et la mort de Franco en Espagne (1975).

**Au plan économique:**
- c'est un moyen de moderniser leur économie et de bénéficier des aides de pays plus riches ;
- c'est l'ouverture de nouveaux débouchés, mais ils doivent s'attendre à subir, en retour, une concurrence plus forte des autres pays de la CEE.

## C. Incidences pour la CEE

Un effort financier accru ; la réforme du financement de la CEE en 1988 essaye de faire face à l'augmentation des dépenses.

Une modification de la procédure du vote à l'unanimité du Conseil des ministres par un recours plus fréquent à la **majorité qualifiée**, c'est ce que prévoit l'**Acte unique**.

Une menace pour les agricultures méditerranéennes de la France et de l'Italie (vins, fruits, légumes), mais aussi pour la production d'acier, pour l'industrie textile et pour la pêche. Des mesures d'adaptation progressive et une période transitoire sont prévues. L'intégration totale de l'Espagne et du Portugal ne sera effective qu'en 1996.

Le **centre de gravité de la CEE** se déplace vers le sud de l'Europe, qui est plus pauvre que le nord. L'**Acte unique** engage par ailleurs une politique régionale qui doit renforcer la cohésion économique et sociale.

---

1. AELE: créée en 1960, regroupant autour du Royaume-Uni, la Suède, la Norvège, la Suisse, l'Autriche, l'Islande, la Finlande et le Portugal. Affaiblis par l'adhésion à la CEE du Royaume-Uni, du Danemark et du Portugal, les pays de l'AELE ont développé leurs échanges commerciaux avec la CEE. Un Espace économique européen (EEE), zone de libre-échange, était envisagé avec la CEE pour 1993. Le « non » suisse lors du référendum de décembre 1992 a ajourné l'EEE; l'adhésion de la Suède, de la Finlande et de l'Autriche à l'Union européenne marque la fin de l'AELE.

# 29 L'élargissement vers les pays de l'AELE et les pays méditerranéens

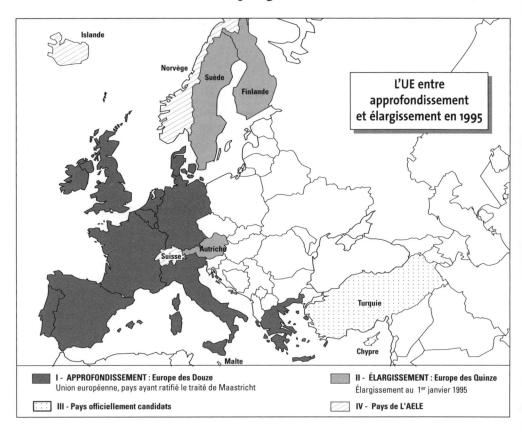

**L'UE entre approfondissement et élargissement en 1995**

I - **APPROFONDISSEMENT : Europe des Douze**
Union européenne, pays ayant ratifié le traité de Maastricht

II - **ÉLARGISSEMENT : Europe des Quinze**
Élargissement au 1er janvier 1995

III - **Pays officiellement candidats**

IV - **Pays de L'AELE**

*L'Europe est confrontée simultanément à la question de l'approfondissement avec le traité de Maastricht et à celle de **l'élargissement, mais jusqu'où** ?*

## ① Vers les pays de l'AELE : l'Europe des Quinze

### A. Autriche, Finlande, Suède

Le 4 mai 1994, le **Parlement de Strasbourg** se prononce à une écrasante majorité pour l'élargissement de la Communauté à quatre pays de l'AELE. Les populations de ces États se prononcent par référendum en 1994. L'**Autriche** (66 % de oui), la **Finlande** (57 % de oui), la **Suède** (52 % de oui) sont membres de l'Union européenne depuis le 1er janvier 1995.

La **Norvège**, avec 52 % de **non**, reste en marge de l'Europe, à laquelle elle est pourtant de plus en plus liée. Elle préserve son identité grâce à la manne pétrolière et aux ressources de la pêche mais remplit tous les « critères de Maastricht », la majeure partie de son commerce extérieur est destinée à l'UE, et ses voisins nordiques ont intégré l'Union.

### B. Une Europe plus difficile à piloter

– Les **commissaires** voient leur nombre passer de 17 à **20**.
– L'**Assemblée européenne** accueille **626** députés au lieu de 567 : Autriche = 21, Finlande = 16, Suède = 22.
– Pour les votes au Conseil des ministres, une nouvelle pondération des voix est arrêtée. Les décisions sont cependant plus difficiles à prendre du fait du nombre plus élevé des pays membres.

## C. Une Europe « plus riche, plus sociale »

Ces nouveaux pays sont des **« petits pays riches »**. Ils apparaissent comme de futurs **contributeurs nets**, mais le total de leur PIB représente moins de 10 % du total des douze pays membres, ce qui limite leur apport.

Avec trois nouveaux pays, l'**Europe communautaire compte plus de 375 millions d'habitants**, soit 22 millions de plus, ce qui ouvre de nouveaux marchés, notamment aux grandes puissances agricoles de l'Union européenne comme la France. L'**agriculture** de ces pays étant très protégée, des **mesures transitoires** étalées sur plusieurs années sont prévues avant l'application de la PAC.

Des accords ont été nécessaires, par exemple, pour réduire le **transit routier** en Autriche, qui craignait une mise en péril de l'équilibre écologique du massif alpin.

**L'intégration de ces États sur les bases du traité de Maastricht** n'a pas posé de problèmes majeurs. **Au plan économique**, ces pays appartiennent déjà commercialement à la Communauté comme l'ont montré les négociations en vue de la création de l'**EEE** (Espace économique européen). En revanche, la question de leur **neutralité** est posée par la mise en place de la Politique étrangère et de sécurité commune (PESC) du traité de Maastricht. On attend de l'intégration de ces pays « avancés » qu'ils fassent progresser l'Union dans le **domaine social**, celui de l'**égalité des sexes** et des **politiques de l'environnement**.

La **Suisse**, autre pays de l'AELE, a suspendu sa candidature après l'échec du référendum sur l'EEE, le 6 décembre 1992.

# ❷ L'élargissement vers trois pays méditerranéens

## A. La Turquie devra attendre

L'UE a accordé un statut de candidat à la Turquie, en 1999. **Les négociations d'adhésion avec la Turquie ouvertes en octobre 2005 devraient durer de dix à quinze ans**. L'objectif d'une adhésion est clairement affiché mais l'hypothèse d'un échec figure dans les conclusions de l'accord. Le refus d'un seul membre de l'Union peut également faire capoter l'élargissement. Le moment venu, la France et l'Autriche envisagent de faire ratifier l'adhésion par référendum, or les opinions publiques sont aujourd'hui majoritairement hostiles à cet élargissement.

**La candidature de la Turquie soulève plusieurs problèmes :**
- celui du **coût de l'adhésion pour l'UE**, la Turquie étant un pays peuplé (74 millions d'habitants) et pauvre. Le PIB/habitant est proche de celui de la Bulgarie ;
- celui des **droits de l'homme**. Pour entamer les négociations, la Turquie devra avoir rempli tous les critères de Copenhague, notamment ceux qui sont relatifs à la démocratie et au respect des minorités (question kurde). Des progrès ont été réalisés, comme la suppression de la peine de mort ;
- celui de l'**identité culturelle**. La Turquie est un « pays musulman » qui doit s'intégrer dans une « Europe chrétienne ». C'est, cependant, un pays laïque de par sa constitution. Après l'écrasante victoire du parti AKP (« islamistes modérés ») aux élections de juillet 2007, le Premier ministre, Tayyip Erdogan, doit rassurer les membres de l'UE sur les intentions de la Turquie, qui reste par ailleurs un pilier de l'**OTAN**.

## B. Chypre et Malte en 2004

L'adhésion de **Chypre** à l'UE en 2004 ne concerne que le sud du pays, faute d'un accord avec la République turque de Chypre nord. La partie sud (la « partie grecque ») est la plus développée économiquement. Elle est peuplée de 800 000 habitants et le tourisme représente près du quart de la richesse nationale. Les chances d'une unification dépendront, pour une large part, de l'attitude de la Turquie.

L'île de **Malte** s'est prononcée par référendum pour dire « oui » à l'adhésion en 2004. Le tourisme, l'agriculture, la pêche, l'électronique, sont les principales activités d'une île de 400 000 habitants.

# 30 Le grand saut : la réunion des deux Europes

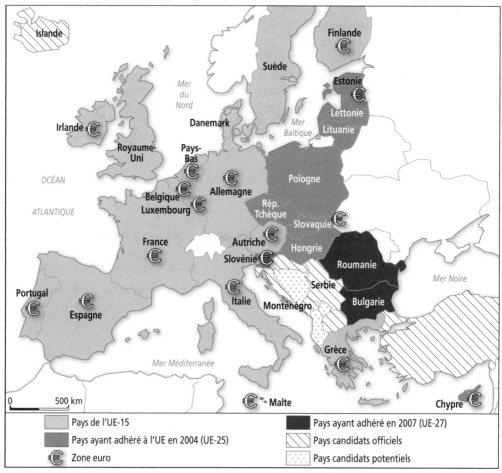

**L'élargissement de l'UE de 15 à 27**

Légende :
- Pays de l'UE-15
- Pays ayant adhéré à l'UE en 2004 (UE-25)
- € Zone euro
- Pays ayant adhéré en 2007 (UE-27)
- Pays candidats officiels
- Pays candidats potentiels

*L'effondrement du bloc de l'Est renouvelle de manière inattendue la question de l'élargissement de l'Union européenne.*

## ❶ Le « retour » à l'Europe

### A. La chute du mur de Berlin : 9 novembre 1989

Après la chute du mur de Berlin, le Conseil européen de Strasbourg approuve, dès le 9 décembre 1989, la réunification de l'Allemagne et décide la création de la Banque européenne de reconstruction et de développement (BERD[1]) pour aider les pays de l'Est.

### B. L'intégration de l'ex-RDA

**L'union économique et monétaire entre les deux Allemagnes est réalisée dès le 1er juillet 1990.** Les coûts de la réunification sont très élevés pour l'Allemagne de l'Ouest.

Au début de la réunification, les **aides publiques** à l'Est atteignent chaque année 5 % du PIB ouest-allemand et représentent 40 % du PIB est-allemand ! L'Est vit « sous perfusion », la proportion de chômeurs est deux fois plus importante à l'Est qu'à l'Ouest et les salaires plus faibles à l'Est alimentent les rancœurs ; le fossé entre les deux Allemagnes durera encore longtemps. L'Ouest réalisant 85 % du PIB et polarisant 87,5 % de la croissance économique nationale.

## C. Un élargissement sans précédent

**Les pays d'Europe centrale et orientale (PECO)** souhaitent rejoindre l'UE, qui représente un îlot de paix et de prospérité. L'intégration à l'Europe scelle la fin de la Seconde Guerre mondiale. Les PECO sortent à peine de l'économie planifiée, ils attendent de leur adhésion des aides à la modernisation de leur économie.

L'UE balance entre un devoir de solidarité et la peur de la dislocation. L'unification est un devoir historique, elle permettra de stabiliser politiquement le continent européen. L'élargissement cependant fait peur, l'UE devant, pour fonctionner à vingt-cinq ou plus, réformer les institutions et réviser son financement. La PAC semble condamnée dans son fonctionnement actuel. En effet, les pays européens, « futurs membres compris », se sont déchirés au moment de la guerre en Irak.

# ❷ L'UE à 25... à 27

## A. Le scénario de l'élargissement

Pour intégrer l'UE, les PECO doivent remplir les critères de Copenhague (juin 1993) :
– un **régime démocratique** respectant les droits de l'homme et des minorités ;
– une **économie de marché** ouverte et concurrentielle[2] ;
– la capacité à **intégrer la législation communautaire** dans tous les domaines.

## B. Les échéances de 2004 et 2007

Les pourparlers d'adhésion ont débuté dès 1997 pour les premiers candidats, chaque pays étant jugé sur ses mérites propres. Les pays candidats ont dû se plier aux exigences des « critères de Copenhague ». Devenus des démocraties, ils devront cependant faire des efforts en matière de lutte contre la corruption.

Les chefs d'État et de gouvernement des Quinze, réunis au sommet de Copenhague les 12 et 13 décembre 2002, ont décidé d'accueillir dans l'UE **dix nouveaux pays : huit PECO – l'Estonie, la Hongrie, la Lettonie, la Lituanie, la Pologne, la Slovaquie, la Slovénie, la République tchèque – et deux pays méditerranéens, Chypre et Malte**.
Les traités d'adhésion ont été signés officiellement le 16 avril 2003 à Athènes. Après ratification des traités par les Quinze et par les dix nouveaux pays, l'**UE compte vingt-cinq membres depuis le 1er mai 2004**.

La **Bulgarie** et la **Roumanie** ayant fait les réformes économiques destinées à renforcer l'économie de marché ont intégré l'UE au **1er janvier 2007**. Ces pays devront prendre les mesures nécessaires pour améliorer les domaines où des défaillances ont été constatées : lutte contre la corruption, gestion des aides régionales et sécurité alimentaire.

La **Croatie**, la **Macédoine**, l'**Islande**, le **Monténégro** et la **Serbie** ont fait officiellement acte de candidature. Les autres pays des Balkans, la Bosnie Herzégovine, le Kosovo et l'Albanie, sont qualifiés de « candidats potentiels ».

---

1. BERD : c'est une banque publique dont le siège est à Londres. Son capital est souscrit par les pays de la Communauté, mais aussi par les États-Unis, le Japon, le Canada... Elle accorde des prêts aux PECO pour des projets précis. La BERD est entrée en fonction en 1991.

2. Économie de marché ouverte et concurrentielle : tous les engagements pris durant les négociations d'adhésion (libre circulation des marchandises, droit d'établissement, etc.) doivent être respectés et mis en œuvre pour le 1er mai 2004. Des « accords européens » ont été signés entre l'UE et les PECO, un soutien financier aux réformes (programme Phare) a permis d'avancer vers l'adhésion.

# 31 L'impasse institutionnelle

## ❶ Les « petits pas » du traité d'Amsterdam

### A. L'échec de la réforme des institutions

Le traité de Maastricht prévoyait l'organisation d'une conférence intergouvernementale visant à compléter le dispositif politique et institutionnel, dans le cadre de l'ouverture programmée de l'UE aux pays d'Europe centrale et orientale. Le traité d'Amsterdam, signé le 2 octobre 1997, entré en vigueur le 1er mai 1999, après ratification par les États, est le fruit de cette Conférence intergouvernementale (CIG).

**La réforme des institutions n'a pas pu aboutir.** Une **deuxième CIG** a été convoquée ; elle est chargée de faire de nouvelles propositions.

### B. Les avancées d'Amsterdam

**Les compétences du Parlement européen sont accrues** : l'essentiel du domaine législatif relève désormais de la codécision. Le protocole social de Maastricht est accepté par le gouvernement de Tony Blair ; il est intégré au traité.

**La libre circulation des personnes**, la **coopération policière et judiciaire sont étendues**. La convention de Schengen est désormais intégrée au traité. Europol est confirmé dans son rôle de coordination des enquêtes sur la grande criminalité. Une nouvelle unité, **Eurojust**, constituée de magistrats des États membres, testera l'idée d'un futur parquet européen.

Le traité prévoit que le secrétaire général du Conseil sera le monsieur **PESC** de l'UE ; Javier Solana, ancien secrétaire général de l'OTAN, a été désigné pour occuper le poste de Haut-Représentant de l'UE pour la politique étrangère et de sécurité commune.

## ❷ Le traité de Nice : un accord *a minima* sur la réforme des institutions

**A.** **Il s'agissait de combler les lacunes du traité d'Amsterdam et d'éviter la paralysie du fonctionnement de l'UE avec le nouvel élargissement**. Le traité de Nice a été signé par les chefs d'État et de gouvernement le 26 février 2001, il est entré en vigueur après ratification par les États le 1er février 2003.

**B.** Le traité s'inscrit, essentiellement, dans l'optique d'une **réforme institutionnelle** orientée sur les points principaux suivants.

- **La taille et le fonctionnement de la Commission**
  À partir de 2005, la Commission européenne sera composée d'un seul commissaire par État. Quand le nombre d'États membres dépassera 27, le nombre des commissaires restera à 27 et un système de rotation égalitaire sera instauré.

- **L'extension de la majorité qualifiée** en ce qui concerne la politique commerciale commune, la coopération judiciaire civile et la politique de cohésion économique et sociale (dès 2007).

- **La pondération des voix au Conseil**
  Le poids de chaque État au Conseil a été réévalué. Pour une UE à 27 membres, la majorité qualifiée est de 255 sur un total de 345 voix. (*cf.* fiche sur le Conseil des ministres pour le nombre de voix attribuées à chaque État).

– **La refonte des coopérations renforcées**

Introduite par le traité d'Amsterdam, la procédure des coopérations renforcées permet de constituer une « avant-garde » tout en respectant les traités et le cadre institutionnel. Désormais, huit États au lieu de la majorité suffiront pour créer une coopération renforcée.

– **Le traité de Nice** est un compromis limité dont le résultat le plus palpable est de ne pas entraver la poursuite de l'élargissement.

# ③ Le pari perdu de la Constitution européenne et l'application retardée du traité de Lisbonne

## A. Le rejet par la France et les Pays-Bas du traité constitutionnel

Comment faire fonctionner une Communauté dont les institutions étaient prévues pour six et qui se retrouve avec 25 membres et bientôt 27 ? Le traité de Nice apporte quelques aménagements au fonctionnement de la Commission ou à la prise de décision au Conseil des ministres. Un projet plus ambitieux de nouvelle Constitution européenne devait permettre de répondre au défi du nombre et de relancer la construction européenne.

Pour bâtir l'Europe future, le Conseil européen de Laeken (décembre 2001) a décidé de convoquer une **Convention pour l'avenir de l'Europe**, chargée d'élaborer un projet de Constitution. Valéry Giscard d'Estaing a été désigné pour présider les travaux de cette Convention de 105 membres. Les quinze chefs d'État et de gouvernement ont approuvé au Conseil européen de Salonique du 20 juin 2003 le projet de Constitution élaboré par la Convention.

Après les **non français et néerlandais** au Traité établissant une **Constitution pour l'Europe,** au printemps 2005, l'UE se trouve dans une impasse institutionnelle. Le processus de ratification a été interrompu dans les pays qui ne s'étaient pas encore prononcés et la Constitution abandonnée.

## B. La « longue odyssée du traité de Lisbonne »

Un nouveau traité surnommé : traité simplifié, minitraité ou traité modificatif a été signé à Lisbonne le 13 décembre 2007 par les 27 chefs d'État et de gouvernement. Ce traité, dit aussi « **traité de Lisbonne** », devait être ratifié par les 27 États membres avant le 1er janvier 2009 pour entrer en vigueur. Il devait permettre une relance de l'UE, celle-ci a été ralentie par le non irlandais au référendum de juin 2008.

Seul pays à avoir rejeté le traité, l'Irlande s'est engagée au prix de quelques concessions (respect de la neutralité dans le cadre de la PESC, assurance que chaque pays de l'UE continuerait à avoir son propre commissaire) à organiser un 2e référendum. Le 3 octobre 2009, le oui au traité l'emporte en Irlande avec 67,1 % des voix contre 32,9 % pour le non. Le revirement irlandais s'explique en partie par la nouvelle situation du pays, qui connaît depuis un an une grave crise économique.

L'application du traité ne fut enfin rendue possible qu'après la signature le 3 novembre 2009 du président tchèque, Vaclav Klaus, qui a obtenu que les Allemands des Sudètes ne puissent réclamer des biens confisqués en 1945.

Le traité de Lisbonne est entré en vigueur le 1er décembre 2009. Il est censé redessiner les institutions européennes et surtout adapter leur fonctionnement à une Europe élargie à 27 États.

# 32 Les jeux complexes de l'UE élargie

## Le fonctionnement institutionnel de l'UE prévu par le traité de Lisbonne

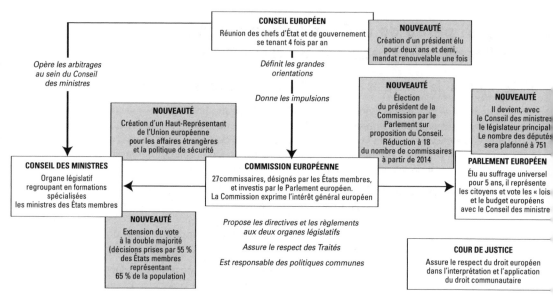

Source : Fondation Robert-Schuman

## 1 La nouvelle Europe à 27

### A. Une Europe plus hétérogène

Après les élargissements de 2004 et de 2007, l'UE compte 105 millions d'habitants supplémentaires.
- En 2004, la Pologne, le pays le plus important avec 39 millions d'habitants, se place loin devant la Hongrie et la République tchèque, qui ont 10 millions d'habitants chacune.
- En 2007, la Bulgarie (8 millions d'habitants) et la Roumanie (22 millions d'habitants) font progresser la population de l'UE de 6 %.

Des pays pauvres. Le PIB cumulé des douze pays entrant est inférieur à 7 % de celui des Quinze. Le PIB cumulé par habitant n'y atteint pas 40 % de la moyenne des Quinze. Seules Chypre, Malte et la Slovénie sont relativement riches. Les PIB par habitant de la Bulgarie et de la Roumanie sont les plus faibles de l'UE-27.

### B. Un impact marginal sur la croissance

Le gain de croissance pour l'UE sera faible dans l'immédiat. Le surcroît de croissance pour les nouveaux pays approche les 2 %. La croissance des PECO est plus forte que celle de l'UE, mais elle est trop faible pour assurer une rapide convergence économique. Les experts estiment qu'il faudra 30 ans à la Pologne pour atteindre le niveau de l'UE à 15 en matière de PIB par habitant.

**Les échanges** n'augmenteront que marginalement du fait de l'adhésion, les PECO commerçant déjà sans véritables barrières douanières, sauf pour les produits agricoles, avec les pays de l'UE du fait d'accords d'associations existant depuis les années 1990. Les élargissements ouvrent de nouveaux marchés pour les entreprises des Quinze en matière de BTP et de biens d'équipement.

## 2 La fin du blocage institutionnel

### A. La relance du traité de Lisbonne

Le nouveau traité « modificatif » ou traité de Lisbonne est un accord intervenu du fait de l'élection du nouveau président français Nicolas Sarkozy, de la perspective du départ de Tony Blair et de l'action d'Angela Merkel. L'objectif du texte est d'**accroître l'efficacité des institutions**, il est le résultat d'un consensus (marchandage ?) qui reprend sur le fond certaines des propositions du projet de Constitution et qui se présente sous une forme plus modeste quant à la forme.

### B. Les principales modifications institutionnelles apportées par le traité de Lisbonne

À la demande des Pays-Bas, du Royaume-Uni et de la République tchèque, les **symboles** « constitutionnels » (les termes de Constitution, de lois) ont disparu ainsi que les symboles de l'UE tels le drapeau, la devise et l'hymne européens.

Le traité comporte les dispositions suivantes :

– l'octroi de la personnalité juridique à l'UE, ce qui lui permet d'être partie d'une convention internationale ou d'être membre d'une organisation internationale ;
– la fusion des trois piliers de Maastricht ;
– une nouvelle règle dite de la **double majorité** est instaurée pour la prise de décision au Conseil des ministres (voir fiche 31 : L'impasse institutionnelle). Les Polonais se sont montrés réticents à cette mesure jusqu'au dernier moment car ils s'inquiétaient d'une perte de poids politique par rapport aux attributions du traité de Nice, qui les avantageait ;
– l'affirmation du principe de codécision entre le Parlement européen et le Conseil des ministres comme procédure législative ordinaire ;
– un **président du Conseil européen** élu pour deux ans et demi par ce même Conseil, mandat renouvelable une fois. Il donnera plus de visibilité à l'UE. Il est chargé d'animer et de présider les travaux du Conseil européen. Le Belge **Herman Van Rompuy** a été désigné par les chefs d'État et de gouvernement comme premier président. Il était depuis décembre 2008 Premier ministre de Belgique. Il est perçu comme un « facilitateur de compromis » et un « gestionnaire qui a fait ses preuves » ;
– la création du poste de « **Haut-Représentant de l'Union pour les affaires étrangères et la politique de sécurité** », le terme de ministre des Affaires étrangères a été écarté suite aux réticences britanniques. Il sera vice-président de la Commission européenne et présidera le Conseil des affaires étrangères du Conseil des ministres. La Britannique **Catherine Ashton** a été désignée par les chefs d'État et de gouvernement pour occuper ce poste. Elle était depuis 2008 membre de la Commission chargée du commerce ;
– les pouvoirs du Parlement européen mais aussi ceux des Parlements nationaux sont renforcés ;
– le droit d'initiative citoyenne ;
– un recours plus facile aux **coopérations renforcées** en particulier en matière de justice et de sécurité. Les pays « pionniers » pourront représenter seulement un tiers des pays de l'UE, laissant la porte ouverte à ceux qui voudraient les rejoindre ultérieurement. La géométrie variable institutionnalisée consacre le principe d'une UE à plusieurs vitesses.

## 3 Les défis de l'élargissement

### A. L'impact sur les délocalisations

Les **PECO bénéficient de nombreux atouts pour attirer les entreprises européennes** : la proximité géographique, « le climat d'intégration favorable aux affaires », des taux d'imposition sur les sociétés particulièrement bas, la recherche d'une implantation locale pour mieux pénétrer les nouveaux marchés de l'Est et surtout le coût de la main-d'œuvre.

**La France** est devenue le premier investisseur étranger en Pologne. **L'Allemagne** est loin devant pour **les investissements directs à l'étranger** dans la zone d'influence de l'ancien Empire austro-hongrois. Certains experts estiment que l'adhésion des nouveaux pays à l'UE n'entraînera pas de grands bouleversements. Ils pensent même que l'intérêt à délocaliser dans la zone PECO va baisser car l'intégration entraînera une augmentation des niveaux de vie et des salaires.

## B. L'impact sur les migrations

Les pays de l'Ouest redoutent **une vague d'immigration** de travailleurs venant de l'Est. En fait, les États qui le souhaitent peuvent maintenir leurs frontières fermées jusqu'à sept ans après l'élargissement, c'est ce qui a été décidé dans la plupart des pays.

Les précédents espagnol et portugais montrent que l'adhésion n'entraîne pas systématiquement des mouvements de population. Ce n'est que si les **pays échouent dans leur développement** qu'il faut craindre des flux migratoires difficiles à contenir. Le Royaume-Uni s'est ouvert aux travailleurs de l'Est, notamment à des Polonais, mais on n'observe pas ici d'exode massif. Reste le problème délicat de la **perméabilité des frontières** extérieures des nouveaux États qui ont intégré l'espace Schengen en 2008.

### Scénario géopolitique européen d'après Michel Foucher

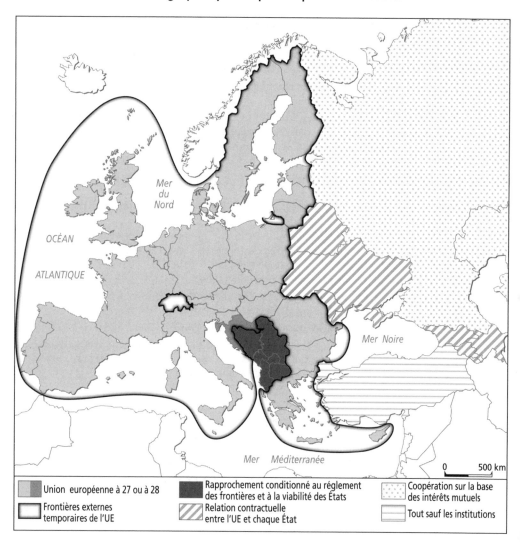

| | | |
|---|---|---|
| Union européenne à 27 ou à 28 | Rapprochement conditionné au réglement des frontières et à la viabilité des États | Coopération sur la base des intérêts mutuels |
| Frontières externes temporaires de l'UE | Relation contractuelle entre l'UE et chaque État | Tout sauf les institutions |

### C. Une Europe plus hétérogène

Les élargissements mal préparés de l'Europe, à 12 nouveaux États (plus 80 %) pour la plupart issus de l'ex-bloc communiste, n'ont pas provoqué les désordres parfois annoncés mais ont rendu l'UE plus hétérogène. La plupart des nouveaux États membres ont intégré l'UE pour des raisons économiques et l'OTAN pour des raisons politiques. Les nouveaux États ne forment plus un bloc et on peut parler d'intégration différenciée. La Pologne et la République tchèque sont les États les plus engagés dans la collaboration militaire avec les États-Unis, et sont « les plus mauvais élèves dans la transposition du droit communautaire » (Maxime Lefebvre). D'un autre côté, la Hongrie et la Bulgarie se révèlent moins atlantistes et négocient avec la Russie pour leur approvisionnement énergétique.

## 4 La question des frontières de l'Europe

**Michel Foucher**, dans un ouvrage paru en 2007, intitulé *L'Obsession des frontières*, expose cinq scénarii pour les frontières de l'Europe.

**A.** **Le scénario géostratégique américain** : tout le continent sauf la Russie.
Ce scénario valable d'ici 2015-2020, qui est implicite de la politique suivie par les États-Unis, ferait coïncider les frontières orientales ultimes de l'UE avec les frontières occidentales de la Fédération de Russie. L'œil rivé sur le passé, ce scénario serait validé par les nouveaux États membres, selon la double logique de *roll back* et de *containment*. La représentation inclut la Turquie, les Balkans, l'Europe orientale et le Caucase, soit une UE à 41 au moins. L'UE poursuivant son processus d'élargissement sans modifier ses critères.

**B.** **Le scénario confédéral : fusion des horizons**
Dans ce scénario, l'UE en viendrait à coïncider avec celle du Conseil de l'Europe, qui compte aujourd'hui 46 États (Turquie, Balkans, Caucase et Russie incluse). Schéma de long terme qui dépend des relations UE-Russie et des formules d'*opting out* qu'il faudrait multiplier avec la Russie.

**C.** **Le scénario géoculturel sans la Turquie**
Ce scénario (sans la Turquie, le Caucase, la Russie) est la représentation dominante dans l'Ouest européen, notamment en ce qui concerne le caractère non intégrable de la société turque (rigidité du système politique, rôle de l'économie souterraine, place faite aux femmes…).

**D.** **Le scénario géo-économique du Grand Marché continental**
Plusieurs variantes sont possibles. Mise en place, à long terme, d'une vaste zone de libre-échange, de coopération économique (incluant l'UE à 28, Turquie, Russie, Balkans, Caucase et pays de l'ex-bloc communiste) ou des partenariats privilégiés UE-28 et autres États, conçue comme une alternative à l'adhésion.

**E.** **Le scénario géopolitique des frontières temporaires et stabilisées**
Dans ce scénario, l'UE s'accorderait dès que possible sur le principe de frontières temporaires pour dix à quinze ans. L'UE se limiterait ici à 27/28 membres, la négociation avec la Turquie se poursuivrait. Pour l'Europe orientale et balkanique, les efforts porteraient sur le règlement des contentieux, garantissant une paix durable. Cette approche réaliste, selon Michel Foucher, permettrait de concilier pause institutionnelle (frontières) et dynamiques (diffusion des acquis).

L'auteur conclut que, pour un géographe, les frontières ultimes de l'UE « tiennent à sa politique – ses décisions ». Au lieu de partir du tracé des bords, il convient d'inverser la méthode en s'attachant au « centre », c'est-à-dire au projet géopolitique.

« Il nous faut d'abord redéfinir les intérêts et les finalités de l'Union à l'ère de la mondialité, échelle additionnelle de référence. Sur cette base politique seront déduits les tracés de ses limites politiques stabilisées et conçues non comme un nouveau "limes", mais comme de véritables horizons d'action ».

# Conclusion

La puissance économique des pays de l'UE mesurée par le PIB

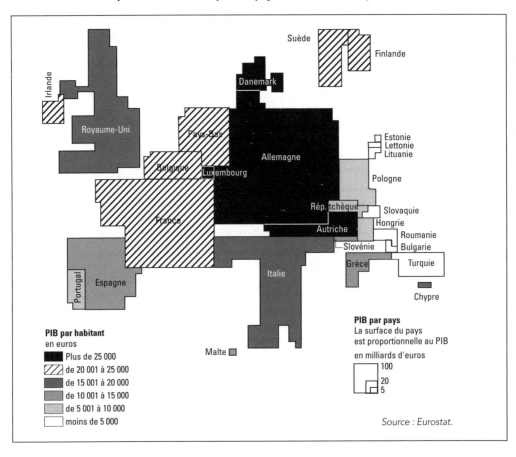

**PIB par habitant**
en euros

- Plus de 25 000
- de 20 001 à 25 000
- de 15 001 à 20 000
- de 10 001 à 15 000
- de 5 001 à 10 000
- moins de 5 000

**PIB par pays**
La surface du pays
est proportionnelle au PIB

en milliards d'euros

100
20
5

*Source : Eurostat.*

**2**

# Les mutations
# économiques,
# sociales et géographiques

*Chapitre* **3**

# Les mutations de l'appareil productif

Les pénuries, les fluctuations de prix, les modes d'utilisation de l'**énergie** influencent tous les secteurs de la vie économique et tous les aspects de la vie quotidienne. Les enjeux européens concernent: la quête d'une meilleure efficacité, la diversification des sources d'énergie, la sécurité de l'approvisionnement, la recherche, la libéralisation du marché, et le respect du protocole de Kyoto. Ces éléments se traduisent par une « vision commune » mais il faut parler d'un échec de l'Europe de l'énergie dans la mesure où chaque État cherche à assurer sa sécurité énergétique au niveau de la nation et non de l'Union.

L'addition statistique des productions industrielles fait de l'Europe la première puissance mondiale. L'**Europe de l'industrie** est sujette à de multiples bouleversements. Elle doit affronter les défis de la désindustrialisation, des délocalisations et elle doit se régénérer pour rebondir dans le concert de la mondialisation. La coopération industrielle a produit quelques brillantes réussites comme celles d'Airbus ou d'Arianespace, mais ce sont des exemples rares et limités.

La **PAC** (Politique agricole commune), qui est en fait la seule grande politique commune, a certes permis le développement des agricultures européennes, mais son coût, les effets de « l'ouverture à l'Est », les pressions internationales obligent à une remise en question douloureuse.

# 33 Énergie : une dépendance croissante

**Taux de dépendance énergétique – tous produits** (en % des importations nettes dans la consommation intérieure brute et soutes, en tonnes équivalent pétrole [tep*])

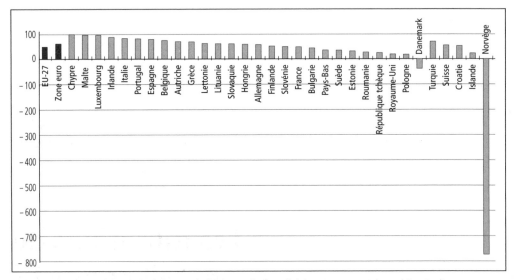

\* tep : une tonne équivalent pétrole ; correspond à l'énergie calorifique libérée par une tonne de produits pétroliers.

*Source : Annuaire Eurostat, 2009.*

## 1 Un bilan préoccupant

### A. La dépendance énergétique

L'UE est à l'origine de la production d'environ 10 % de l'énergie mondiale ; elle en consomme le double. Le taux de dépendance énergétique[1] de l'UE-27 est proche de 54 %. **L'Europe importe près de la moitié de l'énergie qu'elle consomme, malgré une production importante d'énergie primaire[2].**

La situation est meilleure que dans les années 1970 : en 1973, avant le premier choc pétrolier, le taux de dépendance était de 65 % et la Communauté importait presque exclusivement du pétrole. Cependant, depuis une vingtaine d'années, les importations sont de nouveau à la hausse, et l'UE pourrait dépasser le taux de dépendance des années 1970 vers 2020.

### B. Des bilans énergétiques nationaux très différents

Le Danemark est le seul pays de l'UE-27 à enregistrer un taux de dépendance négatif. Le Royaume-Uni et la Pologne sont quasiment autosuffisants. D'autres pays européens ont des taux de dépendance proches ou supérieurs à 75 % et font appel massivement aux énergies importées. C'est le cas de l'Irlande, de l'Italie, du Portugal, de la Belgique, de l'Espagne et de la Grèce.

La dépendance de l'Europe vis-à-vis des importations de pétrole et de gaz naturel va augmenter fortement dans les années à venir, ce qui pose clairement la question de la sécurité des approvisionnements.

## C. Le « mix énergétique »

C'est-à-dire la combinaison des différentes sources d'énergie primaire dans la consommation varie beaucoup d'un pays à l'autre. Elle dépend de la structure du système énergétique et des ressources naturelles disponibles. Pour l'ensemble de l'UE, il faut souligner : le rôle toujours primordial du pétrole (37 % de la consommation) ; la part des combustibles solides (houille et lignite) qui est encore de 18 % ; l'importance prise par le gaz naturel (24 %) ; l'apparition (1,9 % en 1973) et le développement (14 %) du nucléaire ; la montée en puissance des énergies renouvelables (environ 7 %).

La consommation se répartit en trois grands secteurs : les transports (31,5 %), l'industrie (27,6 %) et les ménages (25,9 %), viennent ensuite : les services (11,4 %), l'agriculture (2,4 %) et les autres secteurs (1 %).

# 2 Des importations massives et des mutations

## A. Le marché pétrolier : une situation tendue

L'Europe importe 80 % du pétrole qu'elle consomme. L'UE reste tributaire du Moyen-Orient très instable politiquement et de plus en plus de la Russie. Le solde provient essentiellement de la Libye, du Nigeria, du Venezuela et du Mexique. Dans le jeu des rapports de force géopolitiques, l'Europe a du mal à faire entendre sa voix face à la Chine, aux États-Unis ou à la Russie, aussi bien pour l'accès aux ressources que pour le contrôle des zones de production. La volatilité des prix du pétrole rend l'Europe encore plus vulnérable.

## B. L'accroissement de la demande de gaz naturel

La demande de gaz naturel s'accroît en Europe, car il est moins polluant que le pétrole et offre une meilleure visibilité à long terme sur les réserves. Le gaz est de plus en plus utilisé dans les transports collectifs, dans le chauffage et dans les centrales produisant de l'électricité qui polluent deux fois moins que le pétrole. Un récent rapport de l'AIE estime que la production de gaz naturel dans le monde va doubler d'ici 2030. L'utilisation de gaz naturel nécessite des équipements particuliers et coûteux comme les gazoducs et les usines de liquéfaction et de regazéification. L'UE importe 60 % de sa consommation totale. Les fournisseurs sont peu nombreux : la Russie (40 %) arrive en tête, devant la Norvège (28 %) et l'Algérie (11 %). L'élargissement de l'UE aux pays de l'Est accentue la dépendance à l'égard du gaz soviétique. La Hongrie, la Slovaquie et la République tchèque importent de grosses quantités de gaz russe. Le GNL représente 15 % des importations et sa part augmentera avec l'exploitation de nouveaux gisements au Qatar.

## C. La dépendance accrue à l'égard du charbon

La production de charbon ne cesse de baisser dans la Communauté, ce phénomène s'est accompagné d'une **augmentation des importations**, qui atteignent des records (54 % de la consommation). La Communauté est le premier importateur mondial de charbon. Les États-Unis, l'Afrique du Sud, l'Australie, la Colombie et la Russie sont fournisseurs de l'UE. L'Allemagne importe désormais plus de charbon qu'elle n'en produit. Parmi les nouveaux membres, la Pologne, gros producteur, exporte plus de 20 millions de tonnes par an, malgré le recul de la production silésienne.

---

1. Dépendance énergétique = importations nettes/consommation totale d'énergie primaire.

2. Énergie primaire : énergie tirée directement des sources d'énergie sans aucune transformation : charbon, pétrole brut, gaz naturel, énergie hydraulique, énergie géothermique, énergie marémotrice, énergie éolienne, énergie solaire, énergie nucléaire.

# 34 Production : la mosaïque énergétique européenne

**La production totale d'énergie primaire dans l'UE-27**

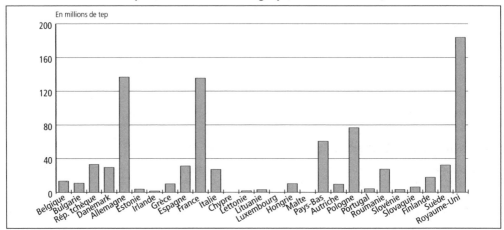

Source : Annuaire Eurostat, 2009.

*L'UE produit **900 millions de tep** (tonnes équivalent pétrole) d'énergie primaire. Cette production très disparate est en forte hausse depuis 1973.*

## 1 Le recul du charbon

### A. Le roi charbon

Le charbon a été le moteur de la première révolution industrielle. Il est encore, après la Seconde Guerre mondiale, l'énergie de la reconstruction en Europe, où il est abondant.

Il est aussi l'instrument de la constitution de la Communauté européenne du charbon et de l'acier (**CECA**). La production progresse dans les années 1950 pour atteindre **447 millions de tonnes** en 1960 (UE-12).

### B. La fin du règne

La situation s'inverse dans les années 1960 devant la concurrence du pétrole. Cette production qui a encore chuté ces dernières années se concentre aujourd'hui sur les gisements les plus rentables. Le **Royaume-Uni** est en net recul (18,6 millions de t en 2006 contre 210 en 1913), l'Allemagne (197 millions de t), la Pologne (156 millions de t), la Roumanie (35 millions de t) et l'Espagne (18,4 millions de t) sont les grands producteurs européens. En **France**, le dernier puits a fermé en 2004, la production a également disparu en Belgique et au Portugal. Des réserves abondantes existent en Europe mais elles ne seront pas complètement exploitées du fait de la volonté de réduire les émissions de carbone d'au moins 20 % d'ici à 2020. **La capture du carbone et son stockage seraient une solution mais le coût est pour le moment trop élevé.**

## 2 Les hydrocarbures : des réserves minimes

### A. Le gaz naturel : une production appréciable, un marché en expansion

**Des gisements de gaz naturel** ont été découverts après la Seconde Guerre mondiale dans la plaine du Pô, en Bavière et à Lacq, mais ceux de Groningue aux Pays-Bas et plus récemment ceux de la mer du Nord (Royaume-Uni) sont les plus importants gisements exploités dans la Communauté. De nouvelles ressources en gaz ont été découvertes par l'essor des techniques d'extraction du gaz de schiste. Mais son exploitation n'est pour l'instant qu'expérimentale du fait des inconnues sur les atteintes à l'environnement. **La production de l'Union est loin de couvrir ses besoins mais elle est importante** : près de 21 % de la production énergétique de l'UE. En 2010, le **Royaume-Uni est le 15ᵉ producteur mondial** et les **Pays-Bas** sont le 11ᵉ producteur. En dehors de l'UE, la Norvège est le 6ᵉ producteur mondial. Les stocks européens s'épuisent et ne représentent plus que 10 à 15 ans de production.

## B. Pétrole : le Royaume-Uni

**La production européenne est ici très insuffisante par rapport aux besoins.** Elle provient du **Royaume-Uni, 20ᵉ producteur mondial en 2010**. Avec la flambée des cours du baril (plus de 140 dollars en 2008), le pétrole de la mer du Nord a retrouvé son attrait. Les réserves ne couvrent plus que quelques années de production. La **Norvège** (14ᵉ producteur mondial) est en 2010 le troisième exportateur mondial de pétrole (5,8 %) mais l'extraction de brut décline.

# ③ Les énergies renouvelables et le nucléaire

## A. L'augmentation significative des énergies renouvelables

Elles représentent près de 15 % de la production d'énergie primaire dans l'UE-27. Les potentialités en **hydroélectricité** sont dans l'ensemble exploitées sur les sites économiquement rentables. L'hydro-électricité fournit un appoint important en France, en Italie, en Espagne, au Portugal, en Suède, en Finlande et en Autriche. Les États membres de l'UE se sont engagés à produire **de plus en plus d'énergie renouvelable** (biomasse et déchets ; énergie hydroélectrique, géothermique, éolienne, solaire) pour atteindre 20 % de la consommation d'énergie d'ici à 2020. Les progrès viendront surtout de l'**énergie éolienne**. L'**Allemagne** est la première puissance éolienne du monde, puis vient l'**Espagne** avec 10 % de sa production d'électricité. La France cherche à combler son retard et construira des milliers d'éoliennes d'ici à 2020. La géothermie et l'énergie solaire jouent un rôle négligeable dans l'UE.

## B. Les enjeux du nucléaire

**Le nucléaire, « fils de la crise pétrolière ».** Le traité de Rome prévoyait un développement de l'énergie nucléaire avec la création de l'Euratom, mais le démarrage du nucléaire est lié à la crise pétrolière des années 1970. La production d'électricité d'origine nucléaire est multipliée par 10 entre 1973 et 1990. La **France** a produit 16 % de l'énergie nucléaire mondiale en 2008, elle est au **2ᵉ rang mondial** derrière les États-Unis (31 %), l'**Allemagne** est au 6ᵉ rang (5,4 %), derrière le Japon (10 %) et la Russie (6 %). La France produit à elle seule près de la moitié de l'énergie nucléaire de l'UE, 81 % de la production française d'électricité est d'origine nucléaire. La Belgique et la Suède sont les autres pays de l'UE ayant misé sur le nucléaire.

**L'avenir du nucléaire.** Le développement du nucléaire a été freiné dans les années 1980 par la baisse du coût du pétrole après le contre-choc pétrolier, l'accident de Tchernobyl (1986), l'opposition des mouvements écologistes et la question des déchets. Le **nucléaire relancé** dans les années 2000 du fait de la croissance de la demande en électricité, des atteintes sur l'environnement causées par les éner-gies thermiques classiques, des carences des énergies renouvelables, est à nouveau controversé (Fukushima 2011). Il faut ajouter les risques qui pèsent sur les approvisionnements en pétrole venant du Moyen-Orient. Les centrales nucléaires produisent 31 % de l'électricité de l'UE.

L'**Allemagne**, du fait de la contrainte « carbone », a annoncé la fermeture de ses centrales nucléaires pour 2021, mais cet objectif sera difficile à atteindre car le nucléaire couvre un tiers de sa produc-tion d'électricité. La Suède et la Belgique ont annoncé leur sortie du nucléaire d'ici à 2025. En **France**, le nucléaire diminue la dépendance énergétique et réduit l'émission de gaz à effet de serre. Grâce à la construction de centrales à eau pressurisée (EPR) par Areva, le programme nucléaire se poursuit, mais les plus anciennes centrales vont être fermées. Le site de Cadarache a été retenu au plan européen pour l'installation du futur réacteur expérimental *ITER* (*International Thermonuclear Experimental Reactor*). La **Finlande** construit un réacteur EPR acheté à la France. L'**Italie**, après la grande panne de 2003, envisage de revoir sa position sur son opposition au nucléaire. Le Royaume-Uni enfin vient de décider la construction de nouvelles centrales au nom de la priorité donnée à la lutte contre le réchauffement climatique.

Le débat sur le nucléaire en Europe concerne aussi les **PECO** qui sont rentrés dans l'UE. Ils possèdent un parc d'une vingtaine de centrales qui doit être sécurisé. Les fermetures et opportunités de nouvelles constructions sont à envisager, d'autant que ces pays sont par ailleurs de gros pollueurs.

# 35 Le marché européen de l'énergie

**Le triangle européen non résolu de l'Europe**

**1. Sécurité des approvisionnements**
(Stabilité du système international
des échanges, stocks stratégiques)

**2. Objectifs environnementaux**
(Protocole de Kyoto,
part des énergies renouvelables)

**3. Compétitivité économique**
(Libéralisation, énergie nucléaire,
stratégie de Lisbonne)

Source : J. H. Keppler, *Les Nouveaux Défis de l'énergie*, Economica, 2009.

## 1 L'équation énergétique de l'Europe

### A. Le « triangle non résolu » de l'Europe

L'opposition entre **« plus d'énergie »** et **« moins d'émissions »** est source de nouvelles tensions économiques, écologiques, géopolitiques. Cette opposition n'épargne pas l'UE ; ici, l'équation énergétique non résolue se présente pour Jan Horst Keppler sous la forme d'un triangle : comment sécuriser les approvisionnements (1), protéger l'environnement (2) sans pénaliser la compétitivité économique (3).

### B. L'Europe manque d'hydrocarbures

Elle continuera à importer du pétrole et du gaz en quantités encore plus importantes qu'aujourd'hui du fait de la baisse des productions dans la mer du Nord. Des réserves de charbon européennes existent mais les engagements pris en vue de la réduction des émissions de $CO_2$ en limiteront l'exploitation. La part du gaz continuera à croître car il est attractif économiquement et, sur le plan environnemental, il pollue beaucoup moins que le charbon. Les interruptions de livraison de gaz à l'Ukraine en 2008-2009 ont sensibilisé les Européens sur la dépendance trop forte à l'égard de la Russie. La Commission européenne soutient le projet **Nabucco** d'approvisionnement de l'Europe en gaz de l'Asie centrale en évitant la Russie. Le projet français d'une **Union méditerranéenne** regroupant des producteurs comme l'Algérie, la Libye est aussi une démarche en vue d'une plus grande diversification des approvisionnements.

### C. Le marché de l'électricité

C'est le plus gros consommateur d'énergie de l'économie dans l'UE. Charbon et nucléaire représentent chacun 31 % de la production totale d'électricité, le gaz 19 %, l'énergie hydraulique 10 %, les énergies renouvelables 5 % et le pétrole 4 %. Selon l'AIE, le gaz atteindra 32 % en 2030 et les énergies renouvelables 19 %. La demande d'électricité surpasse de plus en plus l'approvisionnement et provoque des pannes multiples. La question de la relance de la production d'énergie nucléaire est à nouveau posée malgré l'hostilité des mouvements écologistes.

## 2 L'Europe, continent leader du développement durable

### A. La politique de développement durable

Elle ne peut se concevoir sans la lutte contre le réchauffement climatique qui implique des reconversions entières des politiques énergétiques en cours, notamment la nécessité de réduire de façon drastique les émissions de gaz à effet de serre. L'UE a mis en place dès 2005 un système d'échange pour les quotas de $CO_2$ (EU ETS). Le site pollueur reçoit une quantité de crédits d'émission qui correspond à son plafond autorisé. Si l'industrie réduit sa pollution elle peut vendre ses quotas excédentaires. Les installations qui dépassent le plafond doivent acheter des crédits. L'EU ETS a favorisé la diminution des émissions en 2008 par rapport à 2007 (– 3,7%). L'UE est devenue leader dans l'application du Protocole de Kyoto. Dès 2006, quatre pays de l'UE ont atteint et dépassé leur objectif de Kyoto : la Suède, l'Allemagne, le Royaume-Uni et la France. La baisse des émissions dans les PECO est surtout le fait de la fermeture d'industries polluantes en carbone.

## B. Le paquet législatif « énergie et climat » de 2008

Il définit le cadre de la politique européenne du trois fois 20 : 20 % de baisse des émissions de gaz à effet de serre, une augmentation de 20 % de l'efficacité énergétique (par rapport à 1990 dans les deux cas) et une part de 20 % d'énergie renouvelable dans la consommation d'énergie d'ici 2020. Ce dernier point implique que 33 % de l'électricité devra être produite à partir de sources renouvelables. Les objectifs sont ici les plus ambitieux du monde.

Ces mesures volontaristes en période d'euroscepticisme sont à souligner ; l'Europe essaie d'entraîner le monde dans cette vision mais les engagements quantifiés pour la réduction des gaz à effet de serre sont loin d'être acquis comme le montre l'échec de la **Conférence de Copenhague** en décembre 2009. La Chine et les États-Unis restant les plus gros pollueurs de la planète.

# ③ La libéralisation des marchés

## A. La réalisation du Marché unique bouleverse les structures

Les monopoles nationaux de production, de commercialisation, de transport, d'importation, les différences de taxes (accises sur l'essence) et les aides cloisonnent le marché. L'Europe de l'énergie se construit à travers l'interconnexion des réseaux d'électricité, de gaz et l'ouverture des marchés à tous les producteurs d'énergie.

Le marché européen de l'électricité et du gaz est ouvert aux consommateurs depuis le 1er juillet 2007. L'ouverture du marché est un véritable « big bang » social, commercial, juridique, financier et international pour EDF et GDF devenues des sociétés anonymes. EDF et GDF ont été partiellement privatisées. Il existe aujourd'hui plus de trente fournisseurs différents d'électricité sur le marché français, dont une quinzaine d'entreprises étrangères.

## B. Logiques nationales et logiques de marché

La libéralisation n'a pas fait naître jusqu'ici des compétiteurs paneuropéens comme on pouvait s'y attendre. Les refus, encouragés par les gouvernements, d'OPA transfrontalières dans le domaine de l'électricité ont renforcé la constitution de **champions nationaux**. En Allemagne, E.ON a absorbé Ruhr Gas ; en France, la fusion Suez-Gaz de France a pour but de contrer les visées de l'Italien Enel. La libéralisation a surtout fonctionné marché par marché, les **interconnexions aux frontières** restent insuffisantes pour permettre de véritables échanges inter-États, la concurrence officiellement libre est limitée dans les faits. Les opérateurs restent maîtres chez eux et la carte qui se dessine est celle de quelques grands acteurs nationaux. Ce schéma des champions nationaux est jusqu'ici dominant, malgré le rachat d'Endesa (Espagne) par Enel et l'achat (2008) d'EDF sur l'opérateur des centrales nucléaires britanniques *British Energy*.

EDF fait désormais 50 % de son chiffre d'affaires à l'étranger. La crise accélère les recompositions économiques et technologiques. Ainsi Siemens a quitté Areva afin de s'allier au russe Rosatom pour développer un réacteur nucléaire concurrent de l'EPR français. Areva de son côté cherche à multiplier les alliances à l'étranger.

# 36 Les aléas de la politique industrielle européenne

*C'est par la mise en place d'une politique industrielle limitée mais ambitieuse qu'a commencé l'aventure de la construction européenne avant même la création de la CEE. La CECA, dotée d'institutions supranationales, était pour ses fondateurs la préfiguration de l'Europe. Mais l'exemple de la CECA ne s'est pas étendu aux autres secteurs industriels.*

## 1 Une politique industrielle sectorielle : la CECA

### A. L'après-guerre

**La CECA organise le Marché commun du charbon et de l'acier**. Elle a encouragé la production charbonnière dans l'Europe de l'après-guerre, puis a remédié aux conséquences sociales de la modernisation et de la crise dans les années 1960. La CECA a dynamisé l'industrie sidérurgique européenne, dont la production a fortement augmenté alors qu'elle stagnait en Angleterre.

### B. Les années 1970 : la crise sidérurgique

À partir du milieu des années 1970, la CECA pilote la restructuration de la sidérurgie européenne atteinte de surcapacité et de manque de productivité. Un plan « volontaire et concerté » de réduction des productions de 15 % est adopté. Le **plan Davignon (1977)** contingente la production (sans contrainte), met en place des prix minima et protège le marché européen des concurrents étrangers.

### C. Les années 1980 : « l'état de crise manifeste »

Un **second plan Davignon (1980)** est mis en place devant « l'état de crise manifeste » constaté par la Commission. Le contingentement est obligatoire ; les aides nationales sont surveillées ; des sanctions, des amendes en cas de non-respect des décisions sont la marque d'une politique dirigiste de la part de la Haute Autorité. Le plan vise aussi à la modernisation des entreprises ; il a atteint ses objectifs.

### D. La fin de la CECA

La surcapacité observée au début des années 1990 a entraîné de nouvelles aides pour faire face à des restructurations prévoyant la suppression de milliers d'emplois. La CECA a cessé toute activité le 23 juillet 2002.

### E. Le triomphe du marché et de la mondialisation

Le marché de l'acier s'est brutalement retourné et on assiste depuis le début des années 2000 à une forte croissance de la production et de la demande. Ceci s'est traduit par la montée en puissance de grands groupes multinationaux issus des pays en développement notamment indiens. **Arcelor**, né de la fusion, en 2002, de trois sidérurgistes européens : **Aceralia** (Espagne), **Arbed** (Luxembourg) et **Usinor** (France), a été repris, en 2006, par le groupe indien **Mittal Steel** pour donner naissance au n° 1 mondial de l'acier. Le nouveau groupe **Arcelor-Mittal** a son siège social au Luxembourg, il est dirigé par Lakshmi Mittal et fait travailler plus de 320 000 employés dans plus de 60 pays. En 2007, c'est le groupe indien **Tata Steel** qui rachète le sidérurgiste européen **Corus**, né en 1998 de la fusion de **British Steel** et du hollandais **Hoogovens**. La mondialisation en cours se traduit par un recul des groupes européens et fait craindre en Europe la délocalisation des sites continentaux les moins rentables.

## ❷ Les carences et les faiblesses de la politique industrielle

### A. Le traité de Rome

**Il ne prévoit pas de Politique industrielle commune (PIC)**. Il vise à la réalisation d'un marché intérieur avec l'adoption de règles de libre circulation des marchandises et de libre concurrence. Il fait de l'intervention publique en matière industrielle une compétence exclusive des États membres.

### B. Les années 1970 : l'industrie européenne, « somme des industries nationales »

La nécessité d'une Politique industrielle commune est clairement affirmée dans le **mémorandum Colonna (1970)**, mais en vain. Les États favorisent leurs « **champions nationaux** », seuls capables selon eux d'affronter la concurrence. L'industrie européenne semble incapable de relever les défis américain et japonais. Pour faire face à la crise de l'industrie textile européenne, la CE réussit cependant à négocier des accords de limitation des importations de produits textiles en provenance du tiers-monde (**AMF** de 1974, renouvelés avant d'être abandonnés le 1er janvier 2005). L'action est défensive, limitée à des secteurs déjà en difficulté et trop tardive.

### C. Les années 1980-1990 : la faiblesse de la « logique d'intégration positive »

La CE souligne (mai 1982) « l'absence de coordination et de cohérence entre les industries nationales, l'absence d'exploitation et de valorisation des atouts communautaires, économies d'échelle, possibilité de lancer des grands projets, stratégie internationale ».

La CE cherche en vain à se doter d'une « **politique industrielle positive** venant compléter, renforcer et parfois ordonner les politiques industrielles nationales ». Les politiques actives de spécialisation ou de promotion de la base industrielle européenne font défaut ; elles existent seulement dans la politique européenne de **R&D**.

Des actions communes seront facilitées par la création du statut de **Groupement européen d'intérêt économique (GEIE[1])**, qui voit le jour en 1989. L'industrie bénéficie par ailleurs d'aides directes à partir du budget de la CE et des prêts de la BEI. Mais, « **faute de moyens, de conviction et d'un intérêt commun peu perçu par les entreprises, la politique industrielle positive** » est restée **lettre morte**.

Avec l'Acte unique, puis le traité de Maastricht, c'est la prééminence de la politique de la concurrence, la mise en œuvre de la libéralisation et de la déréglementation qui ont été consacrées dans des secteurs industriels jusque-là organisés sur la base de monopoles publics.

---

Ce n'est pas cependant sur le plan économique que la CECA a le mieux réussi. Ses performances les plus nettes concernent les problèmes sociaux. Elle a aidé à financer en quinze ans quelque 112 500 logements pour les travailleurs de la Communauté, versant en moyenne 1 770 dollars (9 735 F) par appartement, ce qui suffisait souvent à démarrer une opération d'accession à la propriété, impossible sans ce complément. Elle a, de même, pris en charge la moitié des frais de reclassement professionnel des salariés devenus chômeurs du fait de la fermeture de mines ou d'aciéries ; en y ajoutant l'aide accordée par la reconversion des régions touchées, la CECA a ainsi versé plus de 150 millions de dollars (835 millions de francs) pour la création de quelque 100 000 emplois, dont un bon tiers a été offert aux chômeurs des houillères et des forges. Au-delà de ces chiffres, la Haute Autorité a surtout inventé un système de garantie sociale des travailleurs perdant leur emploi, que plusieurs des Six ont ensuite copié pour l'étendre à l'ensemble de leurs salariés : indemnité substantielle et durable de chômage, aide à la réadaptation professionnelle, garantie de revenu pour les salariés changeant de métier, de façon qu'ils ne soient pas trop désavantagés dans leur nouvel emploi… Si les « technocrates supranationaux » de Luxembourg ont usé intelligemment d'un pouvoir, cela a souvent été de celui de l'imagination ; et cela, dix ans avant mai 1968…

Source : M. Gilbert, « Dans l'histoire de la CECA, du rose et du gris », dans *Le Monde*, 9 mai 1970.

---

1. Le GEIE a été créé pour favoriser la coopération transfrontalière. « De droit européen et non national, sa structure juridique simple et suffisamment souple permet à ses membres de regrouper une partie de leurs activités tout en conservant leur autonomie juridique et économique. »

# 37 La politique industrielle « environnementale »

**L'attribution des licences UMTS**

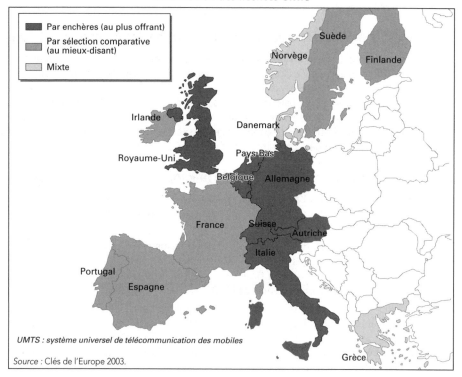

Légende :
- Par enchères (au plus offrant)
- Par sélection comparative (au mieux-disant)
- Mixte

Pays indiqués : Suède, Norvège, Finlande, Irlande, Danemark, Royaume-Uni, Pays-Bas, Belgique, Allemagne, France, Suisse, Autriche, Italie, Portugal, Espagne, Grèce

UMTS : système universel de télécommunication des mobiles

Source : Clés de l'Europe 2003.

La Communauté européenne a finalement opté pour une **« logique d'intégration négative »** qui vise à créer un environnement économique favorable aux entreprises, dans une économie privilégiant **la libéralisation, la déréglementation et les privatisations**.

## ① Une application rigoureuse des règles de concurrence

### A. Le contrôle de la concentration

La mise en place du Grand Marché de 1993, la monnaie unique, stimulent les opérations de fusions-acquisitions. La **Commission** joue un rôle déterminant dans le contrôle des opérations de concentration. Elle décide de la compatibilité ou de la non-compatibilité des concentrations, pour éviter les **« positions dominantes »** dans le Marché unique et le contrôle s'exerce *a priori*.

– La Commission a ainsi empêché le rachat du constructeur canadien De Havilland par le tandem Aérospatiale-Alenia (1991), elle a interdit l'achat du constructeur de poids lourds suédois Scania par son compatriote Volvo (mars 2000) mais elle a autorisé en 2009 le rachat de Volkswagen par Porsche (effectif en 2011). Elle a interdit l'achat d'Honeywell par General Electric, décision qui a suscité une forte polémique venant des États-Unis. Sous la menace d'une lourde amende, la Commission a obtenu (2009) des engagements de Microsoft pour laisser aux utilisateurs le choix de leur navigateur Internet lors de l'installation de Microsoft Windows.

– La Commission a accepté la constitution du groupe aéronautique EADS. Dans le secteur de l'aluminium, la Commission a autorisé (2003) le rachat du groupe français Pechiney par la multinationale canadienne Alcan.

La plupart des autorisations s'accompagnent d'engagements de la part des sociétés en matière de concurrence. Il est souvent reproché à la Commission d'être trop interventionniste et de ne pas tenir compte de « l'intérêt bien compris de l'Europe face aux autres puissances économiques ».

Le contrôle des concentrations est exercé aux États-Unis par la Commission fédérale du commerce (FTC). Dans le cas de projets de fusions transatlantiques, Commission européenne et FTC doivent se prononcer.

## B. La « chasse aux aides nationales »

**La Commission contrôle les aides des États-nations** à leurs entreprises pour éviter les situations de concurrence déloyale. Cette action s'exerce depuis le milieu des années 1980 par la mise en œuvre de textes antérieurs inappliqués jusqu'alors. La Commission peut exiger des entreprises le remboursement des aides octroyées. Le *Livre blanc* de 1990 sur la politique industrielle souligne le risque d'un développement des aides des États parallèlement au démantèlement des barrières commerciales. Ces aides étaient alors particulièrement élevées dans des pays comme la Grèce, l'Espagne, l'Irlande et le Portugal. Les douze nouveaux États membres qui ont adhéré en 2004 et 2007 devront octroyer des aides moins nombreuses mais mieux ciblées pour mieux s'intégrer au marché intérieur.

**Les entreprises publiques bénéficient d'un régime spécial**: la Commission examine si les augmentations de capital sont ou non une aide déguisée. Renault a remboursé une partie des aides qui lui ont été consenties. Les privatisations « sans appel au marché mais par accord avec un acquéreur privé » sont également contrôlées.

# 2 L'Europe se montre incapable de définir une voie entre politique de concurrence et stratégie industrielle

## A. La priorité du « marché » corrigée par des initiatives de politique industrielle

L'article 130 du **traité de Maastricht**, consacré à la politique industrielle, ne fait qu'entériner la situation précédente : « La Communauté et les États membres veillent à ce que les conditions nécessaires à la compétitivité de l'industrie soient assurées. » La compétitivité industrielle dépend aussi de mesures prises dans d'autres secteurs comme la monnaie, les transports, l'énergie, les normes.

Parmi les quelques résolutions en matière de politique industrielle, on doit citer :

- l'initiative sur les semi-conducteurs prônée par Jacques Delors en 1991 ou l'accord de 1991 entre la Communauté et le Japon pour contenir l'avancée de l'automobile japonaise en Europe ;
- les déboires d'une vision « **colbertiste** », soutenue par la France, illustrée par l'échec du projet « Eurêka 95 » de télévision haute définition (TVHD). Ce projet comportait l'adoption d'une norme européenne de TVHD, un volet industriel avec une aide apportée aux industriels européens pour la mise au point de nouveaux équipements et même un volet culturel d'aide à la création ;
- les décisions en faveur de la construction de la « Cyber-Europe », du développement de la « **nouvelle économie** » annoncées au sommet de Lisbonne par les Quinze en mars 2000 sont en revanche bien accueillies. L'Europe subventionne aussi des programmes de recherche et développement qui sont ambitieux. Les industriels européens attendent plus de la Communauté une libéralisation du marché du travail et des diminutions d'impôts qu'une politique industrielle radicale.

## B. Les limites du « marché »

**Un exemple du caractère illusoire d'une politique industrielle réalisée par de pures procédures de marché est fourni** par l'UMTS (Élie Cohen). « L'*Universal Mobile Telephone System* » (UMTS) permet d'échanger sur des téléphones mobiles des images, des sons, de la vidéo. Une décision du Conseil et du Parlement européen en décembre 1998 permet de lancer la procédure d'attribution des licences UMTS. L'attribution des licences relève des seuls États, qui y voient une source de recettes fiscales dans un contexte financier spéculatif. Les licences se sont parfois disputées aux enchères pour un coût « astronomique » de 150 milliards d'euros au total dans l'UE. Les opérateurs se sont trop endettés et les annonces d'abandon pur et simple ou de retard dans le lancement se succèdent. L'absence de politique concertée de l'UE se révèle désastreuse.

## C. L'accord sur la Société européenne (SE)

Trente ans de négociations ont été nécessaires pour doter l'Europe d'un statut de **Société européenne** ou « *Societas Europeae* ». Le statut adopté en 2001 est entré en vigueur en 2004. Il permet aux entreprises qui opèrent dans plusieurs États membres de se constituer en société de droit communautaire et d'évoluer comme un opérateur unique dans toute l'Union. Mais en matière fiscale, la SE reste soumise aux règles nationales du pays où se trouve son siège. L'absence d'un régime fiscal unifié est une lacune importante qui limite l'intérêt de la société de droit européen pour les entreprises existantes.

# 38 Désindustrialisation ou mutations industrielles ?

**Contribution de chaque branche à la baisse de l'emploi industriel en France (1980-2007)**

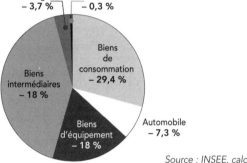

Source : INSEE, calculs DGTPE, emploi exprimé en équivalent temps plein (ETP).

## 1 La question de la désindustrialisation : le cas de la France

### A. Un bilan à nuancer

**Cinquième puissance industrielle mondiale, la France produit plus de biens industriels qu'il y a vingt ans.**

Alors qu'on parle de désindustrialisation, on constate que plus de 80 % des exportations françaises sont des exportations de biens industriels.

**La France reste un des premiers pays d'accueil des IDE** dans le monde et le premier en Europe, les firmes étrangères contrôlent plus du tiers des effectifs de l'industrie, réalisent 36 % du chiffre d'affaires et 40 % des exportations de l'industrie manufacturière. Les entreprises françaises emploient à leur tour 5 millions de salariés dans le monde, dont plus de 2 millions dans l'UE.

La France possède des **atouts** dans le domaine des transports (TGV, Airbus), dans des secteurs de pointe (Ariane-Espace ou le nucléaire) et dans l'industrie agroalimentaire.

### B. La France est-elle en voie de désindustrialisation ?

Une étude de la Direction générale du Trésor et de la Politique économique (DGPE), publiée en février 2010 et portant sur la période 1980-2007, intitulée *La Désindustrialisation en France*, analyse les causes de ce phénomène. Selon Lilas Demmou, auteur du rapport, le phénomène de désindustrialisation, qui touche la France comme les autres économies développées, peut être caractérisé par trois évolutions :

– un recul de l'emploi industriel, qui est passé de 5,3 millions à 3,4 millions, soit une perte de 36 % de ses effectifs entre 1980 et 2007 ;

– un recul en valeur de la part de l'industrie dans le PIB, qui est passé de 24 % à 14 % pendant la même période ;

– une forte croissance du secteur des services marchands, qui ont suivi une évolution inverse, leur poids dans le PIB passant de 45 % à 56 % en valeur, l'emploi au sein de ce secteur ayant augmenté de 53 %.

## C. Quelles sont les causes des pertes d'emplois industriels ?

Le rapport retient trois éléments d'explication :

– **l'externalisation** sur le territoire de certaines activités des entreprises industrielles vers le secteur des services qui serait responsable de **25 %** de la baisse de l'emploi industriel entre 1980 et 2007 mais seulement de 5 % entre 2000 et 2007. La baisse est ici artificielle. Le recours des entreprises industrielles à des prestataires de services semble se stabiliser dans la période récente ;

– **le progrès technique et les gains de productivité** qui lui sont liés seraient à l'origine de près de **30 %** des pertes d'emploi sur la période 1980-2007 ;

– **l'impact de la concurrence étrangère**, difficile à mesurer, serait, selon une approche économétrique, responsable d'environ 45 % des destructions d'emplois industriels sur la période 1980-2007, dont 17 % pour la concurrence des pays émergents. Au-delà de l'incertitude des calculs, il apparaît que l'impact de la concurrence étrangère ne cesse de s'accélérer depuis la dernière décennie. L'étude montre par ailleurs que, contrairement aux idées reçues, la concurrence des pays émergents est moins forte que celle des pays développés.

## 2 Le processus de désindustrialisation en Europe

### A. Les pays développés de l'UE sont comme la France confrontés à deux évolutions

Celle qui relève d'un processus de **désindustrialisation** déjà engagé il y a plusieurs années résultant de la concurrence des pays en voie de développement (textile et habillement). Les délocalisations actuelles accélèrent cette tendance.

Celle qui résulte d'une **évolution technologique** et pour laquelle la concurrence agit entre pays développés et qui touche des secteurs comme la mécanique, les équipementiers électriques, électroniques, la chimie.

### B. La désindustrialisation : un phénomène « naturel » ?

Le terme de « **désindustrialisation** » n'est-il pas impropre pour caractériser les mutations des pays industrialisés européens ? La désindustrialisation est généralement considérée par les économistes comme un **phénomène naturel**, inévitable, lié à l'évolution des économies développées. La structure de la demande des ménages est primordiale et elle change profondément du fait de la saturation des besoins en biens manufacturés au profit d'une plus grande consommation de services. « La vieille Europe » voit disparaître les activités où les avantages comparatifs traditionnels ne jouent plus en sa faveur. Les vrais risques de désindustrialisation concernent la perte de positions exportatrices vers les marchés émergents (Asie) ou les produits innovants (biotechnologies, technologies de l'information…)

« L'industrie en Europe, pour se maintenir, devra combiner la recherche intensive, le développement, l'innovation, la création, les marques, autant d'éléments immatériels qui font la vraie valeur de l'activité industrielle matérielle » (Élie Cohen). « La faiblesse actuelle de l'UE ne réside-t-elle pas dans son incapacité à se transformer en une économie fondée sur l'innovation ? » (André Sapir).

# 39 L'Europe face au défi des délocalisations industrielles

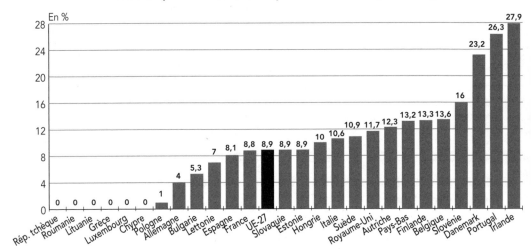

**Part des délocalisations dans les suppressions d'emplois des entreprises industrielles de plus de 100 salariés (2002-2007)**

Source : Eurostat et J.-F. Jamet pour la Fondation Robert-Schuman.

*Les délocalisations industrielles sont la grande peur des pays riches et l'Europe semble particulièrement exposée.*

## ① Mondialisation et délocalisations

### A. Pourquoi les entreprises délocalisent-elles ?

Les délocalisations sont un phénomène ancien mais elles changent d'échelle avec la globalisation de l'économie.

L'inéluctable progression des délocalisations est due à plusieurs facteurs :
– l'ouverture toujours plus grande des marchés (rôle du GATT et de l'OMC) ;
– « l'explosion du commerce mondial », facilité par le gigantisme naval et l'utilisation massive des porte-conteneurs entraînant une baisse considérable des coûts de transport des marchandises ;
– la révolution Internet qui transforme la planète en « village mondial » ;
– le rôle des IDE, qui obéissent à la théorie des avantages comparatifs. La main-d'œuvre bon marché, la recherche des meilleurs taux d'imposition et l'euro fort incitent de plus en plus d'entreprises à partir dans les pays émergents ;
– la « flexibilité » de la main-d'œuvre ;
– la nécessité de localiser les nouveaux sites de fabrication là où se trouvent la croissance et les marchés ;
– le rôle grandissant des FMN, qui font du commerce à l'échelle du monde et non plus entre les États.

### B. La place de l'Europe dans la nouvelle DIT

Cette **nouvelle DIT** redistribue les cartes entre les pays. Comme le souligne Lionel Fontagné (*L'Ère de l'usine globale*, Sociétal, 2004) : des pans entiers de l'industrie sont appelés à quitter les pays du Nord. Les schémas classiques qui envisagent une spécialisation du Nord dans des industries récentes et les pays du Sud dans les industries traditionnelles sont par contre dépassés. Avec l'**usine globale** qui capitalise sur les différences de coûts ou de productivité entre sites, les pays du Sud peuvent orienter leur outil industriel sur les deux types d'activité.

Les usines se localisent de plus en plus là où sont les **marchés** et les grands marchés sont au Sud. Vendre en Chine ou en Inde implique et impliquera souvent de produire dans ces pays.

## 2 La vulnérabilité européenne

### A. L'impact des délocalisations sur l'emploi industriel apparaît limité

Il est difficile de chiffrer pour le moment **l'impact des délocalisations** sur l'emploi en Europe et il faut se contenter d'évaluations qui minimisent la réalité. Globalement, l'effet des délocalisations est resté limité dans l'évolution négative de l'emploi dans l'industrie européenne comme le montre le diagramme ci-joint.

Néanmoins, les fermetures brutales et ciblées d'usines traumatisent à juste titre les populations européennes. Aucun secteur ne paraît protégé à l'avenir. Certains économistes tentent de montrer les effets bénéfiques à terme des délocalisations pour les pays développés, du fait de l'élévation du niveau de vie des pays du tiers-monde.

### B. Faut-il craindre une accélération des délocalisations ?

**Italie :** des délocalisations galopantes. Depuis une dizaine d'années, plusieurs fleurons du *made in Italy* (textile-habillement, électroménager, industries mécaniques) ont déjà délocalisé une grande partie de leur production en Chine ou dans les PECO. C'est le cas de **Benetton** ou de **De Longhi**, fabricant d'électroménager. Le tissu industriel italien, constitué à plus de 95 % de PMI, se révèle très fragilisé par les délocalisations.

**Allemagne :** une étude de la Fédération des chambres de commerce allemandes, DIHK, note que près du quart des entreprises industrielles allemandes veulent transférer leur production à l'étranger. Le coût du travail est mis en avant dans 45 % des cas ; les coûts du travail allemand sont parmi les plus élevés du monde avec la Norvège. **Bayer, BASF, Siemens** vont développer leurs activités en Chine, « nouvel eldorado ». Siemens va embaucher, pour ses succursales chinoises, 2 000 ingénieurs chinois pour les prochaines années. Les politiques de délocalisation des grands groupes provoquent la colère des syndicalistes allemands. Le « modèle allemand » développé depuis la Seconde Guerre mondiale s'essouffle.

**France :** la menace de transferts d'activité en Europe de l'Est et dans les pays émergents fait l'objet de nombreuses analyses. Une étude d'Ernst & Young montre que les modes de consommation des ménages accélèrent les délocalisations, car ils arbitrent de plus en plus en faveur des prix. Un phénomène amplifié par la stagnation du pouvoir d'achat et par les magasins de « *hard discount* ». Selon une étude de l'INSEE, les délocalisations au sens strict n'auraient touché qu'un nombre limité d'emplois industriels, mais elles sont en progression. Michelin a fermé en 2009 son usine de Toul, qui employait plus de 800 salariés, et veut augmenter de 60 % ses capacités dans les pays émergents.

Avec la crise de 2008, la hausse du coût des transports et les déboires industriels des firmes implantées en Chine (non-conformité des matériaux, des produits...), certaines entreprises relocalisent en Europe. Ainsi, la firme Rossignol est revenue en Haute-Savoie en 2011 après avoir délocalisé en 2007 en Asie, l'opticien Krys mise sur le « *made in France* », les jouets Smoby, le groupe Decathlon, etc.

# 40 Délocalisations et territoires

**France : principaux pays de destination des emplois industriels délocalisés**

**Pays à bas salaire**                                    **Pays développés**

moyenne annuelle 1995-2001 (total 100 %)

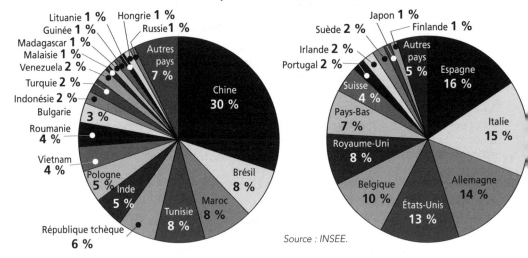

Source : INSEE.

## ① Les délocalisations européennes vers les pays en développement

### A. L'Asie

**La Chine**, avec une croissance annuelle du PIB de plus de 10 % par an depuis 20 ans, attire les capitaux du monde entier. La faiblesse des coûts salariaux et l'immense marché de consommation sont des atouts considérables aux yeux des entreprises européennes qui y ont investi. C'est le cas d'Alcatel, de Volkswagen, de PSA et de Siemens. Les chiffres concernant le développement et l'accélération de la consommation montrent l'échelle du changement : le parc de téléphones mobiles y est supérieur à celui de l'UE et celui des téléviseurs dépasse déjà celui des États-Unis et de la zone euro réunis. Airbus a livré en 2009 le premier de ses A320 assemblés en Chine, sa seule usine hors d'Europe.

**L'Inde** est en retard sur la Chine au plan industriel, mais sa croissance a été de près de 6 % ces dix dernières années, elle est une grande puissance en devenir, elle accueille des délocalisations de services, profitant de l'avantage que procure la pratique courante de la langue anglaise. Les entreprises délocalisant ici sont surtout anglaises et américaines.

**En Asie du Sud-Est**, le textile, la confection, la chaussure, l'électronique, le mobilier, les objets de décoration, l'automobile sont les principaux secteurs concernés. Les firmes européennes se nomment Adidas, BMW, Nestlé, Danone, Ikea. Des pays comme l'Indonésie, le Vietnam offrent de coûts salariaux inférieurs à ceux de la Chine.

### B. L'Europe de l'Est

L'Europe centrale attire de nombreuses entreprises européennes comme Volkswagen, PSA, Renault, Siemens, Whirlpool, Electrolux, Philips, Nokia, Ericsson. Les coûts salariaux sont très attractifs (le coût moyen de la main-d'œuvre ne représente que 25 % environ des coûts de l'UE-15). Les PECO, dont certains font désormais partie de l'UE, profitent de la proximité géographique, la frontière polonaise n'est qu'à 500 km de Strasbourg. **La Pologne, la Hongrie, la République tchèque** sont les principales destinations des délocalisations dont les retombées profitent aussi aux États baltes (électronique et communications). On considère qu'environ 25 % des emplois créés dans cette zone sont dus aux délocalisations.

## C. L'Amérique latine

**Le Mexique**, « si près des États-Unis », possède sur son territoire de nombreuses usines délocalisées, ce sont principalement les industries *maquiladoras* de la frontière américano-mexicaine. Les entreprises européennes y sont bien représentées avec Philips, Thomson et Siemens. Le Brésil, par sa taille, est appelé à devenir une plate-forme d'exportation à l'échelle mondiale. Les délocalisations ne concernent pas que les tâches peu qualifiées : l'usine Renault, à Curitiba, au Brésil, est entièrement automatisée.

## D. Le Maghreb

Les délocalisations européennes, françaises notamment, sont nombreuses au **Maroc** et en **Tunisie** dans le textile-habillement, l'industrie mécanique et électronique, les composants automobiles et aéronautiques. Les principales sociétés représentées sont Valeo, Alcatel, Cegelec, Thalès et Benetton.

Néanmoins, le yo-yo des cours du pétrole, la hausse des salaires dans les pays émergents et la crise de 2008 mettent à mal la nouvelle DIT.

# 2 Les pôles de compétitivité européens

## A La logique du tout délocalisé est-elle inéluctable ?

Face à la mondialisation de l'économie, il s'agit pour l'Europe de créer et de renforcer des **pôles de rayonnement international** regroupant des entreprises, des réseaux technologiques s'appuyant sur des centres de recherche publique et privée, à l'image de la Silicon Valley, qui en est le prototype. Les réseaux d'entreprises prennent en compte l'importance de l'économie de la connaissance qui érige le savoir non plus comme facteur de production, mais comme une production à part entière. L'**économie de la connaissance** impose une division des fonctions autour de blocs de savoirs scientifiques fondés sur des champs de compétence spécialisés (biotechnologies, optronique).

## B. Les réseaux d'entreprises (*clusters*) : une solution pour s'insérer dans la mondialisation en favorisant la croissance et l'emploi

– En **Italie**, le mouvement de « déterritorialisation » qui touche les « districts d'entreprises » n'est pas toujours perçu négativement. Ainsi 1300 entreprises italiennes ont été délocalisées à Timisoara (Roumanie) dans le prolongement du district de Montebelluna, réputé pour la production de chaussures de sport, sans que le chômage n'y augmente et en attirant même de la main-d'œuvre immigrée, l'Italie conservant le commandement et les productions à forte valeur ajoutée.

– Un exemple plus récent au **Danemark** concerne la Medicon Valley, *biocluster* des industries pharmaceutiques du grand Copenhague.

– Le **modèle allemand** des réseaux de compétences, proche des *clusters*, bénéficie de l'aide conjuguée des Länder et de l'État fédéral. Les réseaux de compétence recouvrent aussi bien les secteurs traditionnels que les secteurs de haute technologie, il en existe vingt-six, principalement implantés dans les régions urbaines (Aix, Berlin, Wolfsburg-Brunswick, Mayence-Wiesbaden-Francfort…).

– En **Espagne**, le *cluster* des industries automobiles de Galice regroupe, autour du groupe PSA, une soixantaine d'entreprises sous-traitantes et assure 20 % de la production espagnole.

– En **France**, la DATAR a inventorié une centaine de Systèmes productifs locaux (SPL), totalisant plus de 500 000 emplois et 18 000 entreprises qui répondent aux critères de pôles de compétitivité. On peut citer la Cosmétic Valley, pôle de compétence dans les parfums et cosmétiques en Eure-et-Loir, le pôle d'activité de Grenoble spécialisé en micro et nanotechnologies, celui de Toulouse autour de l'aéronautique. L'Alsace Bio Valley regroupant les géants mondiaux de la pharmaco-chimie qui ont essaimé sur les deux rives du Rhin : 30 000 emplois, 120 laboratoires publics, 1 400 chercheurs, 300 entreprises dont 20 start-up. La politique d'aménagement du territoire cherche à promouvoir ces pôles.

# 41 Les enjeux de la Recherche et Développement

*C'est par la Recherche et Développement (R&D) permettant d'accéder à l'économie de la connaissance que l'Europe peut sortir « par le haut » du défi de la mondialisation. Le choix consiste à plus d'innovation ou à l'acceptation du modèle social des pays à bas salaires.*

## 1 Les faiblesses de la recherche en Europe

### A. Une situation préoccupante

En dépenses absolues, l'Europe se situe en 2006 au 2ᵉ rang dans le monde (230 milliards dollars), derrière les États-Unis (330 milliards dollars) pour la R&D ; mais en dix ans, les dépenses de R&D aux États-Unis ont été multipliées par cinq, tandis qu'**en Europe, dans le même temps, elles ont simplement doublé**.

L'UE consacre 1,8 % de son PIB (crédits publics et privés, activités civiles et militaires) à la R&D, les États-Unis 2,6 % et le Japon 3,2 %. Les chercheurs ne représentent que 2,5 % de la force de travail des entreprises en Europe, contre 6,7 % aux États-Unis et 6 % au Japon. La balance commerciale pour les produits de haute technologie est déficitaire pour l'UE.

Depuis 2006, **la Chine** (136 milliards dollars) devance le Japon (130 milliards dollars) en termes d'investissements dans la R&D. Ceci représente une progression de 77 %

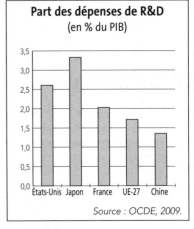

**Part des dépenses de R&D** (en % du PIB)

*Source : OCDE, 2009.*

entre 1995 et 2004 ; elle compte 1,74 million de chercheurs en 2007. Elle est au 2ᵉ rang mondial en termes de publications après les États-Unis. La Chine est en train de passer du stade d'« atelier du monde » à celui d'une économie du savoir.

### B. Des crédits publics et des divergences selon les États

Les crédits publics (34 % de la R&D) sont beaucoup plus importants ici qu'au Japon, où les entreprises financent 75 % de la recherche. Le pourcentage du financement public américain est comparable à celui de l'Europe du fait de l'importance des programmes militaires.

La Suède (3,7 % du PIB) et la Finlande (3,5 %) sont au premier rang des pays de l'UE pour la R&D. L'Allemagne (2,5 %), la France (2,1 %), la Belgique (1,9 %), le Royaume-Uni (1,8 %), les Pays-Bas (1,8 %) sont proches de la moyenne européenne. L'Italie (1,1 %), l'Espagne (1,1 %), le Portugal (0,8 %) et la Grèce (0,6 %) sont à la traîne.

## 2 La politique de R&D de la Communauté

### A. La recherche est restée longtemps le parent pauvre de la Communauté

Les traités fondateurs de la CEE ne prévoyaient pas une véritable politique commune de R&D. Le sentiment de perte de compétitivité de l'industrie européenne face aux économies américaine et japonaise a été l'élément essentiel d'une prise de conscience tardive. Un Comité européen de la recherche et du développement s'est réuni pour la première fois en avril 1973.

### B. Le 7ᵉ « programme-cadre » de recherche (2007-2013)

C'est à partir des années 1980 que la Communauté élabore une politique commune de R&D. Des « programmes-cadres » successifs sont mis en place depuis 1984. Le 7ᵉ programme-cadre de recherche et développement technologique couvre la période 2007-2013. Ces programmes donnent les grandes orientations, les priorités, dégagent les moyens financiers. Ils sont mis en œuvre par l'intermédiaire de programmes spécifiques.

Le 7ᵉ « programme-cadre » de recherche concerne **quatre programmes spécifiques principaux** qui doivent consolider l'**Espace européen de la recherche :**

– Le programme **Coopération** a pour objectif de stimuler la coopération et de renforcer les liens entre l'industrie et la recherche dans un cadre transnational.

– Le programme **Idées** doit servir à renforcer la recherche exploratoire en Europe, c'est-à-dire la découverte de nouvelles connaissances qui changent fondamentalement notre vision du monde et notre mode de vie.

– Le programme **Personnes** mobilise des ressources financières importantes pour améliorer les perspectives de carrière des chercheurs en Europe et attirer plus de jeunes chercheurs de qualité.

– Le programme **Capacités** doit donner aux chercheurs des outils performants pour pouvoir renforcer la qualité et la compétitivité de la recherche européenne. Il s'agit d'investir davantage dans la formation de pôles régionaux de recherche et dans la recherche au profit des **PME**.

De plus, le 7ᵉ programme-cadre finance les actions directes du **Centre commun de recherche (CCR)** et les actions couvertes par le programme-cadre **Euratom**. La Commission prévoit un budget de 50 521 millions d'euros pour la période 2007-2013.

## C. La R&D communautaire s'exerce sous trois formes

La « **recherche propre** » effectuée par le Centre commun de recherche (CCR), qui compte plus de 2000 chercheurs répartis dans huit instituts.

La recherche « à frais partagés » ou « sous contrat ». L'UE accorde une aide financière, souvent de 50 %, parfois plus, aux centres de recherches, universités, entreprises qui ont répondu à son appel d'offre portant sur les programmes spécifiques. C'est la plus importante en volume.

L'« **action concertée** » : ici, l'Union ne finance pas la recherche mais assure la coordination des politiques nationales de recherche.

Le 7ᵉ programme-cadre est ouvert selon des conditions variables à des équipes du monde entier. L'accès et le financement aux actions du PCRDT ne sont pas systématiques.

# 3 L'avenir de la R&D

## A. « Le paradoxe européen »

Pour Élie Cohen et Jean-Hervé Lorenzi, le « paradoxe européen » tient en l'incapacité de l'Europe à transformer ses bons résultats de recherche en succès commerciaux. Pour ces auteurs, la politique européenne de recherche court après deux objectifs opposés. On lui demande de raccrocher les « sous-développés européens » au « peloton » tout en espérant qu'elle atteigne le même niveau d'excellence que celui des États-Unis. Le système européen de R&D doit être l'objet d'une refondation complète.

La France illustre mieux que tout autre pays le paradoxe européen. Elle est le 2ᵉ pays de l'OCDE pour la recherche fondamentale et le 11ᵉ pour le nombre de brevets déposés.

## B. La « stratégie de Lisbonne »

Le Conseil européen de Lisbonne en mars 2000 s'est fixé pour objectif « **le développement d'une économie fondée sur la connaissance et l'innovation** ». La réalisation de l'Espace européen de la recherche (EER) est une condition nécessaire au maintien de la compétitivité européenne. Le Conseil européen de Barcelone en mars 2002 a fixé à 3 % du PIB pour 2010 le niveau des dépenses pour la recherche dans l'UE, l'objectif n'a pas été atteint : il n'a été que de 1,8 % en 2011.

## C. Refondre complètement le système européen de R&D ?

Pour mettre l'accent sur l'innovation, faut-il privilégier les grands programmes comme Airbus, ou mieux prendre en compte les nouveaux entrants que sont les start-up ? « Microsoft aussi a été une PME… de deux personnes en 1975 » (André-Yves Portnoff). Selon l'OCDE, la situation des entreprises innovantes en Europe n'est pas bonne : leur taux de mortalité est trop élevé, **12 % des grandes entreprises américaines cotées en Bourse ont été fondées il y a moins de vingt ans, contre 4 % en Europe.**

# 42 L'Europe de l'aéronautique et de l'espace

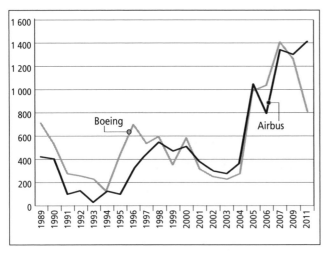

Des stratégies cohérentes de compétitivité par secteurs sont possibles comme le montrent les exemples d'Airbus et d'Ariane, qui restent des modèles d'excellence et des exceptions dans l'histoire de l'industrie européenne. L'UE ne pourrait-elle pas s'en inspirer plutôt que de tout sacrifier à la politique de la concurrence? L'industrie de la défense très fragmentée a du mal à suivre cette voie.

**Compétition Airbus-Boeing : commandes nettes d'avions (1989-2011)**

## 1 Airbus Industrie : symbole de la réussite d'une approche volontariste en matière d'intégration industrielle

### A. Une coopération industrielle européenne

Airbus est à l'origine un **Groupement d'intérêt économique (GIE) créé en 1970**, réunissant : l'**Aérospatiale** (France, 37,9 % du capital), **Dasa** (Allemagne, 37,9 %), **British Aerospace** (Royaume-Uni, 20 %) et **Casa** (Espagne, 4,2 %). En 2001, le consortium devient une société anonyme détenue à 80 % par EADS (Aérospatiale, Dasa, Casa) et à 20 % par BAe Systems. En 2006, EADS a racheté à BAe ses 20 % détenus dans le capital d'Airbus.

Airbus, dont le siège social est à Toulouse, est installé sur une quinzaine de sites sur lesquels travaillent environ 45 000 employés en 2009. Les effectifs sont répartis pour un tiers en Allemagne et pour un autre tiers en France. Le tiers restant étant essentiellement en Angleterre et en Espagne. La gamme des appareils produits va des moyen-courriers aux long-courriers, et le montage final des Airbus est réalisé à Toulouse et à Hambourg.

En 2007, un plan de restructuration dit « **Power 8** » prévoyait la suppression en trois ans de plusieurs milliers d'emplois. Ce plan s'est traduit par des délocalisations hors de la zone euro, et des mesures d'économies dans les sites européens. Depuis 2011, Airbus embauche à nouveau en Europe. La chaîne de montage d'Airbus à Tianjin en Chine a livré son premier A320 en 2009. L'envolée de l'euro fragilise Airbus, qui « produit en euros et vend en dollars ».

### B. Le match Boeing-Airbus

Né il y a seulement trente-cinq ans, Airbus était loin d'imaginer qu'il deviendrait un **leader mondial** du secteur. Au 31 mai 2012, Airbus totalisait un carnet de commandes de 4 341 appareils. Airbus a enregistré, en 2011, 1 419 commandes nettes, un record, contre 805 pour son rival américain. La crise a touché le secteur aéronautique, qui a enregistré moins de commandes qu'il n'a livré d'avions. Dans la même année, Airbus a livré 534 avions commerciaux contre 481 pour Boeing. Airbus prévoit de lancer dès 2013 un nouvel appareil long-courrier de moyenne

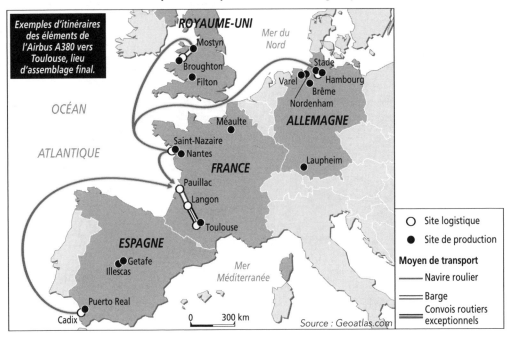

**Un puzzle européen, industriel et logistique**

*Exemples d'itinéraires des éléments de l'Airbus A380 vers Toulouse, lieu d'assemblage final.*

ROYAUME-UNI
Mostyn
Broughton
Filton
Mer du Nord
Stade
Varel
Hambourg
Brême
Nordenham
OCÉAN
ATLANTIQUE
Méaulte
ALLEMAGNE
Saint-Nazaire
Nantes
FRANCE
Laupheim
Pauillac
Langon
Toulouse
ESPAGNE
Getafe
Illescas
Mer Méditerranée
Puerto Real
Cadix
0     300 km
Source : Geoatlas.com

○  Site logistique
●  Site de production
**Moyen de transport**
——— Navire roulier
═══ Barge
Convois routiers exceptionnels

capacité, l'A350, pour concurrencer le futur appareil super-économique de 250 places de Boeing. Airbus a renoncé en 2010 à l'appel d'offres du Pentagone pour la fourniture de 179 avions ravitailleurs, au motif que celui-ci favorisait leur concurrent Boeing.

## C. L'aventure de l'A380

Airbus s'est lancé dans la construction du plus grand avion du monde, l'**A380**, dont le premier exemplaire a été livré fin 2007 à Singapore Airlines. Cet avion peut transporter 800 passagers dans sa version charter. Pour le réaliser, trois usines ont été construites à Hambourg (Allemagne), Broughton (pays de Galles) et Getafe (Espagne). Elles fabriquent des éléments de l'avion qui sont transportés jusqu'à Bordeaux avant d'être assemblés à Toulouse.

Airbus a enregistré à ce jour plus de 188 commandes fermes, mais le succès de l'A380 dépendra de l'état du marché dont la croissance est estimée à plus de 5 % par an sur les vingt prochaines années. L'objectif est de vendre 750 exemplaires pour toute la durée du programme.

## ② La restructuration autour de deux pôles européens et les « grandes manœuvres » dans l'industrie militaire

### A. EADS : leader européen de l'aéronautique et de la défense

**EADS** (*European Aeronautic Defense and Space Company*) est né de la fusion du français **Aérospatiale-Matra**, de l'allemand **Daimler-Chrysler Aerospace** (DASA) et de l'espagnol **Casa**. EADS est une société anonyme de droit néerlandais dont le siège est à Amsterdam.

EADS a réalisé un chiffre d'affaires supérieur à 32,7 milliards d'euros en 2011 et emploie plus de 119 000 salariés sur plus de 70 sites de production. EADS est le n° 1 européen et le n° 2 mondial de l'industrie aéronautique, spatiale et de la défense. **Airbus**, filiale d'EADS, représente près des trois quarts de son chiffre d'affaires. EADS produit aussi des avions régionaux au sein d'ATR.

L'aéronautique civile souffre d'une crise dans le transport aérien et EADS cherche à développer ses activités **militaires**, qui représentent aujourd'hui 25 % de son chiffre d'affaires. EADS produit des hélicoptères de combat Tigre et de transport de troupes NH-90 au sein d'**Eurocopter**.

## Établissements, bureaux et stations sol de l'ESA

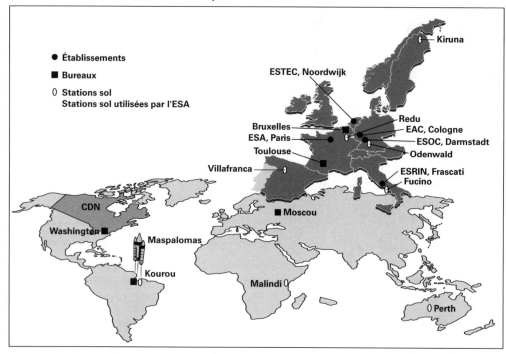

EADS construit l'**A400M**, premier avion 100 % européen qui remplacera les vieux Transall dans le transport de troupes. Cet avion sera fabriqué par les différents partenaires et assemblé à Séville. Le jeu des alliances est complexe. EADS contrôle 46,3 % du capital de **Dassault-Aviation**, maître d'œuvre du **Rafale** (avion de combat) et 46 % d'**Eurofighter**, son concurrent, où il est associé à BAe Systems.

**La défense** sera le prochain terrain d'affrontement avec les Américains. Boeing réalise déjà plus de la moitié de son chiffre d'affaires dans la défense. EADS n'est qu'au 8e rang mondial dans la défense. Il est même dépassé en Europe par BAe Systems et talonné par Thales, contrôlé à 26 % par Dassault-Aviation depuis 2009, spécialisé dans l'électronique de défense. L'État français, qui détient 27 % de Thales, envisage un rapprochement avec EADS.

## B. BAe Systems

British Aerospace est devenu BAe Systems après la reprise de GEC Marconi. Le groupe est essentiellement orienté vers la défense. Dans le secteur de la défense, BAe Systems est la 3e entreprise mondiale et la 1re européenne.

BAe Systems vient d'enregistrer l'énorme contrat des deux porte-avions de la Royal Navy pour un total de 5 milliards d'euros. La livraison du premier exemplaire est prévue pour 2015-2016.

BAe Systems mise depuis plusieurs années sur des **alliances outre-Atlantique** pour profiter de la manne du budget du Pentagone (en 2008, les États-Unis ont dépensé pour leur défense près de 40 % du total des dépenses mondiales). Le risque de voir basculer BAe Systems dans le giron américain est réel. BAe Systems a rejoint **Lockheed Martin** sur le projet d'avion de combat de nouvelle génération, le Joint Strike Fighter (JSF). Il est le 6e fournisseur du Pentagone. BAe détient toujours une partie d'**Eurofighter et de MBDA** (EADS, BAe, Finmeccanica), leader mondial dans le secteur des missiles. Le paysage de l'industrie européenne de la défense est en pleine recomposition. L'enjeu est de taille pour l'Europe si elle veut disposer d'une capacité d'intervention autonome face aux Américains.

# 3 L'Europe spatiale

## A. L'ESA (*European Space Agency*)

L'**Agence spatiale** européenne, créée en 1975, réunit les principaux pays de l'UE dans un programme de recherche et de développement spatial européen. Elle emploie 2 000 personnes dans ses établissements : ESTEC, ESOC, ESCRIN, EAC, son siège parisien et la base de Kourou. L'ESA a réussi à envoyer la sonde Huygens sur Titan et a placé un satellite en orbite autour de Mars en décembre 2003, tandis que la sonde Smart 1 tourne autour de la Lune. Mais il faut savoir que l'ESA dépense 10 fois moins que la NASA. L'ESA a cependant permis la concrétisation en un temps record du programme **Ariane**. L'ESA est responsable du projet Galileo de radionavigation par satellite appelé à concurrencer le GPS américain. Il devrait être opérationnel en 2014.

## B. Arianespace

### Le programme Ariane

– Le programme Ariane est lancé au début des années 1970. Le projet piloté par l'**Aérospatiale** faisait appel à des sous-traitants comme Matra, la Snecma, Fiat, Avio, Daimler et Contraves. La première fusée fut lancée en 1979.

– **Arianespace SA est créée en 1980** par les constructeurs d'Ariane pour coordonner la production et commercialiser le lanceur européen. La France est le principal actionnaire. En 2010, la société Arianespace compte vingt-trois actionnaires venant de dix pays européens (CNES : 34 %, EADS-Astrium : 30 %).

### Un bilan flatteur

– En trente ans, **Arianespace** est devenue n° 1 mondial et a lancé 277 satellites pour 76 clients, ce qui représente plus de la moitié des satellites commerciaux actuellement en service dans le monde.

– Le secteur des lanceurs est réorganisé autour d'EADS, qui est désormais l'unique interlocuteur industriel de l'agence. En 2009, Arianespace a établi avec Ariane 5 un nouveau record en effectuant sept lancements. Au 1er mars 2010, le carnet de commandes représente trois ans d'activité.

# 43 L'industrie automobile européenne face à la globalisation et à la crise

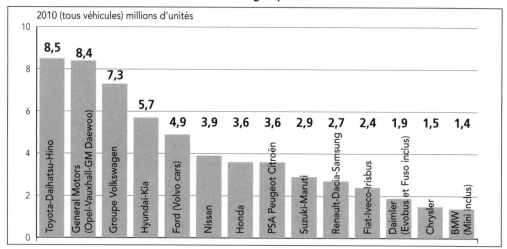

**Classement des groupes en 2010**

2010 (tous véhicules) millions d'unités

| Groupe | Millions d'unités |
|---|---|
| Toyota-Daihatsu-Hino | 8,5 |
| General Motors (Opel-Vauxhall-GM Daewoo) | 8,4 |
| Groupe Volkswagen | 7,3 |
| Hyundai-Kia | 5,7 |
| Ford (Volvo cars) | 4,9 |
| Nissan | 3,9 |
| Honda | 3,6 |
| PSA Peugeot Citroën | 3,6 |
| Suzuki-Maruti | 2,9 |
| Renault-Dacia-Samsung | 2,7 |
| Fiat-Iveco-Irisbus | 2,4 |
| Daimler (Evobus et Fuso inclus) | 1,9 |
| Chrysler | 1,5 |
| BMW (Mini inclus) | 1,4 |

*Source : CCFA, 2012.*

## 1 Une crise sans précédent

### A. L'effondrement des ventes

Les ventes de voitures se sont effondrées aux États-Unis mais aussi dans le monde au second semestre 2008 et au premier semestre 2009. L'industrie automobile a été rattrapée par la crise financière dite des *subprimes* qui a entraîné une fermeture du crédit (deux voitures sur trois sont vendues à crédit en Europe, 90 % aux États-Unis), puis une perte de confiance des consommateurs. Le doublement du prix de l'essence à la pompe faisant le reste. Aux États-Unis, les « Big Three » cumulent les pertes. Chrysler et General Motors ont été placés sous la protection du chapitre 11 du régime des faillites. Toyota, qui connaissait depuis plusieurs années une progression des ventes sur le marché européen, recule de 20 % en 2009 et enregistre des pertes historiques sur l'exercice 2008-2009. Malgré les mesures pour soutenir la demande, des firmes comme Renault et PSA ont enregistré des pertes en 2009. En Europe, le marché automobile a dans un premier temps été maintenu grâce à des dispositifs d'aides. Mais, avec leur arrêt progressif, il a reculé à son tour en 2011. Une rechute pourrait venir de l'arrêt progressif des dispositifs d'aides (primes à la casse en France).

### B. La chute de la production

La production automobile européenne a reculé de 17 % en 2009 par rapport à l'année précédente. L'UE reste la principale zone géographique mondiale de production automobile avec près de 12,2 millions d'unités sur un total mondial d'environ 77,8 millions. L'Allemagne reste le premier pays européen (5,2 millions d'unités), devant l'Espagne (2,2 millions), qui a dépassé la France (2,05 millions). Les autres grands pays producteurs sont le Royaume-Uni (1,08 million), la République tchèque (970 000) et la Pologne (874 000). Seuls trois pays européens ont connu depuis 2009 une croissance de leur production : la République tchèque (+ 3,2 %), la Roumanie (+ 21 %) et la Slovénie (+ 7,5 %).

### C. L'État au secours du secteur automobile

Compte tenu de l'ampleur et de la durée de la contraction économique, la pression monte sur l'emploi d'un secteur vital en Europe qui emploie aujourd'hui 2,2 millions de personnes dans l'UE, et près de 10 millions indirectement (ACEA). Le nombre de fermetures d'usines reste pour le moment limité, les constructeurs réduisent les temps de travail ou essaient de s'adapter à cette évolution à la baisse du marché européen par des jours de chômage partiels. Le gouvernement français a mobilisé 9 milliards d'euros d'aide aux entreprises sous forme de prêts. En échange de cette aide, les constructeurs se sont engagés à ne pas fermer d'usines en France. Renault à néanmoins supprimé 6 800 postes en 2009 en Europe, dont 4 800 départs en France. PSA a lancé un plan de départ à la retraite de 5 700 personnes pour 2009. Il s'agit de favoriser les départs naturels par non-remplacement des retraités ou démissionnaires. D'autres marques européennes ont pris des mesures semblables. Opel, filiale de GM, prévoit de supprimer 4 000 postes en Allemagne pour assurer sa survie. Fiat va fermer une usine en Sicile. Des plans de soutien ont été élaborés en Suède, Espagne, Royaume-Uni, Italie et Allemagne. La Commission européenne ne s'est pas opposée aux plans d'aides à l'industrie automobile qui restent nationaux.

# ❷ Une industrie en cours de reconversion

## A. L'industrie automobile est confrontée à plusieurs défis

**Le défi de la surproduction chronique.** L'industrie automobile connaissait une saturation du marché dans les pays développés avant la crise de 2008. En Europe, la surcapacité avant la crise était estimée à plus de 20 %. L'augmentation de la production dans les pays émergents freine les exportations des pays européens. La Chine est devenue en 2009 le premier pays producteur automobile mondial avec 8,4 millions d'unités, volume équivalent à la demande chinoise. La capacité de production mondiale est aujourd'hui estimée à plusieurs millions de véhicules hors crise actuelle.

**Le défi énergie-climat.** L'avenir de l'industrie automobile dépend du prix du pétrole structurellement orienté à la hausse et déplace les achats vers des véhicules plus économes, plus petits, moins chers. Les contraintes environnementales en ce qui concerne les émissions de $CO_2$ accusées d'être en partie la cause du réchauffement climatique conduisent vers la production de véhicules neufs moins polluants. Des entreprises comme Toyota ont une longueur d'avance sur les modèles électriques alors que d'autres comme GM, très en retard, sont menacées dans leur existence. Renault prévoit en 2020 un million de voitures électriques. La Nano, de Tata Motors, est une voiture à 2 500 dollars et elle « pollue moins qu'une moto ». Elle symbolise l'innovation indienne et répond aux besoins des marchés émergents. La Logan de Renault peut lui être comparée.

## B. Des entreprises en cours d'évolution

En Europe, la crise devrait accélérer la concentration du secteur automobile. Le groupe Volkswagen (Audi, Seat, Skoda), racheté par Porsche, a ravi la place de 3e constructeur mondial à Ford en 2008. Il pourrait sortir renforcé de la crise actuelle du fait de son positionnement sur les marchés émergents (18 % du marché chinois, 24 % du marché brésilien). La situation est plus délicate pour BMW et Mercedes qui produisent des modèles haut de gamme. L'avenir de Renault et de PSA dépendra de leur capacité à proposer rapidement des modèles adaptés à la nouvelle donne énergétique en matière d'environnement et de leur positionnement sur les marchés émergents (Logan de Renault). Renault, principal actionnaire de Nissan, est exposé aux problèmes rencontrés par celui-ci sur le marché américain. Fiat tire son épingle du jeu en proposant des petites voitures bien adaptées à la situation actuelle et réalise une bonne part de ses bénéfices au Brésil. L'alliance Fiat-Chrysler reste un pari sur l'avenir.

La montée en puissance de l'Asie : après avoir cédé Land Rover et Jaguar au groupe indien Tata, Ford vient de vendre Volvo au groupe chinois Geely, qui accède ainsi à la haute technologie européenne.

Comme le souligne Michel Drancourt (Futuribles, 2009), la « destruction créatrice » est à l'œuvre dans l'industrie automobile. Elle est causée par la nouvelle géographie des marchés, par l'évolution des facteurs techniques, et des recherches des nouveaux modes de motorisation. Les constructeurs sont à l'aube d'une véritable révolution, à laquelle cependant tous ne survivront pas !

**Sites de production de voitures et de camions de Renault, Nissan et Volvo**

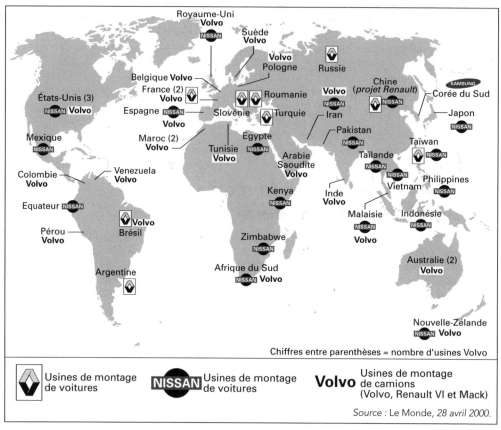

Chiffres entre parenthèses = nombre d'usines Volvo

| Usines de montage de voitures | Usines de montage de voitures | Usines de montage de camions (Volvo, Renault VI et Mack) |

Source : Le Monde, 28 avril 2000.

# ③ La concurrence des géants américains, japonais et la montée en puissance des pays émergents

## A. La présence américaine

Ford et General Motors contrôlent plus de 20 % du marché européen, les Européens 10 % environ du marché des États-Unis, mais ce chiffre progresse. Les groupes américains ont conforté depuis plusieurs années leur position en Europe par des acquisitions, principalement dans le haut de gamme.

General Motors possède Opel (All.), Vauxhall (R.-U.) et Saab (Suède). L'alliance avec Fiat (Fiat, Autobianchi, Alfa-Roméo, Lancia) n'ayant pas donné les résultats escomptés, les deux groupes ont décidé de divorcer. La part de Fiat en Europe occidentale n'a cessé de baisser passant de 13,8 % du marché à 7,2 %. GM attend beaucoup de sa filiale coréenne GM Daewoo pour développer ses ventes en Europe.

Ford a acquis Jaguar en 1989, Volvo en 1998 et a racheté Land Rover à BMW, mais il vient de céder Land Rover et Jaguar au groupe indien Tata, qui, grâce à cette acquisition, est en passe de devenir un constructeur automobile d'envergure mondiale. Cet achat permet à Tata d'accéder aux dernières technologies.

## B. Le défi japonais

### Les ambitions japonaises

Après s'être emparés de 25 % du marché des États-Unis, les Japonais ambitionnaient de faire la même chose en Europe. L'accord passé entre la Commission européenne et le MITI prévoyait de contenir la progression des immatriculations de voitures japonaises en Europe jusqu'au 31 décembre 1999, les Japonais ne devant pas dépasser 16,1 % du marché européen à cette date. La déferlante japonaise sur l'Europe semblait inévitable, elle était seulement retardée.

### La résistance de l'Europe

L'ouverture du marché européen s'est effectuée comme prévu le 1er janvier 2000. Fragilisés par la crise, les constructeurs nippons n'ont pas réussi à remplir les quotas, ils atteignent seulement 11,3 % du marché européen à la fin 1999. La défaite du Japon est ici une victoire de l'Europe, les Européens « dopés par la rage de survivre ont refait leur retard en matière de prix et de qualité » après des restructurations douloureuses et des suppressions d'emplois. Deux constructeurs nippons sont même passés sous contrôle européen, c'est le cas de Nissan (Renault) et de Mitsubishi (Daimler-Chrysler) ; Ford prenant le contrôle de Mazda. Les équipementiers européens comme le français Valéo ou l'allemand Bosch se sont même implantés au Japon.

### Le retour des Japonais ?

La bataille reprend aujourd'hui. Les constructeurs japonais grignotent des parts de marché (12 %). L'usine de Toyota à Valenciennes produit 150 000 Yaris par an. Le n° 2 mondial de l'automobile (4,4 % du marché européen) vise 10 % à la fin de la décennie et ambitionne de devenir le 1er producteur mondial. Toyota vient de s'allier à Peugeot-Citroën pour construire une usine en République tchèque à Kolin.

## 4 Les ambitions planétaires de Daimler et de Renault

### A. La remise en cause de la fusion Daimler-Chrysler (1998) et de l'acquisition de Mitsubishi (2000)

Le groupe allemand **Daimler-Benz**, après le rachat de **Chrysler**, avait une capacité de production de 4,5 millions de véhicules. Après la « fusion du siècle », la stratégie est restée floue et les économies d'échelle ont été difficiles à mettre en place. Chrysler, la filiale américaine de Daimler-Chrysler, est victime de la guerre des prix qui sévit aux États-Unis dans un marché américain déclinant. Le mariage des deux cultures très différentes, difficile à réaliser, s'est terminé par un divorce. Daimler vient de se séparer de Chrysler, cédé à un fonds d'investissement.

Pour se renforcer en Asie, Daimler-Chrysler avait acquis 34 % du Japonais Mitsubishi avant de se désengager (2005).

### B. L'ambition mondiale de Renault : le contrôle de Nissan (1999), le rachat de Samsung Motors (2000) et l'offensive vers les pays émergents

#### Le pari gagné de Renault

**Renault** est devenu en 1999 le principal actionnaire de **Nissan**. Il possède désormais 44,3 % du capital de Nissan. Ce partenaire du constructeur japonais, au bord du dépôt de bilan au moment de son achat par Renault, a été redressé par Carlos Ghosn, qui dirige les deux entreprises depuis mai 2004. **Le groupe binational Renault-Nissan est le 4e constructeur automobile mondial** avec 6,6 millions de véhicules produits en 2011. Sur le **plan industriel**, l'alliance Renault-Nissan a permis un partage des organes mécaniques et la mise en chantier de plates-formes communes de production. Il s'agit avant tout de maximiser la rentabilité des deux constructeurs en optimisant leurs coûts. Une société commune pourvoit à des achats d'équipements. Les deux acteurs font jouer leurs complémentarités géographiques, par exemple en Amérique du Sud et dans les pays de la zone Asie-Pacifique.

#### Une « union libre »

Cet intérêt bien compris trouve pourtant des limites. Les constructeurs ont chacun leur identité. Nissan entend prendre une place de leader dans le véhicule électrique aux États-Unis, puis en Europe. L'ultra-low cost constitue l'autre priorité de Nissan ; il s'agit de faire accéder à l'automobile les nouvelles classes moyennes des pays émergents. L'essentiel, pour l'instant, est de prendre des parts de marché dans les pays émergents au sens large. Nissan est en Chine alors que Renault est absent. En Russie, nouvel eldorado, les deux marques ont une approche indépendante. Renault a repris 25 % d'Avtovaz (Lada), alors que Nissan possède une usine à Saint-Pétersbourg. En Inde, la Logan est produite par le partenaire local Mahindra en attendant une nouvelle usine Renault-Nissan. Renault-Nissan va produire avec l'Indien Bajaj une voiture bon marché conçue pour le marché indien mais qui cible les autres marchés émergents dans le monde.

Renault consolide sa stratégie internationale, après avoir racheté la marque roumaine **Dacia** en 1998, il a acquis 70 % du Sud-Coréen **Samsung Motors** et sera le premier constructeur automobile étranger à avoir une implantation industrielle dans le deuxième marché d'Asie. Renault a cédé sa branche véhicules industriels à **Volvo**, pour en devenir le premier actionnaire avec 20 % du capital. Le nouvel ensemble occupe la deuxième place mondiale dans la production de camions derrière Mercedes.

# 44 Les performances contrastées de l'agriculture européenne

*Un agriculteur européen nourrit 60 personnes contre 8,5 en 1954. L'Union européenne à 27 pourvoit aux besoins de près de 200 millions d'habitants de plus que les États-Unis avec moins de terres agricoles alors même qu'elle exporte tout autant de produits agroalimentaires. À quel prix ?*

## 1 Des productions massives

### A. L'UE-27, en tête du palmarès mondial

L'UE-27 a produit 282 Mt de céréales en 2010 dont **136 millions de tonnes de blé**. Pour ce dernier, la plus emblématique des céréales, aux évolutions conquérantes dans l'alimentation mondiale, l'UE occupe la **première place devant la Chine, l'Inde et les États-Unis**. Premier rang mondial pour la betterave sucrière aussi avec quelque 110 millions de tonnes : ici cependant les positions devraient évoluer à la suite de la **mise en cause des exportations subventionnées de sucre par l'OMC**. On notera en revanche la **relative stabilité de la production de vin**, autour de 170 millions d'hectolitres.

**Le troupeau de bovins est proche de 88 millions de têtes**, plutôt en contraction grâce aux **efforts de rationalisation** permettant la **progression des rendements. La production de lait** (de vache) est d'ailleurs assez stable, autour de **132 millions de tonnes**. Le troupeau porcin ne dépasse plus guère 153 millions de têtes (160 millions d'unités au début des années 2000) pour une production de viande stable autour de 22 millions de tonnes.

On notera **la part souvent considérable de la France dans la plupart des productions agricoles des « 27 »**. Le quart de la production européenne de blé, le cinquième de celle de la betterave sucrière, 20 % aussi du troupeau bovin, presque le tiers de la production de vin. La France demeure au cœur de la puissance agricole européenne.

### B. Des modes de production variés

Cette production massive est en partie le fait de régions agricoles modernisées, fonctionnant en **systèmes spatialisés de production sur un mode hautement capitalistique et technique** : c'est le cas en Europe du Nord-Ouest (Pays-Bas, Allemagne du nord, Danemark) pour l'élevage de porcins en particulier. C'est le cas du **bassin de Londres, du bassin parisien, des Börde allemandes** pour le blé et la betterave à sucre, mais aussi de l'**Espagne du sud** pour les fruits et légumes.

Cependant **une bonne part de l'agriculture de l'Europe, y compris à l'ouest demeure semi-artisanale**, pratiquant des formes modernisées de polyculture et d'élevage. On le constate à partir des primes versées par la PAC en fonction de la compétitivité des exploitations : 20 % de celles-ci reçoivent 80 % des primes !

### C. Les profondes mutations agricoles en Europe centrale et orientale

Hormis quelques grandes exploitations issues de la période collectiviste, l'essentiel des fermes est constitué de petites exploitations encore traditionnelles. Mais **l'effet modernisateur de la PAC commence ici aussi à porter ses fruits**, bien que, depuis la mise en application de la PAC en 2004 et ce jusqu'à 2013, **les quotas de production et des paiements directs aient été plafonnés à 25 %** par rapport aux anciens pays membres.

**En Pologne**, la population active agricole atteignait encore, **à l'orée des années 2000, 27 % de la population active totale**, pour **plus de 2 millions d'exploitations** d'une superficie moyenne de l'ordre de **8 hectares**. De fait ce grand nombre d'actifs cachait aussi un vrai chômage, de nombreux actifs étant répertoriés dans l'agriculture faute de trouver un autre emploi. Surtout, un effort considérable était nécessaire pour **faire adopter les normes européennes dans les exploitations et les industries agroalimentaires**. Les syndicats, l'Église aussi ont été mis à contribution pour expliquer ces exigences, mais aussi pour **pousser les agriculteurs à demander l'aide européenne**, dans le cadre d'un programme de développement rural, de 2004 à 2006. Aujourd'hui, la part des actifs agricoles est tombée à 14,7 %. Les exportations vers l'UE (en particulier l'Allemagne), mais aussi vers la Russie ont repris, et **la balance agricole est redevenue positive**.

## ❷ Un bilan économique et géopolitique contrasté

### A. Des évolutions spectaculaires

En terme de PIB, dès 1973 l'agriculture ne représentait plus que 5 % du PIB de la CEE à 9. Aujourd'hui, malgré l'élargissement aux pays de l'Est et du Sud où l'agriculture compte encore beaucoup, **sa part du PIB de l'UE-27 est tombée à 2,1 %.**

En termes de population active le même constat s'impose, l'**UE-27 ne comptant plus que 5 % d'actifs agricoles dans sa population active**. Avec là encore des nuances importantes entre les agricultures très productives (0,8 % de population active au Royaume-Uni, 11,4 % en Grèce, 14,7 % en Pologne).

En France l'agriculture représentait encore le tiers des actifs, le quart du PIB aux lendemains de la seconde guerre mondiale (pour ne pas se nourrir). Aujourd'hui la part de l'agriculture est tombée à 3 % de la population active et à peine plus de 1,7 % du PIB tout en contribuant à nourrir l'Europe et le monde. C'est une rupture majeure dans le profil économique, mais aussi politique du pays.

### B. Un bilan nuancé

**La hausse des productions a dépassé les objectifs de la PAC**. Les agricultures européennes dans leur ensemble, et malgré leur diversité, ont progressé dans tous les domaines. Par son bilan commercial devenu positif, **l'agriculture a contribué à améliorer l'équilibre de l'économie européenne à l'époque de la dépendance énergétique**. Ses performances entraînant **une réduction relative du coût de l'alimentation dans le budget des ménages**, elle a dégagé du pouvoir d'achat au profit de l'industrie et des services.

**La participation croissante de l'Europe à l'alimentation du monde** ne saurait être négligée d'autant que les grands pays émergents (Chine, Inde) redeviennent importateurs.

Cependant cette progression des performances agricoles entraîne souvent un **« productivisme » péjoratif pour l'environnement associé à une désertification rurale**. L'élargissement aidant, **les coûts de la politique agricole risquent de devenir prohibitifs** alors même que d'autres secteurs tout aussi stratégiques (R&D) exigent des moyens supplémentaires.

**Les revendications des pays émergents du Sud (Brésil)** en faveur du libre-échange agroalimentaire mettent l'Europe en porte-à-faux dans ses relations avec le monde.

Pour toutes ces raisons la profonde réforme de la PAC qui se profile pour 2013 pourrait s'orienter vers une **« politique rurale commune »**, moins productiviste, plus soucieuse de la préservation de l'environnement et des territoires, facilitant aussi les rapports internationaux de l'Union.

# 45 De la première à la « nouvelle » PAC

## Agriculture en pourcentage du budget total de l'UE

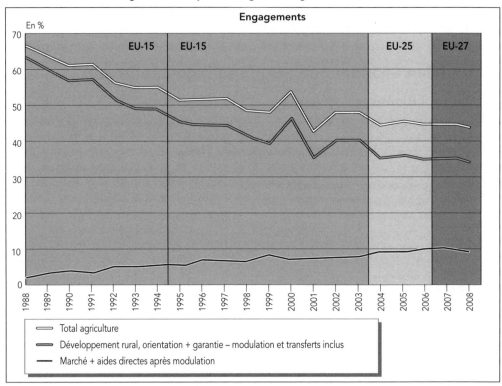

## Part dans la production agricole de l'UE

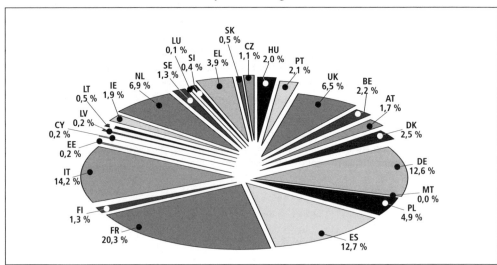

*Données 2005.*

*La PAC est la seule véritable politique commune mise en œuvre par la CE et maintenue dans l'UE. Elle atteignit incontestablement nombre de ses objectifs. Elle fut aussi victime de son succès. Les critiques qui la visent et son bilan doivent cependant être reconsidérés à la lumière des crises alimentaire et environnementale d'aujourd'hui.*

# 1 Les fondements de la PAC

## A. Les buts poursuivis

La PAC est inscrite dans l'article 39 du traité de Rome. Dans un contexte d'après-guerre encore marqué par le souvenir des pénuries, les Six ne sont pas autosuffisants sur le plan alimentaire. Il s'agit donc d'abord d'accroître les productions, afin de garantir aux populations un approvisionnement sûr.

Certains objectifs apparaissent un peu contradictoires : les pères fondateurs souhaitent à la fois fournir aux Européens une alimentation à coût modéré, tout en affirmant vouloir veiller au revenu des agriculteurs. La PAC s'inscrit bien sûr dans une économie libre, tout en recherchant la « stabilité » des marchés.

Les buts implicites sont au moins aussi importants que les intentions avouées. Sauver une agriculture faite le plus souvent de propriétaires familiaux est un choix de société, non sans implications politiques, en ces temps de guerre froide. Le choix de l'indépendance alimentaire relève, là aussi, en filigrane, d'une affirmation politique de l'Europe. Les « bénéfices » nets obtenus par le plus grand des pays agricoles, la France, et en grande partie financés grâce aux versements nets de la République fédérale d'Allemagne, reflète les rapports de force au sein de la construction européenne à l'ère gaullienne.

La volonté politique française au début des années 1960 a d'ailleurs été déterminante pour la mise en œuvre réelle de la PAC. Celle-ci s'est révélée être la voie moyenne entre le libre-échange institué par Napoléon III en 1860 et le protectionnisme de Méline. La PAC a inséré l'agriculture française, mais aussi les autres agricultures européennes qui, peu ou prou, en ont toutes profité, dans un contexte de concurrence à la fois véritable mais aussi supportable car limitée à des pays aux structures proches

## B. Les principes fondateurs

La PAC fonde un **marché agricole unifié** grâce à la suppression des barrières douanières et par la coordination des règles sanitaires et l'harmonisation des normes techniques.

**La préférence communautaire** incite à l'approvisionnement des Européens par l'agriculture européenne elle-même en faisant peser, en plus des taxes douanières, des « prélèvements » sur les importations depuis les pays tiers. De plus, on favorise les exportations des éventuels surplus, quitte à vendre à perte (les cours mondiaux étant le plus souvent inférieurs aux prix européens) en dédommageant des producteurs/exportateurs grâce aux « restitutions ».

Le principe de la solidarité financière implique que le financement est puisé dans le budget commun, selon les besoins des uns ou des autres, indépendamment des contributions des pays membres. Il y aura donc des contributeurs nets à côté de bénéficiaires nets.

Cependant la PAC, outre les subventions, les prélèvements et les restitutions, fonde principalement le soutien à l'agriculture sur la fixation d'un niveau de prix suffisamment élevé pour assurer à l'agriculteur un revenu convenable directement financé par le consommateur, mais aussi tendancieusement poussé à la baisse par le contexte de relative concurrence.

## C. La mise en œuvre de la PAC

Dans cette perspective, le Conseil des ministres fixe, pour chaque saison, les prix d'orientation, d'intervention et de seuil. Il s'agit de guider le marché, de déterminer le prix du rachat des invendus ainsi que le niveau des prélèvements-restitutions.

En outre, ces politiques sont modulées selon chaque type de production dans le cadre des vingt et une Organisations communes de marché (OCM) mises en place à partir de 1960. En effet, la

PAC instaure un interventionnisme maximal essentiellement pour les grandes cultures céréalières et les grandes productions issues de l'élevage bovin. Pour beaucoup d'autres productions, le dispositif est plus souple.

La gestion est assurée par une caisse communautaire fondée en 1962, le Fonds européen d'orientation et de garantie agricole (FEOGA). Le volet « garantie » de cette institution finance les restitutions, rachète les éventuels invendus des grandes productions qu'il conviendra dès lors de stocker. Le volet « orientation », très minoritaire, finance la modernisation des structures.

## ❷ Une analyse critique de la PAC

### A. La critique extérieure

D'emblée, les grands exportateurs traditionnels de produits agroalimentaires vers l'Europe ou sur les marchés tiers ont souligné les contradictions de la PAC avec les règles d'un marché libre. Les prélèvements additionnés aux taxes sont très fortement protectionnistes alors que les restitutions organisent une forme de vente à perte, donc de *dumping*. La PAC a beaucoup contribué à façonner l'image, injuste par ailleurs, de la « forteresse Europe » que l'on attribue parfois à la CEE puis à l'UE.

Les États-Unis, dès le Kennedy Round des années 1960, ont obtenu des compensations aux pratiques protectionnistes de la PAC, en particulier l'entrée libre en Europe de leurs « produits de substitutions aux céréales, essentielles à l'alimentation du bétail et qui en sont venues à représenter des quantités aussi importantes que les céréales à consommation humaine ». À chaque étape de la construction européenne, leur pression a été plus importante, en particulier lors de l'élargissement de la CEE à la péninsule Ibérique, marché traditionnel de l'agriculture américaine. Lors du lancement de l'Uruguay Round en 1986, ils ont présenté une « option zéro » pour faire rentrer l'agriculture dans le cas général de la libéralisation commerciale, au même titre que les produits industriels.

Le groupe de Cairns, constitué en 1986 par un ensemble hétéroclite de « pays neufs » et de pays en voie de développement, s'est montré plus radical encore dans sa critique de la PAC et dans son exigence d'une banalisation commerciale de l'agriculture.

### B. La critique interne

En Grande-Bretagne, depuis l'abolition des Corn Law au milieu du XIXe siècle, il est de tradition de privilégier l'alimentation bon marché de la population. Cela représente une dimension des politiques de compétitivité, voire une facette de la politique sociale anglaise. Dans cette optique, la PAC est économiquement et socialement contre-productive. Les plus libéraux des industriels allemands abondent en ce sens : il faut laisser « à la périphérie » des créneaux d'exportation vers l'Europe afin qu'elle puisse financer ses importations industrielles depuis l'UE.

L'aide que la PAC apporte aux agriculteurs est pour l'essentiel incluse dans les prix fixés à un niveau généralement très supérieur aux cours mondiaux, et donc financés directement par le consommateur. Le soutien est alors globalement proportionnel aux quantités produites. De multiples conséquences en résultent.

L'agriculteur tend à être de plus en plus productiviste, les quantités produites ne sont plus maîtrisées, et il en résulte, à partir des années 1980 surtout, des excédents qu'il faut stocker ou vendre à perte à l'étranger, ce qui explique la dérive des coûts. De 1979 à 1992, les dépenses du FEOGA passent de 10,5 à 36 milliards d'écus. En 1988, la PAC a absorbé 63 % du budget communautaire.

Les coûts opposent aujourd'hui contributeurs nets (Allemagne, Royaume-Uni, Pays-Bas, Belgique, Suède, Luxembourg) et bénéficiaires nets (Espagne, France, Grèce, Irlande...), le problème étant aggravé du fait des nouveaux entrants aux agricultures peu performantes.

L'aide incluse dans les prix et dans l'accompagnement commercial de la production profite donc essentiellement aux plus gros producteurs, d'où une forme d'injustice sociale. Ceux qui en auraient le plus besoin ne touchent que la portion congrue de la PAC.

Le productivisme, vecteur d'aides accrues, est aussi stimulé par les contradictions de la PAC, en particulier par la nécessité d'être compétitif malgré la petite taille fréquente des structures. Le « modèle breton » en est l'illustration : un couple d'agriculteurs sans fortune personnelle est à la tête d'une petite exploitation, élevant une cinquantaine de vaches laitières, s'efforçant d'être compétitif en s'équipant toujours des matériels les plus modernes et en utilisant (en surconsommant ?) les engrais, les pesticides, l'alimentation industrielle du bétail. L'endettement, une forme d'auto-exploitation sociale incluse dans cette course-poursuite, mais aussi des atteintes excessives à l'environnement voire parfois à la sécurité alimentaire sont portés par ces dérives. Le taux excessif de nitrates dans la nappe phréatique, les algues vertes qui encombrent les côtes, le syndrome de la « vache folle » sont aussi des retombées du « modèle breton ».

## C. Défense et illustration de la PAC

Au début des années 1960, l'alimentation absorbait encore le quart du revenu des ménages en France et en Allemagne. Cette proportion est tombée à 12,8 % en moyenne en UE (10 % en Europe de l'Ouest). Si la modernisation agricole représente un coût, son bénéfice est considérable sur le plan macroéconomique, dégageant un potentiel de consommation au profit des autres secteurs économiques. La PAC a d'ailleurs sauvegardé une importante industrie alimentaire en Europe.

La préservation d'une agriculture européenne est un facteur de sécurité pour les populations, sachant que la dépendance alimentaire est plus cruciale que d'autres : la sécurité alimentaire est vitale au sens le plus immédiat du terme.

L'enjeu alimentaire est aussi culturel et identitaire, et il est important que chaque pays puisse préserver une partie au moins de son agriculture.

Un autre enjeu important réside dans l'aménagement du territoire. Une forme de continuité territoriale, le maintien de la vie et d'une activité économique rurales ont aussi leur prix.

La crise alimentaire de 2007-2008, qui s'est accompagnée de nombreuses émeutes de la faim dans le monde, montre à l'évidence la nécessité de maintenir une production agricole suffisante dans un monde en forte croissance démographique, soumis en outre à l'urbanisation galopante et aux dégradations climatiques et environnementales. La capacité à nourrir le monde est aussi un enjeu fondamentalement géopolitique.

Les cours erratiques des produits agroalimentaires révèlent les limites des seuls mécanismes de marché pour réguler le secteur.

Si on prend en considération l'ensemble de ces enjeux, le coût de la PAC doit être relativisé. Il s'agit d'ailleurs d'une politique globale qui s'est largement substituée aux politiques nationales, en incluant une grande partie des coûts de ces dernières. La proportion importante des dépenses de la PAC dans le budget communautaire (encore plus de 30 %) trahit aussi la faiblesse de ce dernier (moins de 2,1 % du PIB européen).

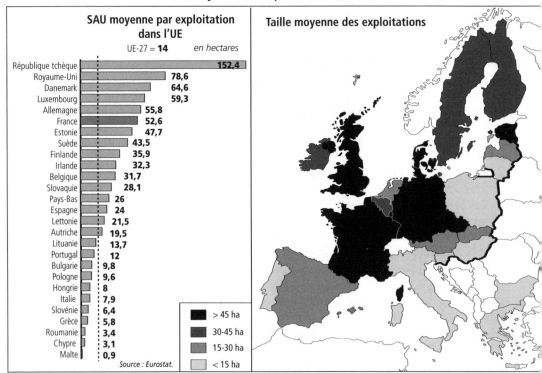

Taille moyenne des exploitations de l'UE en 2010

**SAU moyenne par exploitation dans l'UE**

UE-27 = **14**    *en hectares*

| Pays | SAU (ha) |
|------|---------|
| République tchèque | 152,4 |
| Royaume-Uni | 78,6 |
| Danemark | 64,6 |
| Luxembourg | 59,3 |
| Allemagne | 55,8 |
| France | 52,6 |
| Estonie | 47,7 |
| Suède | 43,5 |
| Finlande | 35,9 |
| Irlande | 32,3 |
| Belgique | 31,7 |
| Slovaquie | 28,1 |
| Pays-Bas | 26 |
| Espagne | 24 |
| Lettonie | 21,5 |
| Autriche | 19,5 |
| Lituanie | 13,7 |
| Portugal | 12 |
| Bulgarie | 9,8 |
| Pologne | 9,6 |
| Hongrie | 8 |
| Italie | 7,9 |
| Slovénie | 6,4 |
| Grèce | 5,8 |
| Roumanie | 3,4 |
| Chypre | 3,1 |
| Malte | 0,9 |

*Source : Eurostat.*

**Taille moyenne des exploitations**

- > 45 ha
- 30-45 ha
- 15-30 ha
- < 15 ha

## 1 La « révolution silencieuse »

### A. Les coûts de la modernisation

Globalement, quoique inégalement selon les régions, la modernisation des agricultures de l'UE s'est caractérisée d'abord par la concentration. La superficie moyenne dans l'UE-25 n'est cependant que de 14 hectares, mais avec de très fortes inégalités entre cinq pays à plus de 45 hectares et dix à moins de 15. Ce processus s'est accompagné d'un vieillissement des exploitants.

Les agriculteurs deviennent ainsi minoritaires dans le monde rural et l'hémorragie ne cesse pas : entre 1988 et 2000 un département rural comme la Dordogne a perdu 26 % de ses exploitations et 10 % de sa SAU mise en friche ou achetée par des résidents secondaires. Le remplacement des exploitants âgés ne s'opère plus dans nombre de cas.

### B. Les moyens et limites de la modernisation

Le **passage à l'agriculture moderne** a impliqué le **recours massif** à l'**agroéquipement** (tracteurs, machines agricoles spécialisées) et aux **agrofournitures** (engrais, pesticides, semences sélectionnées). Les **exploitations** ont dû se **spécialiser** et s'adapter au marché : seules les régions et les exploitations déjà préparées (grandes plaines céréalières, régions viticoles…) l'ont pu sans gros dommages.

Il n'en fut pas de même pour les **agricultures paysannes** demeurées traditionnelles (polyculture) jusqu'aux années 1960: la **« révolution silencieuse »** a eu un **coût humain** très élevé. Encore aujourd'hui les **pays méditerranéens** et **de l'Est** sont en pleine mutation. Le recours au **temps partiel**, à la **pluriactivité,** devient une nécessité.

## ② La crise des exploitations

### A. Le productivisme

Pendant **deux décennies** les exploitants, pour survivre, ont eu recours à la **production à outrance**. La hausse des volumes produits permettait de compenser l'érosion des marges issue de la **« crise des ciseaux »**: l'agriculture, devenue une **« industrie lourde »** avait des coûts de production croissants quand ses prix de vente à l'industrie agroalimentaire s'érodaient. La **PAC**, avec **ses garanties**, permettait cette **fuite en avant**: la hausse des rendements (maïs: 68 qu/ha en 1990, 90 qu/ha en 2000; lait de moins de 4 000 kg à près de 6 000 par bête et par an pour la même période), la **baisse des UTA** (unité de travail annuel) de 14,5 millions en 1973 à 6,3 en 2000, l'utilisation de **main-d'œuvre immigrée**, parfois clandestine (Maroc, puis pays de l'Est) ont été les recours.

Mais depuis les années 1980 avec les **quotas** et surtout depuis la **« nouvelle PAC »** le système est en crise. La PAC ne permet plus cette fuite en avant du fait des quotas, de la baisse des prix garantis et du plafonnement des dépenses.

### B. Les impasses

La **course aux productions** d'abord, à la **productivité** ensuite a abouti à des **dérives** multiples: **environnementales** avec le recours massif à l'**irrigation** et à l'utilisation des **engrais** et **produits phytosanitaires**, voire aujourd'hui aux **OGM**. **Sanitaires** avec l'**ESB** issue du recours à des farines animales produites à basse température. L'agriculture et les agriculteurs ont été mis en accusation par les consommateurs pour ces dérives.

Les **exploitants les plus performants** n'hésitent plus à agir comme les industriels en **délocalisant leurs productions**: britanniques et néerlandais viennent s'installer en **France** pour profiter du prix du foncier et des conditions climatiques (exploitations florales dans les Landes). Français, Allemands… achètent des **terres à l'Est** où les prix sont bas, la main-d'œuvre abondante et les normes sanitaires et environnementales bien moindres que dans l'UE-15.

### Emploi agricole dans l'UE

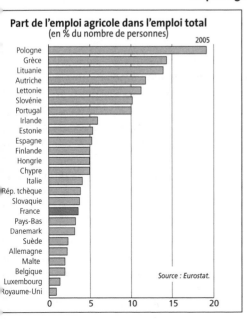

**Part de l'emploi agricole dans l'emploi total**
(en % du nombre de personnes)
2005

Pologne, Grèce, Lituanie, Autriche, Lettonie, Slovénie, Portugal, Irlande, Estonie, Espagne, Finlande, Hongrie, Chypre, Italie, Rép. tchèque, Slovaquie, France, Pays-Bas, Danemark, Suède, Allemagne, Malte, Belgique, Luxembourg, Royaume-Uni

Source : Eurostat.

0  5  10  15  20

| Volume de l'emploi agricole (en UTA) | | | | |
|---|---|---|---|---|
| | 1998 | | 2006 | |
| | milliers d'UTA | % | milliers d'UTA | % |
| UE à 25 | 11 276,5 | 100,0 | 9 100,8 | 100,0 |
| Dont UE à 15 | 6 719,2 | 59,6 | 5 700,5 | 62,6 |
| dont Pologne | 2 855,7 | 25,3 | 2 235,9 | 24,6 |
| Italie | 1 296,8 | 11,5 | 1 172,3 | 12,9 |
| Espagne | 1 160,4 | 10,3 | 949,7 | 10,4 |
| France | 1 060,4 | 9,4 | 926,6 | 10,2 |
| Grèce | 598,9 | 5,3 | 602,7 | 6,6 |
| Allemagne | 727,4 | 6,5 | 570,9 | 6,3 |
| Hongrie | 700,8 | 6,2 | 495,4 | 5,4 |
| Portugal | 517,7 | 4,6 | 367,6 | 4,0 |
| Roy.-Uni | 373,6 | 3,3 | 289,9 | 3,2 |
| Pays-Bas | 223,9 | 2,0 | 191,1 | 2,1 |
| Irlande | 208,9 | 1,9 | 167,2 | 1,8 |
| Autriche | 180,1 | 1,6 | 160,7 | 1,8 |
| Rép. tchèque | 192,8 | 1,7 | 147,9 | 1,6 |
| Finlande | 126,5 | 1,1 | 93,1 | 1,0 |
| Autres pays | 1 052,6 | 9,3 | 729,8 | 8,0 |
| Nouveaux membres depuis 2007 | 4 240,0 | – | 3 078,5 | – |
| Roumanie | 3 460,0 | – | 2 515,0 | – |
| Bulgarie | 780,0 | – | 563,5 | – |

# 47 L'intégration agro-industrielle

**Schéma général des filières agroalimentaires**

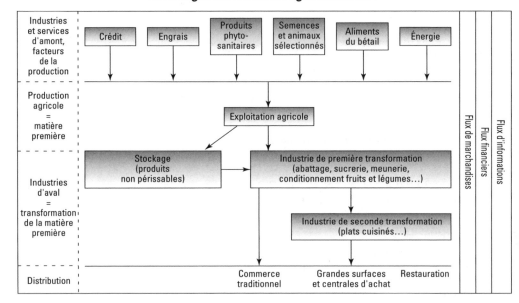

Source : J.-P. Diry, Les espaces ruraux, coll. Campus, Sédès, 1999.

*Les **agricultures européennes**, comme celles de tous les pays industriels développés, ne sont plus qu'un maillon, nécessaire mais non suffisant, de chaînes agroalimentaires dans lesquelles elles sont intégrées.*

## ❶ L'ampleur de l'intégration

### A. L'intégration technique

Les agricultures européennes sont grosses consommatrices d'agroéquipements (tracteurs : Fiat, Renault, Ford) de toutes sortes et d'**agrifournitures** (engrais, produits phytosanitaires), y compris de **semences sélectionnées**, fournies par des coopératives (Limagrain…) ou des **firmes multinationales** (Monsanto…).

Elles sont consommatrices de **services** multiples (y compris en **R & D** : ex. de Génoplante créé en 1997 avec Aventis, l'Inra, Limagrain et Pau-Euralis) et de **capitaux** (*cf.* la place en France du Crédit Agricole).

Elles sont enfin dépendantes de vastes **systèmes de transport, de conditionnement, de stockage et de commercialisation**. Les **centrales d'achat** des grands distributeurs (Carrefour, Intermarché, Auchan…) maîtrisent les marchés.

### B. L'intégration géographique

Les **marchés sont d'abord européens** : la France par exemple vend essentiellement à ses partenaires de l'UE-15 (70 % en valeur des exportations AA). Avec le **marché unique** les échanges sont généralisés et les **concurrences** aussi : les fraises d'Espagne concurrencent les fraises françaises, l'Italie, la France, l'Espagne s'approvisionnent en moutons au Royaume-Uni…

Mais ils sont aussi **mondialisés** : le **secteur agroalimentaire** commerce avec le monde entier, il est de plus en plus dominé par des **firmes multinationales** (Unilever, première firme européenne est présente dans 150 pays, Danone dans 120).

Les **agricultures européennes** sont donc en **concurrence entre elles** : les **différences de productivité** jouent à plein, que ce soit par le **degré de modernisme** (élevages porcins intensifs danois ou néerlandais contre élevages bretons), par le **prix de la main-d'œuvre** (fraises espagnoles contre fraises françaises) ou par la **législation** (production de farines animales à basse température au Royaume-Uni dans les années 1980). Elles le sont aussi avec les **nouveaux entrants** (Pologne, Hongrie…). Elles sont en outre en concurrence **avec le reste du monde** malgré la règle de préférence communautaire remise en cause dans le cadre de l'OMC (problème de la culture de la betterave sucrière par exemple).

# ❷ Les industries agroalimentaires

## A. Un poids croissant

La **hausse** générale des **consommations** avec la croissance des **niveaux de vie** au cours des cinquante dernières années a contribué à leur **expansion** : en **France** la branche des IAA dégage une valeur ajoutée égale à celle de la branche de l'énergie et double de celle de l'industrie automobile. Ses exportations constituent la moitié du solde commercial positif français.

Le fort développement de l'**urbanisation** a contribué à modifier le comportement des consommateurs, de plus en plus demandeurs de **produits prêts à l'emploi** (plats cuisinés surgelés : produits de troisième transformation). La part des produits bruts dans la consommation des ménages français est ainsi passée de près de 30 % en 1960 à moins de 20 % aujourd'hui. L'**Europe du Nord** était relativement avancée dans cette mutation, le rattrapage concerne surtout l'**Europe du Sud**, devenue champ d'expansion privilégié des IAA et des chaînes d'hypermarchés (Carrefour en Espagne…).

## B. Des mutations importantes

Les **IAA** se sont adaptées à ces mutations, mais aussi à l'exigence de **normes** d'hygiène de plus en plus contraignantes. D'industries traditionnelles à basse qualification, elles sont devenues des **activités à haute technicité** où la part de **Recherche et Développement** devient primordiale.

Ceci a impliqué un grand **processus de concentration** : nombre de **PME** et de **coopératives** de petite taille ont **disparu**. En 2005, la **France** compte encore 3 112 entreprises de plus de 20 salariés, mais ces effectifs sont en baisse continue. C'est un processus général, surtout en **Europe du Sud**.

**Concentration et multinationalisation** priment : **Unilever**, à capitaux britanniques et néerlandais, a réalisé en 2011 un CA de près de 44 milliards de dollars, derrière **Nestlé** (Suisse) dont le CA a été de près de 105 milliards de dollars. **Danone**, avec 15 milliards d'euros et 90 000 salariés en 2009, vient loin derrière. Les **luttes sont incessantes** : par exemple pour les eaux en bouteille où s'affrontent Danone, Nestlé, Coca et Pepsi sur un marché mondial qui pèse 28 milliards de dollars.

**La dimension internationale de la filière « poulet de chair » en Bretagne**

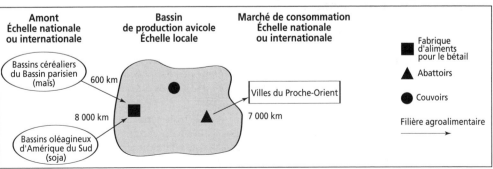

Source : J.-P. Diry, Les Espaces ruraux, coll. Campus, Sédès, 1999.

# 48 L'agriculture en question

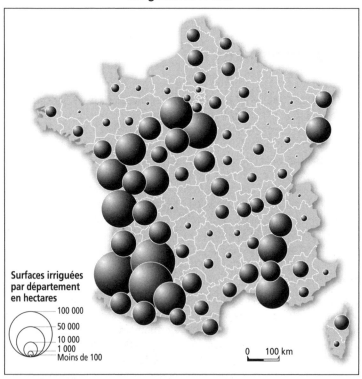

**L'irrigation en France**

**Surfaces irriguées par département en hectares**
- 100 000
- 50 000
- 10 000
- 1 000
- Moins de 100

0    100 km

**Le steak, gros consommateur**

Pour comprendre le poids de l'eau dans l'agriculture, ces quelques chiffres : il faut 1 000 litres d'eau pour produire 1 kg de blé, 2 000 pour un litre de lait, 7 000 litres pour un tee-shirt en coton, 20 000 litres pour 1 kg de viande de bœuf.

Source : *Sud-Ouest*, 27 mars 2006.

*L'agriculture* de l'UE est victime du succès de la PAC : elle en est devenue lourdement dépendante puisque la moitié du revenu des exploitations provient des subventions européennes. Le coût excessif, les attaques à l'OMC et l'arrivée de nouveaux membres la mettent en cause. Mais aussi l'afflux des urbains dans le rural qui cesse ainsi d'être monopolisé par l'agricole.

## 1 Sortir de l'impasse ?

### A. Des agricultures distinctes

Sur la base de la modernisation induite par la PAC l'agriculture européenne oppose des systèmes et des exploitations performants, générant des Revenus bruts d'exploitation (RBE) élevés à une masse d'exploitations pauvres : les primes versées étaient un bon indicateur, 80 % allaient à 20 % des exploitations.

Il convient cependant de **dépasser ce binaire** : en fait **trois types** se manifestent, le premier orienté vers des **productions de masse** à bas coûts (céréaliculture, élevages industriels), le **deuxième** vers des **productions de qualité**, labellisées (indication géographique de provenance, IGP) voire « biologiques », le **troisième** étant un **entre-deux** où se concentre l'essentiel des exploitations, y compris des nouveaux entrants et dont la **survie** est problématique.

## B. Une ou des solutions ?

De ce fait les **perspectives** sont nécessairement **différentes**. Les **deux premières catégories** peuvent s'adapter aux réformes imposées, que ce soit l'agriculture performante productrice des denrées de base pour le marché intérieur ou même pour l'exportation, ou l'agriculture tournée vers les produits de qualité.

Reste par contre la **troisième catégorie** : l'Europe doit-elle revenir au plan Manscholt de ses débuts préconisant la **liquidation de l'agriculture familiale** au profit d'une agriculture moderne et performante **ou** peut-elle continuer à **aider les exploitations semi-traditionnelles** au nom de la sauvegarde de la ruralité et de l'environnement ? L'existence des « **deux piliers** » de la **PAC** nouvelle tend à **éviter le dilemme** en préconisant les deux réponses simultanément (mais à moyens constants jusqu'en 2013).

# ② Des campagnes disputées

## A. Rural et urbain

Dans l'**UE-15**, et de plus en plus chez les **nouveaux entrants**, les **populations** sont essentiellement **urbaines**. La **superficie** occupée par les **villes** s'est d'autant plus accrue que l'on a assisté à leur étalement lié au développement du **périurbain**. À cela s'ajoutent les emprises croissantes des **équipements lourds** (aéroports) et des voies de communication : ces « **surfaces artificielles** » occupent aujourd'hui 8 % du territoire français et ont gagné en dix ans 5 000 km², l'équivalent d'un département moyen.

L'**agriculture** elle-même a **abandonné** une partie de l'**espace rural** du fait de **considérations économiques** : seuls les terrains les plus favorables sont encore cultivés. Dans les **régions méditerranéennes** les versants cultivés en terrasses sont revenus à la broussaille, la culture s'est concentrée dans les plaines alluviales. La **forêt** (voire la **friche**) a partout progressé, couvrant un quart de la CEE à 12, sans compter les pays scandinaves où les taux de boisement dépassent 50 %. Cette **forêt** est, en outre, de plus en plus consacrée aux **activités récréatives des citadins**.

## B. Ruraux et agriculteurs

Les **campagnes reculent** et se transforment car elles sont de **plus en plus peuplées** à titre principal ou en résidences secondaires par des **citadins**. Ces **néoruraux** deviennent majoritaires dans les « **nouvelles campagnes** » qui ainsi se repeuplent. Et leur origine est diverse : britanniques (200 000 selon le recensement de 2004), néerlandais, belges, allemands peuplent ainsi les campagnes françaises, espagnoles ou hongroises. **Certains pays** sont amenés à **interdire l'acquisition** de terrains ou d'immeubles par les étrangers pour éviter d'être submergés (Danemark) et ailleurs le prix du foncier augmente alors même que les agriculteurs disparaissent.

Ces **néoruraux** ont une **approche** du rural essentiellement **récréative**, par opposition aux **agriculteurs et ruraux de souche** pour lesquels il s'agit **d'espaces productifs**. D'où des **tensions** multiples que la politique européenne contribue à alimenter du fait de ses **politiques environnementales** (Natura 2000) et de l'importance croissante du « **second pilier** » dans la politique agricole commune. Les **agriculteurs** ont ainsi de plus en plus l'impression d'être **dépossédés** de leur propre **espace de vie et de travail**.

**Évolution du nombre de Britanniques par régions du Sud-Ouest de la France**

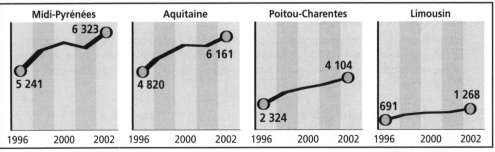

*Source : Sud-Ouest, 29 janvier 2005*

# 49 Sylviculture et filière bois

*La **forêt** couvre 42 % du territoire européen (UE-27). Ses rôles sont multiples : **paysager, récréatif, environnemental** (piège à carbone, production d'énergie renouvelable... ), mais aussi **base d'activités industrielles** multiples qui constituent la filière bois. Elle fait travailler 3,4 millions de personnes dans la foresterie et les industries dérivées. Oubliée par le traité de Rome et **hors de la PAC**, la sylviculture est un domaine ouvert à la **concurrence mondiale**. Mais l'UE a pris conscience de son importance et met en place une **politique spécifique** depuis 2006.*

## 1 Forêts : un potentiel inégal

### A. Dans son existence

La **répartition** en est très **inégale**. Parmi les pays les plus boisés, on compte la Finlande (66 % de son territoire), la **Suède** (59 %), la **Slovénie** (57 %). L'Espagne (près de 16 millions d'hectares), la France (14,8 millions d'hectares) et l'Allemagne sont de grands pays forestiers, mais une part de ces superficies boisées est couverte de formations très pauvres (Espagne : 50 %). **L'entrée des PECO** a considérablement accru le potentiel européen. La **Pologne**, avec un taux de boisement de 28 % (près de 9 millions d'hectares), dispose de la plus importante forêt d'Europe centrale et orientale, mises à part les immensités russe et ukrainienne. Elle est devenue déjà **le troisième fournisseur mondial de bois brut du géant suédois de meubles en kit, Ikea**. Si la Hongrie est faiblement boisée, la **Roumanie**, avec un taux de 26 % et une forte proportion de feuillus, a une forêt assez semblable à celle de la France.

### B. Dans son exploitation

Suède, Finlande, Allemagne, France sont aux premiers rangs pour la **production de bois rond**. Autres facteurs de diversité : **la nature des bois** (33 % de feuillus surtout en Europe du Sud, 66 % de conifères principalement en Europe du Nord), **le statut de la forêt** (33 % de forêt publique, domaniale et communale avec des différences importantes selon les pays) et ses **modes de gestion** (forêt jardinée depuis le XIXe siècle en Allemagne, forêt nordique entretenue en Suède et Finlande) et d'exploitation.

L'élargissement aux pays de l'Est a permis à l'Union européenne de dépasser la production de bois du Canada et de se rapprocher de celle des États-Unis. Les progrès de la productivité agricole favorisant un certain **reboisement**, l'amélioration des infrastructures permettant **l'accessibilité des forêts**, **l'apport de capitaux privés** aussi devraient entraîner une montée en puissance de la filière bois des PECO. Ces derniers devraient représenter **50 % du bois scié européen à l'horizon 2020**. La concurrence interne en est stimulée : la moitié de la production de bois roumaine et slovène est exportée vers l'Italie.

## 2 L'économie : la filière bois

### A. Une ressource importante

Le bois demeure **une matière première recherchée**. Elle est à la base d'une vaste gamme d'industries (du papier aux meubles... ), l'ensemble constituant **la filière bois**, qui emploie plus de 2 millions d'actifs. Le degré de modernisme de ces industries est inégal : très poussé au Nord, encore semi-artisanal au Sud, en retard à l'Est.

### B. Des valorisations inégales

**L'UE produit près de 20 % du bois rond industriel dans le monde** (2e rang après les États-Unis). **Elle est au 1er rang pour le papier et le carton.**

L'UE est donc presque autosuffisante. Elle importe cependant des bois tropicaux, malgré l'existence de la forêt guyanaise sous-exploitée.

Mais elle exporte aussi, d'autant qu'**il s'agit d'un marché mondialisé**, non soumis à la préférence communautaire et dominé par de grandes firmes multinationales : si les firmes scandinaves sont parmi les plus importantes (UPM-Kymmene pour la Finlande ; Svenska Cellulosa et Stora pour la Suède), des sociétés britanniques (Arjo-Wiggins-Appleton), allemandes (Buhrmann), voire irlandaises (Smurfit), ont un rôle majeur sans lien parfois avec une ressource nationale.

# ③ Vers un tournant ?

## A. Les enjeux du bois

La forêt est actuellement perçue de deux points de vue : comme **un gisement de matière première**, mais aussi comme **un élément de l'environnement**. Les menaces qui pèsent sur elle entraînent des réactions de protection écologique qui peuvent freiner sa mise en valeur (Allemagne). Enfin la réforme de la PAC, avec l'extensification et le gel des terres, la prend en compte : des **primes au reboisement**, des programmes de protection et de valorisation se mettent en place depuis 1988 et surtout 1992 (Comité permanent forestier).

Le bois représente **une ressource renouvelable**, de plus en plus prise en compte dans le bilan énergétique (**les granulés de bois** représentent une option intéressante pour un chauffage moderne). Le **bois d'œuvre** présente aussi de plus en plus d'attraits car sa production consomme **peu d'énergie fossile**, contrairement au ciment, à l'acier ou à la terre cuite. Enfin, les forêts représentent de véritables **puits de carbone**. Les enjeux écologiques et environnementaux du bois sont donc considérables à l'heure des économies d'énergie et de la lutte contre le réchauffement climatique.

## B. La dimension internationale

**La Commission a proposé un plan de cinq ans (2007-2011)** avec quatre objectifs (améliorer la compétitivité à long terme du secteur forestier, protéger l'environnement, améliorer la qualité de la vie, accroître la coordination intersectorielle et la communication) qui se décline en dix-huit actions clés. Il n'existe pas d'instrument financier spécifique, le FEDER, le FEADER, Life + s'en chargent.

Cependant la maîtrise de la filière bois a aussi une **dimension internationale**. Quelle est l'empreinte écologique des bois bruts exportés de Russie vers la Chine et « réimportés » en Europe sous forme de produits finis (cuisines par exemple) ? De même, la Commission s'efforce, depuis 2003, de lutter contre le « **bois illégal** », originaire essentiellement d'exploitations africaines, conduites en espace protégé. En France, seuls 13 % des bois commercialisés disposeraient du label FSC, garant des exigences sociales et environnementales. La « **traçabilité** » du bois est devenue un enjeu majeur de la filière.

---

### La forêt ne gagne plus de terrain en France

*C'est la rupture d'une tendance historique de plus d'un siècle : en 2008, la forêt a cessé de gagner du terrain en France, après une progression continue pendant plus de cent cinquante ans. Ce tournant majeur dans l'occupation du territoire a été observé par les statisticiens du ministère de l'Agriculture, dont l'enquête Teruti sur l'utilisation du territoire a été publiée fin 2009 (Agreste, Chiffres et données, n° 208). Menée chaque année depuis les années 1960, l'enquête observe l'occupation des terrains sur plus de 300 000 points du territoire. En 2008, il est apparu que les sols boisés reculaient (16,946 millions d'hectares) par rapport au relevé précédent (16,974).*

Source : Le Monde, 8 février 2010.

*Ce tournant s'inscrit dans un phénomène général et continu de conversion des terres agricoles vers d'autres usages : jusqu'à présent, ce mouvement s'opérait partie par boisement, partie par urbanisation. C'est maintenant l'urbanisation, ou « artificialisation des sols », qui absorbe les terres agricoles abandonnées.*

# 50 Pêche et aquaculture européennes

## Nombre de navires dans l'UE

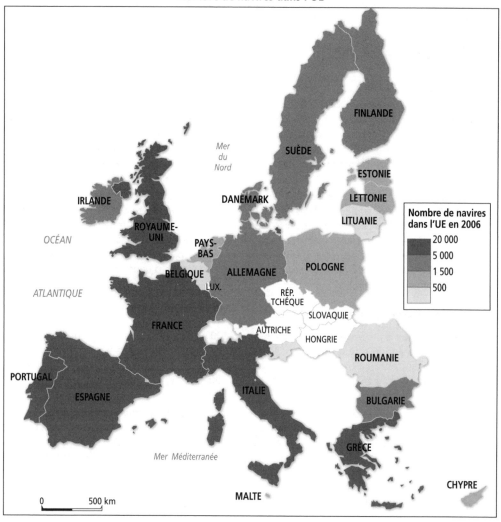

**Nombre de navires dans l'UE en 2006**
- 20 000
- 5 000
- 1 500
- 500

0 — 500 km

*L'UE-27 demeure la **quatrième « puissance halieutique »** mondiale (en tonnage, pêche et aqua-culture) derrière la Chine et le Pérou. Cependant, la pêche est **un secteur sinistré** : pour l'UE-27, les captures sont passées de **7,4 % à 4,6 % du total mondial** en quelques années seulement, entre 2002 et 2010. Ces difficultés s'inscrivent dans le contexte d'**une crise globale de la pêche** : aquaculture exclue, les captures mondiales, après avoir stagné une dizaine d'années, ont sensiblement fléchi depuis 2006. Sous l'effet de la pêche industrielle (1 % de la flotte mondiale assure la moitié des prises), **près de 80 % des stocks mondiaux** de poissons sont désormais totalement exploités ou **surexploités**.*

## ① Les pêches européennes

### A. Le bilan

En 2006, l'**UE-27** a réalisé une production totale (pêche et aquaculture) de près de **7 millions de tonnes**. Les captures de la pêche européenne proviennent pour l'essentiel de l'Atlantique du Nord-

Est (60 % des prises). Quelques unités de grande pêche s'appuyant sur les accords conclus avec des pays tiers travaillent dans l'Atlantique Sud et l'océan Indien. En additionnant l'aquaculture et la pêche, **l'Espagne vient en tête** de la production européenne (1 million de tonnes), devant **le Danemark** (0,895 Mt), la France (0,853 Mt) et **le Royaume-Uni** (0,79 Mt). Ces quatre pays représentent plus de la moitié du total des pêches de l'UE-27. La pêche communautaire ne couvre pas les besoins, ni en espèces à usages industriels ni en espèces coûteuses. Les importations européennes, qui dépassent en valeur 5 milliards d'euros, sont deux fois plus importantes que les exportations.

## B. Les flottes nationales

Au cours des quinze dernières années, la capacité de **la flotte de pêche de l'UE a diminué** à un rythme annuel de 1,5 % en termes de tonnage et de 2 % en termes de puissance. Malgré les élargissements de l'UE en 2004 et 2007, **le nombre de bateaux en 2011 s'élevait à 80 000 pour l'UE-27**, soit 26 500 de moins que dans l'UE-15 de 1995.

Les navires industriels de plus de 500 tjb (tonneaux de jauge brute) sont minoritaires. Ces flottes de gros chalutiers sont concentrées dans l'Europe du Nord-Ouest : Danemark, Allemagne, Pays-Bas, Royaume-Uni, Irlande et France du Nord (Intermarché est le plus gros armateur français). **Les flottes artisanales caractérisent l'Europe du Sud** (Espagne, Portugal) et surtout la Méditerranée. L'Espagne et l'Italie comptent encore 14 000 navires chacune, quand le Danemark en compte moins de 3 000.

## C. L'ampleur des problèmes

Les débarquements dans les ports européens ont chuté de 27 % en volume et de 18 % en valeur depuis 1992. **Les limitations de prises (quotas)** et la succession des mesures visant à réduire les flottes apparaissent aux yeux des pêcheurs comme des injustices. D'où la difficulté des négociations et le recul très lent des flottes. **L'effectif de pêcheurs diminue de 8 000 par an.**

Face aux pressions du monde de la pêche et aux risques d'explosion sociale dans certaines régions, on constate **une incapacité politique majeure** de la part des gouvernements des États membres beaucoup plus que de l'Union elle-même. En 20 ans d'existence, la Politique commune de la pêche (PCP) n'est jamais parvenue à élaborer une politique cohérente de gestion de ce secteur, qu'il faudrait d'ailleurs articuler avec les politiques environnementales, qui souffrent des mêmes carences (pollutions marines). **Le Fonds européen pour la pêche (FEP)** dispose pour 2007-2013 de 3,8 milliards d'euros pour tenter de maîtriser ces problèmes environnementaux et humains.

# 2 L'aquaculture

## A. Des activités traditionnelles

Certaines régions et pays d'Europe ont des traditions importantes, en particulier en matière de **conchyliculture** : l'Espagne est un producteur important de moules (192 000 tonnes, près de 50 % de la production communautaire mytilicole) et **la France est surtout ostréicole** (158 000 tonnes, 90 % de la production totale). Mais la **pisciculture** n'est pas non plus une nouveauté : réservoirs à poissons des marais et estuaires côtiers, élevages en eau douce... existent depuis l'Antiquité.

## B. De nouvelles perspectives

Les techniques nouvelles permettant le développement de l'aquaculture ouvrent de nouvelles perspectives. En 2006, l'Espagne est au premier rang (264 000 tonnes) suivie par la France (250 000 tonnes), l'Italie et le Royaume-Uni (180 000 tonnes chacun). **Des aides communautaires ont permis de multiplier les élevages extensifs ou intensifs** de saumons, turbots, daurades, bars... Cependant, il ne peut s'agir d'une panacée : les concurrences sont rudes (saumon du Chili), l'extensif est peu rentable et l'intensif très fragile, sensible aux pollutions et aux maladies. En outre, les sites sont limités, disputés par le tourisme ou l'urbanisation, et menacés par les pollutions urbaines ou agricoles. L'utilisation fréquente d'antibiotiques est dénoncée par les associations de consommateurs.

**La production aquacole de l'UE-27 est d'environ 1,3 million de tonnes** pour une valeur de près de 3 milliards d'euros. L'aquaculture de l'UE représente **18,4 % du volume total de la production de la pêche** communautaire et 2 % de la production aquacole mondiale. Total auquel il conviendrait d'ajouter les 490 000 tonnes produites par la Norvège, qui occupe le premier rang au sein de l'EEE. La croissance mondiale est forte (10 %) alors que celle de l'Europe est modérée (3 %), en raison notamment des contraintes environnementales (mais les risques de dérive par le recours au génie génétique s'accroissent). Seul le Japon a une production aquacole égale à celle de l'UE. Cependant, il existe là **une vraie opportunité**, en particulier dans les régions où la pêche en mer décline.

# 51   L'Europe bleue : la PCP

*La Politique commune de la pêche (PCP) a été prévue dès le traité de Rome comme un volet spécifique associé à la PAC. Il y a donc similitude entre ces politiques, le FEOGA intervient d'ailleurs dans la PCP.*

## 1 Les principes de la PCP

### A. Trois volets majeurs

La PCP porte d'abord sur la pêche elle-même : le principe majeur est **l'égalité d'accès des pêcheurs des États membres de l'UE aux eaux territoriales de chacun**.

À cela s'ajoutent **des accords avec les pays tiers** pour permettre aux pêcheurs communautaires de puiser dans des ressources externes (accords de réciprocité avec la Norvège, droits de pêche avec des pays tropicaux…). Ce volet est complété par une **politique des structures** visant à favoriser la modernisation, l'adaptation et la réduction de la flotte communautaire.

Le troisième volet porte sur **l'organisation commune des marchés** avec, comme pour la PAC, la fixation de prix d'orientation et de prix de retrait, avec préférence communautaire et normes communes de commercialisation.

### B. Une mise en place progressive

En fait, ce n'est qu'en 1966 que la question de la PCP est abordée sur la base de la conférence de Londres de 1964 : la zone côtière des 6 milles est réservée aux pêcheurs nationaux, et de 6 à 12 milles des droits de pêche sont concédés sur des bases traditionnelles. Mais **c'est en 1970 seulement que les trois volets de la PCP sont élaborés**. Par la suite, l'entrée de nouveaux membres (1972 : Danemark, Irlande, Royaume-Uni ; 1986 : Espagne, Portugal) engendre de multiples problèmes, mais aussi **la création de zones économiques exclusives de 200 milles** (accords de La Haye, 1976). Cette ouverture est également la cause de la raréfaction de la ressource et de la nécessité de la préserver.

## 2 Des problèmes multiples

### A. Un contexte malthusien

La **raréfaction de la ressource halieutique** est patente pour les espèces nobles (morue, hareng…), dont on prélève de plus en plus les individus avant qu'ils n'aient été en âge de se reproduire. **Le thon rouge est en voie d'extinction en Méditerranée**.

Il en découle la fixation de **Taux admissibles de capture (TAC)** par espèce et par zone (répartis entre pays sous forme de quotas), avec des calendriers précis, mais aussi des réglementations concernant la **taille des prises et l'interdiction des filets dérivants** de plus de deux kilomètres et demi à partir de 2002. La rentabilité de la pêche est faible, toute restriction est une menace pour les armateurs et les pêcheurs.

### B. Les intérêts nationaux

Dans ce contexte, **chaque pays s'efforce de protéger ses ressources et ses pêcheurs**. Le problème s'est posé en 1972 avec l'entrée du Royaume-Uni et du Danemark. La prise en compte de la création des ZEE a permis la redéfinition de la PCP (1983). Le problème s'est de nouveau posé en 1986 avec l'entrée de l'Espagne et du Portugal et, malgré les aménagements, les tensions entre pêcheurs demeurent vives.

L'élargissement aux pays scandinaves promettait des problèmes supplémentaires, mais le refus norvégien d'adhérer à l'UE maintient le statu quo. La mer Baltique, qui souffre de multiples pollutions (dioxine), s'intègre dans le système maritime communautaire.

## C. La politique structurelle et de commercialisation

La PCP doit également et de façon impérative réduire les flottes existantes : **le Comité permanent des structures de la pêche (CPSP)** met en œuvre des Programmes d'orientation pluriannuels (POP) qui visent **à réduire et à moderniser les flottes nationales** afin de maintenir l'équilibre entre ressources halieutiques et prélèvements.

Le monde de la pêche souffre aussi des concurrences croissantes de **produits extra-communautaires**, qui obligent à des taxations pour maintenir les « prix de retrait » à des niveaux supportables, mais qui engendrent des mouvements de protestation souvent violents de la part d'hommes et d'entreprises aux abois, alors que l'Europe importe beaucoup plus qu'elle n'exporte **(60 % du poisson consommé est importé)**.

# ③ La réforme de la PCP

## A. La réforme de 2002

Cette réforme s'efforce de faire prévaloir **une approche à long terme** avec des **modes de gestion pluriannuels** de la ressource. Elle recherche aussi **une meilleure application des règles**.

Face à la raréfaction de la ressource, la Commission a proposé en 2002 **un plan drastique de réduction des flottes** (destruction de 8 600 navires, 8,5 % de la flotte) pour 2006. Le Fonds européen pour la pêche (**FEP**) est désormais l'instrument financier de la PCP. **Adopté pour sept ans (2007-2013), il est doté d'un budget total d'environ 4,3 milliards d'euros** (658 millions d'euros en 2011)

## B. Une nouvelle réforme prévue pour 2013

La **hausse du prix des carburants** a encore accru les tensions à la fin de 2007. Le réexamen de la PCP effectué par la Commission a abouti en 2009 à l'adoption d'**un *Livre vert* sur la réforme de la Politique commune de la pêche**. Celui-ci cherche surtout à lancer un débat dans la perspective d'**une nouvelle réforme qui sera proposée au Parlement et qui devrait entrer en vigueur en 2013**.

Selon le *Livre vert*, 88 % des stocks européens de poisson sont surexploités (contre une moyenne mondiale de 25 %). Par exemple, 90 % du cabillaud présent en mer du Nord serait capturé avant d'avoir pu se reproduire. Quelques pistes sont proposées : l'accélération de la réduction des flottes, **le remplacement des quotas de capture nationaux par des quotas individuels** que chaque pêcheur pourrait vendre ou échanger sur un marché privé, fin 2007.

---

### La pêche au thon rouge bientôt interdite ?

*La Commission européenne a proposé lundi que l'Union européenne soutienne l'interdiction courant 2011 du commerce international du thon rouge de l'Atlantique. Cette position doit maintenant être entérinée par les vingt-sept membres de l'Union qui devront présenter une proposition commune lors de la prochaine réunion de la CITES, à Doha.*

*La CITES, Convention sur le commerce international des espèces de faune et de flore sauvages menacées d'extinction, contrôle et réglemente le commerce international des spécimens des espèces protégées. La prochaine réunion de la CITES aura lieu du 13 au 25 mars (2010), les Européens devraient donc y demander le classement du thon rouge dans l'annexe 1 des espèces protégées. Ce classement entrainera de facto l'interdiction du commerce international du thon.*

*Néanmoins les discussions au sein de cette instance promettent d'être houleuses car le Japon a d'ores et déjà annoncé son intention de tout faire pour éviter ce classement. Ce pays est en effet le premier importateur et consommateur de thon rouge au monde. Certains pays européens, dont la France, entendent également se battre pour faire autoriser une pêche traditionnelle dans les eaux européennes pour une consommation au sein de l'Union.*

*Source : Science-et-Avenir.com, 22 février 2010.*

# Conclusion

## Les pôles de compétitivité

Source : DIACT, 2007.

# Chapitre 4

# Les services

L'**Europe**, avant même l'édification de la Communauté, disposait dans ce domaine d'**atouts nombreux** : foyer primordial de la révolution industrielle, son équipement en **infrastructures de transports** était le plus dense du monde.

Les économies européennes avaient d'**anciennes traditions marchandes** et s'étaient adaptées aux mutations multiples : la City de Londres a su demeurer un centre majeur de services financiers malgré la puissance de Wall Street… Et l'Europe était toujours un **foyer culturel** essentiel qui drainait les **touristes** du monde entier.

La construction d'un Marché commun, puis d'une **Union européenne**, n'ont fait que **conforter ces orientations**, tant pour des besoins internes accrus que vis-à-vis du reste du monde, même si dans ces domaines, comme en ce qui concerne l'appareil productif, l'**unification n'est pas chose facile**. Le processus est à l'œuvre ; il est loin d'être achevé. Il est même dans nombre de cas **mis en question** par la **globalisation** et ses nouveaux vecteurs, ainsi de la Net-économie.

# 52 La révolution tertiaire

**Ventilation du nombre d'entreprises dans l'économie non financière de l'UE-27**

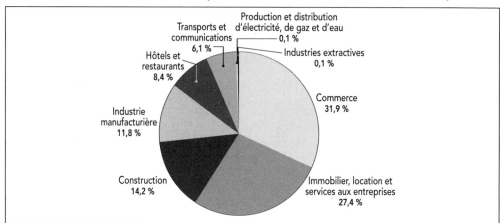

Source : Eurostat, 2009.

*L'Europe a connu, depuis la Seconde Guerre mondiale, une forte tertiarisation de son économie, synonyme de modernisation. En 1970 encore, l'industrie arrivait en tête pour la valeur ajoutée totale, elle est aujourd'hui distancée par le tertiaire aussi bien en termes de richesse que d'emploi.*

## 1 Les ambiguïtés du tertiaire

### A. Un secteur hétérogène

Le secteur tertiaire est un ensemble fourre-tout comprenant ce qui n'est pas du domaine agricole ni industriel. Économistes et statisticiens ne s'accordent pas toujours sur les définitions qui varient aussi d'un pays à l'autre.

La classification de l'INSEE distingue :
- **le tertiaire marchand**, qui inclut les secteurs ou les branches suivantes : commerce, transports, télécommunications, services marchands, assurances, organismes financiers, faisant l'objet de ventes et d'achats sur le marché ;
- **le tertiaire non marchand**, financé principalement par l'impôt : services d'administration générale, centrale ou locale, services rendus par les organismes de prévoyance, de sécurité sociale, services récréatifs, culturels, sportifs, services divers ;
- **certains services sont en partie marchands et en partie non marchands** comme l'enseignement et la santé.

### B. Un monde flou

Le secteur tertiaire est si important dans les sociétés développées que l'on a parlé de **sociétés postindustrielles**, voire immatérielles, succédant à l'âge de l'agriculture puis de l'industrie. En fait, **tertiaire et secondaire sont dépendants, complémentaires.** Les « services » sont soit intégrés dans les entreprises industrielles (gestion, services informatiques) et comptabilisés dans le secteur secondaire, soit de plus en plus **externalisés**, c'est-à-dire achetés par les entreprises (nettoyage, ingénierie, conseil, publicité…) et sont alors comptabilisés dans le secteur tertiaire. Il y a dans ce cas un simple « déplacement statistique ».

## C. Des besoins accrus

Ils apparaissent avec le vieillissement de la population européenne (santé), l'importance croissante de l'activité féminine, la diminution du temps de travail (loi des 35 heures en France). Les services concernés par l'**amélioration de la qualité de la vie**, la **protection de l'environnement** seront de plus en plus sollicités.

# ❷ Le poids du tertiaire

## A. En termes de richesse

En 1970, les services constituaient environ la moitié de la valeur ajoutée totale générée en Europe contre 70 % aujourd'hui. Ce chiffre est comparable à celui des États-Unis. Le tertiaire marchand contribue à la moitié de la valeur ajoutée créée par l'ensemble de l'économie de l'UE. Ce chiffre représente deux fois et demie la valeur ajoutée de l'industrie manufacturière. Les **services non marchands** génèrent 15 % de la valeur ajoutée totale.

Parmi les services qui ont connu les plus forts taux de croissance annuels moyens du chiffre d'affaires ces dernières années, on peut citer : les services informatiques, les autres services aux entreprises, les transports et les communications, le commerce de véhicules à moteur.

## B. En termes d'emploi

**70 % des emplois** de l'UE sont des emplois tertiaires. Ils n'étaient que 45 % dans les années 1970. Dans l'économie marchande non financière, les emplois les plus nombreux concernent : le commerce (24,5 %) ; l'immobilier, location et services aux entreprises (18,4 %). La construction et les transports-communications emploient chacun 10 % de la main-d'œuvre. Au cours des deux dernières décennies, les services ont été les seuls créateurs nets d'emplois.

**Les PME de « services »** sont très nombreuses. Elles sont bien représentées dans le secteur du commerce (plus de 40 % des entreprises), de l'hôtellerie, de la restauration, des communications et des services fournis aux entreprises.

## C. En termes d'échanges

Les pays européens sont parmi les premiers pays exportateurs de services[1] dans le monde. La balance des services est restée excédentaire dans l'UE-27 malgré la crise. L'excédent est de 44,8 milliards d'euros pour les trois premiers trimestres de 2009.

Malgré un tassement, la balance des services de la France est excédentaire de 11,6 milliards d'euros en 2009.

---

1. Le compte des services comprend les rubriques suivantes : services de *transport* fournis par les résidents de l'UE aux non-résidents de l'UE ou vice versa, impliquant le nombre de passagers, le fret, la location de moyens de transport avec leur équipage et les services auxiliaires et connexes qui s'y rapportent ; *voyages* recouvrant essentiellement les biens et les services acquis par les voyageurs de l'UE auprès de non-résidents de l'UE ou vice versa, et *autres services*, au nombre desquels figurent les transactions de services telles que les services de communication ou d'assurance, les services financiers, etc.

# 53 Distribution : économies d'échelle et développement international

**Chiffres d'affaires des distributeurs alimentaires européens en 2008** (TTC, milliards d'euros)

| | | |
|---|---|---|
| 1 | **Carrefour** *(France)* | **97** |
| 2 | **Metro** *(Allemagne)* | **68** |
| 3 | **Tesco** *(Royaume-Uni)* | **67,1** |
| 4 | **Schwarz** *(Allemagne)* (Lidl, Kaufland) | **48,8** |
| 5 | **Auchan** *(France)* | **48,3** |
| 6 | **Rewe** *(Allemagne)* | **45** |
| 7 | **Edeka** *(Allemagne)* | **43** |
| 8 | **Aldi** *(Allemagne)* | **43** |
| 9 | **ITM** *(France)* | **34,8** |
| 10 | **Leclerc** *(France)* | **34,7** |

*Source : rapports d'activité, Ubifrance.*

## ❶ L'Europe de la distribution

### A. Les chiffres

Le nombre de sociétés de distribution est très élevé dans l'UE. Le commerce de détail fournit plus de la moitié (56 %) des emplois du commerce et représente moins d'un tiers (29 %) de son chiffre d'affaires.

**L'UE est globalement suréquipée en ce qui concerne par exemple la distribution alimentaire**. Les ventes au détail sont effectuées par des magasins spécialisés (pharmacies, boucheries) ou non spécialisés (supermarchés ou grands magasins). Moins de 14 % du chiffre d'affaires des ventes au détail de produits alimentaires, boissons, tabacs proviennent des magasins spécialisés, le reste provient des magasins non spécialisés.

### B. Les divergences entre les pays européens

La structure du commerce de détail varie considérablement d'un pays à l'autre. Les pays du Sud affichent généralement une part importante de magasins spécialisés alors que, dans le nord de l'Europe, hypermarchés et centres commerciaux à la périphérie des villes assurent l'essentiel des ventes.

**L'Europe de la consommation correspond aux quatre pays les plus peuplés** : l'Allemagne, la France, le Royaume-Uni et l'Italie. Un Allemand dépense plus que les autres européens (quatre fois plus que le Portugais).

**La concentration est déjà faite pour les pays du Nord** comme la France et l'Allemagne. En Italie, Espagne, Grèce et Portugal le nombre d'entreprises de commerce de détail est proportionnellement plus élevé, c'est ici que les disparités seront les plus nombreuses du fait des restructurations en cours.

Les obstacles à la mise en place d'un marché unique : diversité des taux de TVA, réglementations nationales, différences dans les habitudes de consommation, ne semblent plus être un obstacle à la concentration.

## ② Les groupes européens se montrent très actifs en matière de fusions et acquisitions

### A. L'exemple français

En l'espace de vingt ans, la part de marché des cinq premiers distributeurs alimentaires français est passée de 30 % à 96 %. Ceci résulte d'un mouvement de fusions-acquisitions d'une grande ampleur : rachat d'**Euromarché** par **Carrefour** en 1991, de **Rallye** par **Casino** en 1996, de **Docks de France** par **Auchan** en 1998, des **Comptoirs modernes** par **Carrefour** et enfin en 1999 l'**OPE** de **Carrefour sur Promodès** (Continent et Champion).

Les groupements d'indépendants se sont rapprochés, **Leclerc** et **Système U** ont créé une centrale d'achat commune. Les groupements d'indépendants **Leclerc** (17 %), **Système U** (8,7 %) et **Intermarché** (11,6 %) réalisent 37 % des ventes alimentaires en France. Carrefour (14 %) et Auchan (10 %) sont plus diversifiés.

Le groupe Auchan contrôle des sociétés comme la banque Accor, Decathlon, Leroy-Merlin, Kiabi, Norauto, Boulanger, Saint-Maclou, 3 Suisses, Flunch, Alinéa, Grosbill.

### B. La concentration :

– suscite des inquiétudes chez les concurrents européens de Carrefour-Promodès ; c'est le cas de **Tesco** (Royaume-Uni), **Ahold** (Pays-Bas), **Metro** (Allemagne). Les **groupes européens** sont également actifs en matière de fusions-acquisitions. Ahold a racheté les espagnols **Kampio** et **Superdiplo**, et a pris 50 % de participation dans le capital du n° 1 suédois **Ica** ;
– pose la question de la **concurrence** ; la Commission de Bruxelles doit donner son aval aux projets de fusions-acquisitions ;
– **inverse les rapports de force entre producteurs et distributeurs** au profit des seconds. Carrefour fédère avec ses filières plus de 30 000 agriculteurs français. Les risques de déréférencement des petits producteurs font peser sur eux une menace permanente issue de l'essor des grandes marques de distributeurs (MDD) et de leurs centrales d'achat.

### C. Une concurrence effrénée

Carrefour est désormais talonné en Europe par Metro et Tesco. Ce dernier est leader de la distribution au Royaume-Uni avec 30 % de parts de marché. Son succès ne vient pas des prix bas mais de l'attention qu'il porte à la demande par l'intermédiaire de ses produits de marque du distributeur (MDD).

Les hypermarchés sont concurrencés depuis 1991 dans le domaine alimentaire par le *hard discount* venu d'Allemagne (**Lidl, Aldi**), qui pratique des prix bas. Les groupes ont réagi en créant leurs propres marques : Carrefour a créé ED, Intermarché Netto et Casino Leader Price. Le *maxidiscompte* gagne du terrain en France, près de 70 % des ménages sont désormais acheteurs. Il progresse surtout par l'augmentation du parc de magasins qui répond à une demande de plus en plus forte et rivalise avec la grande distribution alimentaire classique.

**Les grandes surfaces se sont orientées vers les produits non alimentaires.** Leclerc est devenu le « premier bijoutier et premier libraire de France », Carrefour vend de l'assurance, des voyages, il envisage de créer la première banque en ligne grand public.

**L'Allemagne est au premier rang mondial pour la vente par correspondance (VPC).** La France se situe au deuxième rang, La Redoute (groupe Pinault-Printemps) dominant le secteur.

Les grands groupes sont en train de mettre les hypermarchés « en ligne ». Les clients peuvent passer leurs commandes sur Internet pour être livrés à domicile. Et ces groupes passent désormais au système « drive » (le client passe sa commande et vient la chercher directement à un comptoir de livraison réservé aux voitures).

**L'élargissement** à l'Est ne modifie pas la donne pour la grande distribution. Alors qu'il a fallu en France trente ans au commerce moderne pour s'installer, la transformation du paysage s'est opérée dans les PECO en moins de dix ans et les **grands distributeurs sont déjà installés.** Dès 2002, la grande distribution représentait 66 % du commerce de détail en **République tchèque**, 53 % en **Hongrie**, 31 % en **Slovaquie** et 24 % en **Pologne**. La concurrence entre les groupes européens y est déjà très forte.

# 54 Le groupe Carrefour : un leader mondial de la distribution

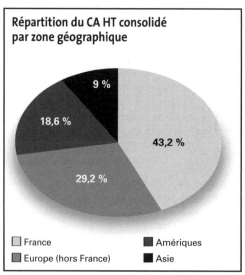

**Répartition du CA HT consolidé par zone géographique**

- 43,2 %
- 29,2 %
- 18,6 %
- 9 %

☐ France  ■ Amériques
☐ Europe (hors France)  ■ Asie

*Source : Carrefour, 2011.*

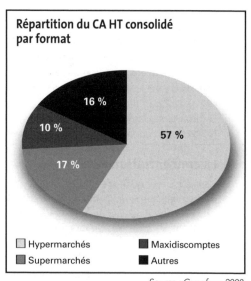

**Répartition du CA HT consolidé par format**

- 57 %
- 17 %
- 10 %
- 16 %

☐ Hypermarchés  ■ Maxidiscomptes
☐ Supermarchés  ■ Autres

*Source : Carrefour, 2008.*

*Avec un chiffre d'affaires HT de 81 271 milliards d'euros, Carrefour est le n° 2 mondial de la grande distribution derrière l'américain Wal-Mart, présent dans 33 pays avec 9 771 magasins.*

## ❶ Historique

### A. Les débuts

En 1960, Carrefour ouvre son premier supermarché à Annecy, en Haute-Savoie.

Le premier hypermarché de France est créé par Carrefour à Sainte-Geneviève-des-Bois (Essonne) en 1963, c'est un magasin de 2 500 m² avec 400 places de parking. Le concept de « tout sous le même toit » est inventé. L'action Carrefour est introduite à la Bourse de Paris en 1970.

### B. L'internationalisation et la croissance

En 1969, ouverture du premier hypermarché Carrefour à l'étranger, en Belgique. Les créations se multiplient : en 1973 en Espagne sous l'enseigne **Pryca**, en 1975 au Brésil, en 1995 en Chine, en 1997 en Pologne. Depuis les années 1980 se développent les magasins **maxidiscomptes** : Carrefour crée l'enseigne **Ed**. Les principes du **hard-discount** sont respectés : prix bas garantis, produits présentés dans leur emballage d'origine, encaissement rapide par cartes bancaires. En 1991, Carrefour achète les hypermarchés d'**Euromarché**.

### C. La naissance d'un géant de la distribution

En 1998, Carrefour prend le contrôle de **Comptoirs Modernes** : les hypermarchés **Mammouth** prennent l'enseigne Carrefour. **En 1999, OPE de Carrefour sur Promodès** (hypermarchés Champion et supermarchés Continent) **et constitution du premier groupe européen.**

Carrefour associé à Sears et Oracle crée **GlobalNetXchange**, premier marché mondial d'approvisionnement. Avec le lancement du supermarché en ligne **Ooshop**, le supermarché se déplace chez le consommateur. **Norte**, leader de la distribution alimentaire en Argentine passe sous le contrôle de Carrefour.

## ② Carrefour : « world company » à la française

### A. Une firme multinationale

Carrefour effectue plus de la moitié de son chiffre d'affaires hors de France et emploie 411 000 personnes. C'est l'un des dix plus grands employeurs dans le monde. Carrefour est n° 1 en Espagne, au Brésil, en Belgique, au Portugal, en Argentine, à Taïwan, en Indonésie. Après le rachat de Gruppo GS, il est le n° 2 en Italie. Il exploite 134 hypermarchés en Chine où il poursuit son développement. Il a acquis en 2007 neuf supermarchés Ahold en Pologne et envisage de se développer en Inde.

### B. Les activités et les enseignes

– **Les hypermarchés** (de 5 000 à 20 000 m²)
  Carrefour est présent dans 33 pays avec 1 348 hypermarchés : 652 en Europe (France : 205, Espagne : 166, Pologne : 84, Italie : 58, Belgique : 46, Grèce : 34, Turquie : 27, Roumanie : 25, Chypre : 7), 335 en Amérique du Sud (Brésil : 186, Colombie : 75, Argentine : 74), 361 en Asie (Chine : 203, Indonésie : 70, Taïwan : 60, Malaisie : 26, Singapour : 2) et 55 dans des pays partenaires franchisés (EAU, Japon, Arabie saoudite).
– **Les supermarchés** (de 1 000 à 2 000 m²)
  Carrefour est le premier opérateur de supermarchés en Europe (1 612) et hors Europe (167).
– **Le maxidiscompte** (de 200 à 800 m²)
  6 189 magasins dans le monde, 3e opérateur de maxidiscompte dans le monde.
– **Le commerce de proximité** (441 magasins)
  avec les enseignes Shopi, Marché Plus, 8 à huit et Di per Di.
– **Le cash and carry et le food service** (14 magasins)
  Pour les professionnels de l'alimentation et de la restauration.

### C. Les « produits » emblématiques

Certains « produits » ont fait la réputation et le succès de Carrefour et sont souvent des innovations. En 1976, Carrefour lance les **« produits libres »**, des produits sans marque, puis en 1985 des produits à marque. En 1992, création des premières Filières Qualité Carrefour, garantissant l'origine et la traçabilité des produits. Carrefour exploite la marque **« Reflets de France »**, qui se veut la garante du patrimoine gastronomique français. Les marques Escapades gourmandes « présentent des produits rares ou peu connus », **Carrefour Bio** propose des produits biologiques certifiés. Carrefour a créé dès 1981 sa propre carte de paiement, la **carte pass**, puis un service d'Assurances Carrefour.

### D. Un essoufflement ?

La stratégie qui reposait trop exclusivement sur les économies d'échelle est remise en cause. En 2008, des revendications portant sur les conditions de travail (caissières) et sur les salaires ont entraîné des grèves. Il s'agit aussi de mieux prendre en compte les nouvelles attentes des clients, qui se tournent de plus en plus vers le maxidiscompte. Carrefour, qui a résisté à la crise malgré la baisse de son chiffre d'affaires, cherche à rebondir en relançant le développement international sur les marchés émergents plus dynamiques que les marchés européens. Carrefour a annoncé en mars 2010 la fermeture de 21 magasins en Belgique et le licenciement de 1 700 salariés. Le groupe qui pèse six fois moins que Wal-Mart n'est pas à l'abri d'une OPA.

# 55 Ikea : premier distributeur mondial d'articles pour l'aménagement de la maison

## Les magasins du groupe Ikea

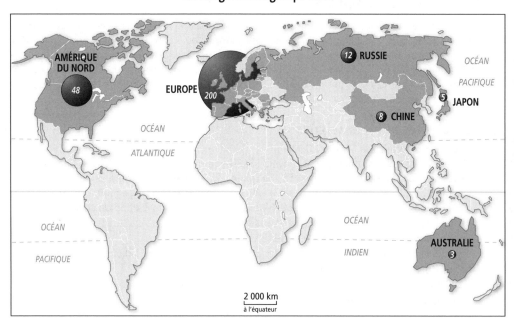

## 1 La « culture » Ikea

### A. Le démarrage

Ikea est fondé en **1943** dans le **sud de la Suède**, dans la province de Smäland, une région pauvre qui obligeait les gens à faire preuve d'ingéniosité. C'est cet héritage de simplicité et d'humilité que le groupe met en avant pour parler de la « **culture** » de l'entreprise Ikea. « **La simplicité est visible dans les méthodes de travail et les relations entre responsables et collaborateurs qui partagent les mêmes bureaux et déjeunent côte à côte au restaurant d'entreprise.** »

Le fondateur, Ingvar Kamprad, a 17 ans lorsqu'il crée Ikea, une entreprise qui vend des stylos, de la maroquinerie, des cadres, des bijoux et des bas en Nylon. Ce sont des objets utilitaires achetés à un prix de gros et revendus par le porte-à-porte. Ingvar Kamprad a l'idée de produire un catalogue de vente par correspondance et profite de la tournée du laitier pour faire livrer les produits. Dès 1947, les premiers meubles sont fabriqués par des artisans locaux. C'est parce que ses concurrents ont fait pression sur les fournisseurs pour qu'ils boycottent Ikea que la petite entreprise songe à créer ses propres modèles avec un bon design, ce qui restera une préoccupation majeure du groupe jusqu'à nos jours.

### B. Le concept Ikea : les paquets plats

Un employé ayant eu l'idée de démonter les pieds d'une table pour la transporter dans une voiture est à l'origine du concept d'Ikea : concevoir des meubles qui peuvent être conditionnés en paquets plats et montés par les clients eux-mêmes permet de réaliser de substantielles économies. Les meubles en paquets plats coûtent moins cher et sont plus faciles à transporter et à stocker. Optimiser le transport entre le fournisseur et le client permet d'associer rentabilité et écologie. L'autre idée d'Ikea est d'appliquer les solutions de rangement utilisées dans les cuisines à toute la maison. Le premier magasin ouvre à **Älmhult** en **1958** avec ses 6 700 m², c'est la plus grande exposition de meubles de Scandinavie. L'entreprise ne compte encore que cent salariés. Un magasin de 45 800 m² est ouvert à Stockholm en 1965. Son architecture circulaire s'inspire du musée Guggenheim à New York. Les clients se servent eux-mêmes dans les dépôts, ce qui ajoute un élément important au concept. L'idée est de vendre, à des prix bas, des produits d'aménagement de la maison, fonctionnels et esthétiques.

# ② Le groupe Ikea

## A. Un développement international

Aujourd'hui, Ikea s'est développé pour devenir un groupe international. Des magasins ont été ouverts en Suède, en Norvège et au Danemark. En **1973**, Ikea ouvre près de **Zurich** son premier magasin en dehors de la Scandinavie. Les magasins se sont développés en Europe, en Amérique du Nord et en Asie. Ikea a ouvert 15 nouveaux magasins en 2009-2010 (Chine, Japon…). Le catalogue Ikea a été imprimé à 198 millions d'exemplaires et dans 27 langues.

**Les principaux marchés** sont l'Allemagne (16 % des ventes), les États-Unis (11 %), la France (10 %), la Grande-Bretagne (7 %) et l'Italie (6 %).

**La puissance du groupe** : à la clôture de l'exercice 2010, le groupe emploie 127 000 personnes et possède 276 magasins dans 25 pays. Les magasins sont visités par 590 millions de personnes et le site Internet par 450 millions. Le chiffre d'affaires s'est élevé à 23,1 milliards d'euros pour l'exercice 2010, il était de 9,5 milliards d'euros en 2000.

## B. Un groupe privé

Le groupe Ikea appartient à une fondation, **Stichting Ikea Foundation**, basée aux Pays-Bas. La fondation détient **Ingka Holding B.V.**, également enregistrée aux Pays-Bas, depuis 2001, société mère de toutes les sociétés du groupe. Ikea est un groupe privé non coté en Bourse, il autofinance son développement. Ikea, propriétaire de la marque, a des accords de franchise avec chaque magasin Ikea dans le monde. Ikea est devenu un groupe international de sociétés, présent dans 55 pays ; cela va du développement de produits et de leur fabrication à la vente dans les magasins, en passant par les achats et la logistique (source Ikea).

## C. La mondialisation des achats

Le fonctionnement des achats repose sur 4 centrales d'achat, soutenues par 31 bureaux dans 26 pays. Il existe 1 220 fournisseurs d'Ikea dans 55 pays. **La Chine** est devenue le premier pays fournisseur : 20 % des produits Ikea. Viennent ensuite la Pologne (18 %), l'Italie (8 %), l'Allemagne (6 %) et la Suède (5 %). L'Amérique du Nord ne représente que 3 % des achats.

Ikea cherche des fournisseurs qui fabriquent ses articles au plus bas prix et s'adresse à des fabricants du monde entier. La société a mis en place un **Code de conduite Ikea (IWAY)** qui définit les conditions de travail et d'environnement pour les fournisseurs. Le travail des enfants est interdit, les fournisseurs doivent s'engager à ne pas utiliser le bois abattu dans des forêts vierges (FV) ou à haute valeur de conservation (FHVC). Le respect de ces règles parfois difficiles à contrôler est une exigence affirmée par le groupe, c'est aussi un bon argument de vente auprès des consommateurs.

## D. Une image de marque altérée ?

« Clients comblés, salariés heureux », l'image de marque d'Ikea faisant du groupe un être à part dans la grande distribution est-elle en train de se fissurer du fait de grèves inédites (en 2010 et 2011) de salariés qui réclament leur part des bénéfices réalisés par le groupe ?

# 56 L'Europe des services financiers : les banques dans la crise

**Classement 2010 des 20 premières banques mondiales par capitalisation boursière** (en milliards de dollars)

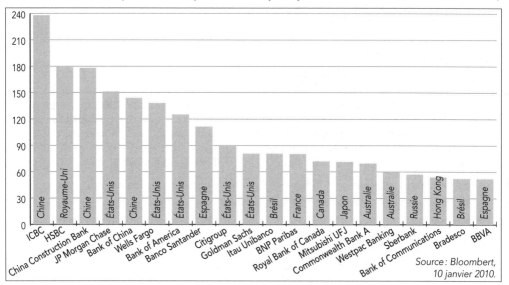

Source : Bloombert,
10 janvier 2010.

*Le secteur des services financiers est difficile à mesurer, c'est un secteur majeur qui offre plusieurs millions de postes de travail. Il concerne tous les autres secteurs de l'économie. On retiendra ici l'exemple du secteur bancaire qui est au cœur de la crise financière mondiale actuelle.*

## 1 L'Europe bancaire

### A. Il n'existe pas de type européen de gestion et d'organisation pour les banques

Les structures bancaires européennes, au contraire des États-Unis où il s'agit d'un seul ensemble, sont durablement marquées par l'histoire, c'est-à-dire par les frontières. Il existe en Europe une dizaine de banques internationales. Les banques européennes sont, dans l'ensemble, restées axées principalement sur leur marché domestique.

### B. La recomposition du secteur bancaire européen

**Le processus de libéralisation des services financiers est en cours depuis plusieurs années.** Une étape majeure a été franchie le **1er juillet 1990** avec la libre circulation des capitaux en Europe. L'achèvement du marché intérieur des services financiers a été **accéléré en 1993** par la plus grande liberté d'établissement et de prestation des services accordée aux banques à l'intérieur de la Communauté. Si les activités bancaires dites « de gros » sont bien intégrées, il n'en est pas de même des activités de détail qui font l'objet de réglementations nationales. **Le marché européen est aujourd'hui ouvert sur l'extérieur.** Acquisitions, prises de participation, OPE amicales ou hostiles redessinent la carte bancaire de l'Europe.

## 2 Plusieurs modèles de banques

Dans le secteur bancaire européen, on peut distinguer :

– **le modèle de banque universelle.** Une banque est dite universelle si elle dispose d'une forte présence internationale et propose une gamme complète d'activités (banque de détail, banque d'investissement et de financements, gestion d'actifs et services financiers spécialisés).

Ce modèle a été adopté en Allemagne et en Suisse dès le XIXᵉ siècle. En France, au Royaume-Uni et en Italie, ce choix est plus tardif. En France, le principe de banque universelle est introduit par la loi en 1967 ;

– **le modèle de bancassurance.** Il se développe suite à la disparition des frontières entre le secteur bancaire et les autres professions financières, il concerne d'abord le marché de l'assurance-vie ;

– **le modèle de la banque de gros.** Elle offre une gamme complète de produits aux moyennes et grandes entreprises, aux institutions et à l'État. La banque de gros exerce plusieurs types de métiers : la dette, les fusions-acquisitions et les actions. Le marché de la banque de gros est mondial, il reste dominé par les banques américaines, même sur le territoire européen.

# 3 La crise du capitalisme financier

## A. La crise américaine

Le **15 septembre 2008**, la banque **Lehman Brothers** se déclare en faillite. Elle est victime entre autres d'une crise des *subprimes* qui a éclaté un an plus tôt. Elle entraîne dans sa chute l'effondrement de la Bourse de Wall Street et la paralysie du crédit. Le vendredi 19 septembre, le secrétaire du Trésor, **Henri Paulson**, lance un plan de sauvetage pour éviter un effondrement général. Il s'agit de racheter des « **actifs toxiques** » diffusés par la « **titrisation** ». **Merrill Lynch**, autre banque d'investissement, est rachetée en catastrophe par Bank of America. **AIG**, le leader américain de l'assurance, est nationalisé et les organismes de refinancement hypothécaire **Fannie Mae** et **Freddie Mac** sont placés sous tutelle. Les deux grandes banques d'investissement du pays, **Morgan Stanley** et **Goldman Sachs**, acceptent un contrôle de la Fed en échange d'un financement de celle-ci.

## B. La crise atteint l'Europe

Les banques européennes détiennent de nombreux actifs toxiques dans leurs comptes et sont directement présentes aux États-Unis via leurs filiales. Après le renflouement de **Fortis** par l'État belge et les États néerlandais et luxembourgeois, la France et la Belgique interviennent pour sauver la banque **Dexia**. Le samedi 4 octobre 2008, les quatre pays européens membres du G7 (France, Allemagne, Grande-Bretagne et Italie) se retrouvent à l'Élysée et s'engagent à soutenir les banques. Le spectre de la crise économique se profile, on va assister au sauvetage du système financier international par l'intervention publique. Au sommet du **G20 réuni à Washington le 15 novembre 2008**, les Européens réclament plus de réglementation financière. La crise touche plus particulièrement l'Irlande pourtant protégée par l'euro et les PECO dont les monnaies chutent. Le FMI, associé à l'Union européenne et à la Banque mondiale, doit intervenir.

## C. Le G20 de Londres (2 avril 2009)

Les dirigeants de la planète s'accordent sur le préalable d'une meilleure régulation du système financier mondial pour un retour à la confiance et à la sortie de crise. Des mesures sont envisagées pour lutter contre les **paradis fiscaux** et le **secret bancaire**, pour **sécuriser** les banques qui devront augmenter leurs fonds propres et **renforcer les institutions internationales** comme le **FMI**, qui voit ses ressources tripler.

## D. Quelles banques après la crise ?

Après une année 2008 tragique, les grandes banques mondiales ont renoué en 2009 avec les bénéfices. Les normes dites de Bâle II sont destinées à mieux appréhender les risques bancaires mais la crise actuelle pose plus généralement la question de la définition d'un véritable système de gouvernance des banques et des modalités de son application. La crise de la dette dans la zone euro a affecté depuis 2010 dix-sept États européens. Les systèmes bancaires et les banques elles-mêmes ont fait l'objet de plan de sauvegarde en Irlande, en Grèce, en Italie, en Espagne et au Portugal.

# 57 TIC et Net-économie

*Après de nombreuses années de « crise », la dernière décennie du XXe siècle a été marquée par* **l'apparition de technologies nouvelles** *et par leur application dans tous les secteurs de l'économie et plus particulièrement les services : les* **TIC** *(Technologies de l'information et de la communication). Ces innovations, largement originaires des États-Unis, « explosent » en ce début de XXIe siècle et donnent naissance à* **une véritable galaxie qui va du high-tech au commercial**. *Elles sont à l'origine d'une bonne part de la* **croissance et des emplois** *d'aujourd'hui.*

## 1 La révolution Internet

### A. Une croissance exponentielle

La **révolution Internet** trouve largement son origine dans la guerre froide. Peu après le lancement par l'URSS du premier satellite artificiel, le Spoutnik, qui a été vécu comme un véritable traumatisme, les États-Unis créent dès 1957 l'agence de recherche ARPA (*Advanced Research Project Agency*), dont le rôle est de conduire la « guerre technologique ». En **1969**, ce service commence la mise en place d'un réseau mondial de communication à finalité militaire, qui ne dépend pas d'un seul centre névralgique susceptible d'être détruit lors d'une première frappe nucléaire : l'**ARPANET**, totalement occulté par son « descendant », Internet, en 1990.

Cette même année, l'Europe apporte sa pierre : **au CERN**, près de Genève, un informaticien américain, Tim Berners-Lee, et un ingénieur français, Roger Caillau, mettent en place sur Internet **un système hypertexte** très décentralisé : c'est « la Toile », le **World Wide Web** (WWW). Celui-ci prend toute sa dimension avec la naissance des moteurs de recherche, en particulier avec la fondation de **Google** en 1998 par deux étudiants de Stanford, Larry Page et Sergey Brin.

Les années 1990 sont celles d'une croissance fulgurante. Si on dénombre quelque 200 millions d'internautes dans le monde en 1999, on en recense **2 milliards en 2010**. Le krach des nouvelles technologies de 2000-2001 n'a que très brièvement interrompu les taux de croissance à deux chiffres.

### B. Retard et rattrapage européens

En Europe, **l'équipement des ménages en ordinateurs** a longtemps accusé **un net retard** sur les États-Unis, retard plus marqué encore pour **la connexion à Internet**. Le pourcentage des ménages ayant accès à Internet à domicile est en 2002 de 50,5 % aux États-Unis contre 40,4 % pour l'UE-15. Ce n'est qu'en 1999 que l'e-commerce commence vraiment en Europe.

Ces retards sont aujourd'hui en partie comblés. En 2010, le taux de connexion à Internet pour l'ensemble de **l'UE-27 atteint 70 %**. Certes, des inégalités internes à l'Europe perdurent : en 2007, le taux de pénétration atteint **83 % aux Pays-Bas et 19 % en Bulgarie**. L'Europe du Sud et certains pays de l'Est demeurent en retard. L'Europe du Nord en général, la Finlande, les pays baltes, et hors de l'Union elle-même, **l'Islande (taux de 88 %)**, ont des taux très élevés. Si la France ne s'affiche en 2007 qu'en milieu de tableau (49 %), elle a la dynamique de rattrapage la plus forte. En janvier **2010, la proportion des ménages français connectés à Internet atteint 63 %**.

Brusquement, des milliards de dollars se sont investis dans le commerce par Internet, **l'e-commerce** (taux de croissance de 4,2 % de 2008 à 2011). La proportion moyenne d'acheteurs en ligne atteint les **40 % de la population dans l'UE-27 en 2010**. La France se classe au-dessus de cette moyenne avec 49 % d'e-consommateurs, à la cinquième place d'un classement dominé par le Danemark (67 %). Les billets de transport, les vêtements, les voyages et les livres sont les produits désormais largement achetés sur Internet. La Vente à distance (VAD) progresse selon des taux à deux chiffres proches chaque année de 20 %. **66 % de la VAD sont désormais réalisés par l'e-commerce**, taux proche de celui des Américains (70 %)

# ❷ L'exemple des télécommunications

## A. La révolution technologique

**Pénétration des télécoms dans les foyers européens**

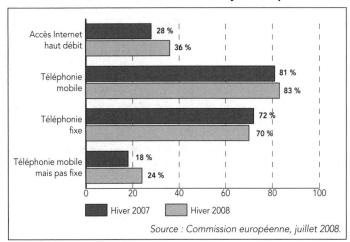

Source : Commission européenne, juillet 2008.

La grande mutation est le passage du fixe au mobile : partout dans le monde, la part du fixe régresse. Les marchés sont à maturité : en Europe, le taux de pénétration du téléphone mobile est de 128 % de la population totale en 2010. Cette progression est relativement homogène. Si, aux Pays-Bas, le nombre d'abonnés au téléphone mobile est de 20 millions pour 16 millions d'habitants, il en va de même en Espagne (50 millions d'abonnés pour 45 millions d'habitants) et les marchés ukrainien et turc dépassent désormais celui de la France, qui affiche cependant un taux de pénétration proche de 92 % en 2009. Le secteur génère un chiffre d'affaires considérable : 174 milliards d'euros en 2010 et fournit 1,7 million d'emplois.

L'autre grande mutation est le passage de la monofonctionnalité à la polyvalence : le téléphone transmet l'image, les données (SMS). La norme européenne GSM s'est imposée (80 % du marché mondial). **L'Internet mobile** (UMTS norme 3G) progresse considérablement. **En 2010, plus du tiers des Européens (UE-27) ont accès au haut débit**.

## B. La révolution économique

**Les opérateurs historiques** sont souvent **privatisés et se sont reconvertis**. France Telecom, Deutsche Telekom, Telecom Italia, Telefonica en Espagne se recentrent sur leur métier en reprenant le contrôle de leurs opérateurs de mobile (Orange, Wanadoo pour France Telecom, T-online et T-mobile pour Deutsche Telekom) et pratiquent une croissance externe (Europe de l'Est : République tchèque, Pologne, Roumanie, voire même Turquie et Russie pour le Finno-Suédois Télia-Sonora).

Les **nouveaux opérateurs** les talonnent, qu'ils soient européens comme SFR ou Bouygues en France, Tiscali en Italie. Des **opérateurs sans réseau** (MVNO) tiennent désormais plus de 10 % du marché de la téléphonie mobile en Europe.

Ce marché est devenu hautement spéculatif. L'Europe n'a pas su promouvoir un réseau paneuropéen. Aujourd'hui, les marchés européens sont stagnants : le marché allemand de la téléphonie mobile a perdu de l'argent au second semestre 2009. Les flux progressent, mais, en raison de la concurrence, les coûts unitaires fléchissent aussi.

## C. Les difficultés des constructeurs

Jusqu'à des dates récentes, **les constructeurs de téléphones mobiles européens étaient en tête des classements mondiaux**, en particulier le Finlandais Nokia (associé à Siemens), n° 1 mondial et tenant 40 % de parts de marché en 2007. Le Suédois Ericsson associé à Sony (n° 4 mondial) lui emboîtait le pas.

Mais les positions évoluent très vite : **en 2009, les parts de marché des constructeurs européens ont fortement reculé**, Nokia a perdu près de 600 millions d'euros et l'action a fléchi de plus de 10 % à la Bourse d'Helsinki. Les industriels asiatiques (Samsung) et surtout américains (Apple) raflent la mise à la fin de la première décennie du siècle nouveau, même si une contre-offensive semble en marche. Cette fragilité des acquis est emblématique des nouvelles technologies, extrêmement évolutives. Elle suppose une volonté collective.

# 58 L'UE face aux TIC

## 1 Une Europe bien présente dans les TIC

### A. Quelques positions fortes

L'Europe est bien présente dans les TIC : pour les satellites, avec l'Agence spatiale européenne (1973), le consortium Arianespace (1982), la base de Kourou ; pour les télécommunications, avec **Eutelsat**. Elle dispose de firmes high-tech avec Alcatel, Thales, Matra pour les systèmes et Nokia, Siemens pour la téléphonie mobile. Les anciens monopoles ont disparu ou se sont reconvertis, de nouvelles sociétés sont apparues (Tiscali en 1998), des groupes ont pris pied dans ce créneau (Bouygues). **L'Europe pèse 616 milliards d'euros dans les TIC en 2005 pour un total mondial de 2 044 milliards d'euros**. L'importance des enjeux suppose une action forte.

### B. Des mutations incessantes

Cette « nouvelle économie » se caractérise par des révolutions technologiques ininterrompues dans les terminaux (l'Europe est plutôt en avance pour le mobile), les systèmes de transfert (fibre optique, satellites…), les serveurs et les centres de stockage et de gestion des données.

Elle est le lieu d'émergence de centaines de petites entreprises innovantes (les start-up), serveurs de technologies ou de services (vente, tourisme…) qui voisinent avec des structures mises en place par de grandes firmes « classiques » (SNCF, FNAC…) ou avec les géants américains de la Net-économie (Google, Amazon…).

C'est de ce fait un domaine privilégié pour la spéculation boursière : les États-Unis ont mis en place un indice spécifique, le Nasdaq ; l'Allemagne, avec le **Neuer Markt**, la France, avec le **Nouveau Marché**, ont suivi le mouvement. Mais les fluctuations sur ces marchés sont considérables : la valeur de ces entreprises est fondée sur des marchés potentiels, d'où des corrections brutales, à la baisse comme à la hausse. Les purges ont été brutales au début des années 2000 mais ces mêmes secteurs semblent montrer **une meilleure résistance à la crise des années 2007-2012**.

## 2 La politique de l'UE

### A. Les décisions de Lisbonne

Le phénomène de la Net-économie déborde totalement les cadres géographiques et institutionnels de l'UE, c'est la globalisation à l'état pur. Elle ne peut donc que tenter de s'y adapter pour éviter un retard européen, en prenant le train de la « société de l'information ».

Le sommet européen de Lisbonne de mars 2000 a opté pour cette voie en confirmant l'initiative « e-Learning » lancée par la Commission, mais aussi en décidant de lever les obstacles au développement d'Internet dans les domaines de la propriété intellectuelle, de la protection des données personnelles, de la fiscalité du e-commerce.

La « stratégie de Lisbonne », mise en place en Europe, a été remplacée en 2005 par l'initiative i2010, qui porte sur le développement de l'économie numérique combinant recherche, réglementation et partenariat public-privé. Fin 2007, elle vise à la création d'un seul espace européen pour l'économie numérique. Ce secteur est devenu essentiel car, entre 2000 et 2004, les TIC ont été à la base de près de 50 % de la croissance de la productivité dans l'UE. Et cela concerne aussi bien le secteur public (e-Administration) que le secteur privé (e-commerce, services aux entreprises…).

### B. Un bilan incertain

En 2010, la « stratégie de Lisbonne », qui s'était fixé comme objectif de devenir « l'économie de la connaissance la plus compétitive et la plus dynamique du monde », est arrivée à échéance et force est de constater que l'objectif n'a pas été atteint. Les déficits en matière de propriété intellectuelle, l'inaboutissement dans la réalisation d'un espace européen de la recherche, la crise de la plupart des systèmes universitaires européens et la faiblesse des liens qui rapprochent encore ces derniers (malgré la mise en place des ECTS) démontrent l'échec, au moins provisoire, des ambitions affichées.

Cependant, des efforts ont été réalisés. Le 7e programme-cadre de recherche, qui couvre la période 2007-2013, est doté d'un financement global de plus de 50 milliards d'euros (plus de 7 milliards d'euros par an) soit une fois et demie les sommes allouées au précédent programme-cadre. La méthode mise en œuvre change profondément. Le cadre comporte les programmes « Idées » (aboutir à la production de connaissances fondamentales nouvelles aptes à modifier vision du monde et modes de vie), « Personnes » (mobiliser les moyens humains et promouvoir les carrières), « Capacités » (doter les chercheurs d'outils performants). Le 7e programme-cadre finance un « centre commun de recherche » tout comme les centres de recherche issus d'Euratom. On peut parler d'une véritable relance du processus de Lisbonne, qui, malgré son inaboutissement pour fait de crise en particulier, demeure pertinent.

## C. Le défi des inégalités face aux nouvelles technologies

Si le retard global européen en matière de connexion Internet est à peu près résorbé, il n'en va pas de même des inégalités géographiques en son sein, qui demeurent fortes. Il en va de la compétitivité territoriale et une plus grande égalité dans l'accès aux nouvelles technologies est un véritable objectif d'aménagement du territoire.

L'inégalité n'est pas seulement géographique, mais également sociale : en France, en 2006, seuls 38 % des ménages ouvriers contre 82 % des ménages de cadres étaient connectés à Internet. L'accès aux TIC, en particulier de haut débit, devient un discriminant social majeur.

**France : taux de connexion à domicile à Internet** (en % de la catégorie sociale)

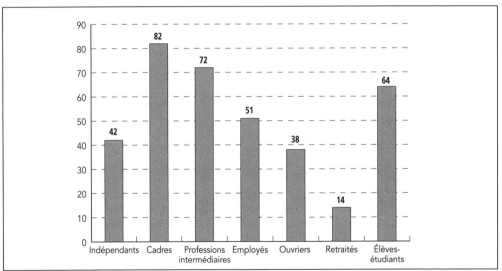

Source : Credoc, novembre 2006.

Défi géopolitique voire culturel : la Chine pourrait devenir l'une des premières, sinon la première puissance scientifique du monde, en particulier dans les domaines de l'intelligence artificielle. Les pratiques de la science et l'utilisation de cette dernière resteront-elles alors les mêmes ? L'Europe, héritière des Lumières, se doit de contribuer à la dimension humaniste des nouvelles technologies.

**Les grands axes européens**

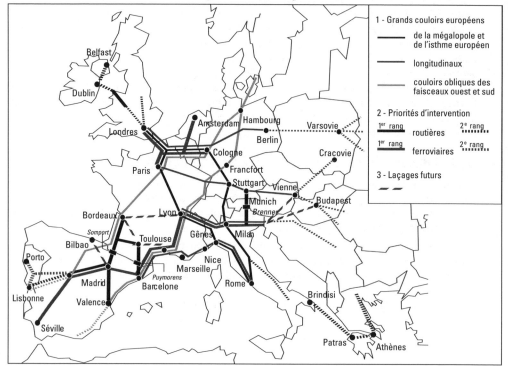

Source : CEE et R. Brunet, Reclus, 1991.

*L'Europe, subcontinent fortement peuplé et urbanisé, dispose de réseaux denses de transports. Ceux-ci sont largement **issus de la construction des États-nations** et résultent aussi d'anciens **impératifs stratégiques**. Il faut interconnecter les réseaux, intégrer les espaces. **L'élargissement aux PECO fait de cette politique une priorité.***

## 1 La politique commune : une volonté précoce

### A. Un principe incontournable

L'élaboration d'un véritable Marché commun impliquait dès l'origine la mise en œuvre d'une concertation entre les pays membres afin d'assurer **la libre circulation**, mais aussi **la libre concurrence**. Un titre entier du **traité de Rome** est ainsi consacré aux principes de base nécessaires à la mise en place d'une politique commune des transports (titre IV de la 2ᵉ partie).

### B. La « politique des petits pas »

**Le mémorandum de 1961** définit, dans ce cadre, la première conception globale d'une organisation communautaire des transports : libre concurrence entre les modes de transport et les entreprises à l'échelon national et communautaire, suppression des obstacles au franchissement des frontières, réglementations communes…

Le programme d'action de 1963, entériné en 1965, permet d'adopter des mesures concrètes entre 1966 et 1970. En 1973, l'élargissement de la Communauté et le choc pétrolier sont l'occasion, pour la Commission, de proposer un plan décennal qui ne sera que peu suivi d'effets.

## C. La relance

En 1983, le Parlement européen introduit auprès de la Cour de justice **un recours en carence** contre le Conseil des ministres, qui est condamné en 1985 et contraint, avec en outre l'**Acte unique de 1986**, d'avancer. **En 1987, un plan de grands travaux** est mis sur pied, des décisions sont prises, par exemple en matière de transports aériens.

**Le traité de Maastricht** a attribué une place prioritaire à la création de **Réseaux transeuropéens (RTE)** par **intégration des réseaux nationaux** (*Livre blanc* de 1992). L'intégration de l'Europe de l'Est en fait une urgence : dès le milieu des années 1990, les routes d'Europe de l'Est nécessitant un investissement prioritaire ont été définies dans le cadre du **plan Corridors paneuropéens**.

# 2 Une mise en œuvre difficile

## A. Un chantier gigantesque

Il a fallu moderniser les réseaux : l'extension des autoroutes (on passera de 55 650 kilomètres en 2001 pour l'UE-25 à **près de 60 000 kilomètres en 2013 pour l'UE-27**), la réduction du réseau ferré, 212 500 kilomètres en 2010, tout en créant des LGV, moderniser les ports (*Livre vert* de 1997), les aéroports… en **privilégiant les régions et pays en retard** (Irlande, Espagne, Portugal, Grèce).

Les coûts de tels chantiers sont très élevés : pour 2001-2006, les crédits ont pratiquement doublé par rapport à la période précédente, ils ont atteint 4,6 milliards d'euros dans le cadre du nouveau *Livre blanc* de 2001 et **la Commission prévoit 20,35 milliards pour 2007-2013** compte tenu de l'élargissement (mais **le coût des seuls « corridors » est évalué à 100 milliards d'euros**).

Malgré ces efforts, l'Europe peine à faire face à la croissance des trafics qui, en fait, se concentrent dans certaines régions et sur certains axes, provoquant des **problèmes de saturation** (façade atlantique, « dorsale européenne » de Londres à Milan…).

## B. Un bilan mitigé

Au plan de l'UE, le décalage est grand dans le discours lui-même : le maître mot a été dès le début la libre circulation et la libre concurrence, mais, en contrepoint, s'inscrivent les thèmes du **développement durable et de la préservation de l'environnement**. Le résultat est que l'UE a contraint **des sociétés publiques à la privatisation et à la concentration** (compagnies ferroviaires, aériennes…). Autre conséquence, on assiste à la dérive vers le primat de la route alors que l'UE investit dans **le transport combiné (programme Marco-Polo pour 2003-2006)**.

La libéralisation et l'accroissement des trafics ont généré des problèmes croissants de pollution, mais aussi des **crises sociales** (camionneurs en raison des législations différentes et du droit de cabotage, cheminots, marins…).

Le développement rapide des échanges intra-européens exige des moyens toujours croissants. **Le programme Marco-Polo II prolonge le I, doté pour 2007-2013 de 450 millions d'euros**, mais le programme Galileo (un « GPS » européen appuyé sur un réseau de satellites) ne cesse de prendre du retard. La Commission et la Banque européenne d'investissement (BEI) ont signé en janvier 2008 un accord pour un nouvel instrument de garantie de prêt pour les projets du Réseau transeuropéen de transport (LGTT). Il est doté d'un capital de 1 milliard d'euros.

# 60 Échanges et transports

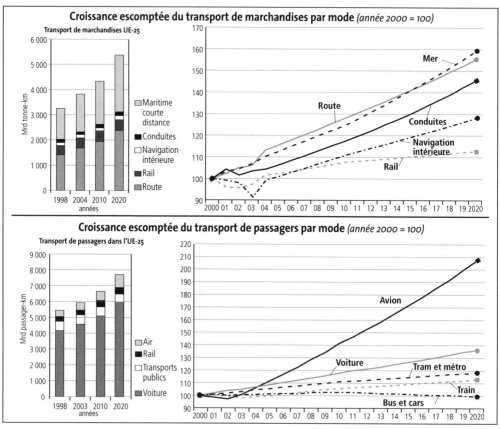

**Croissance escomptée du transport de marchandises par mode** (*année 2000 = 100*)

Transport de marchandises UE-25

Maritime courte distance · Conduites · Navigation intérieure · Rail · Route

Mer · Route · Conduites · Navigation intérieure · Rail

**Croissance escomptée du transport de passagers par mode** (*année 2000 = 100*)

Transport de passagers dans l'UE-25

Air · Rail · Transports publics · Voiture

Avion · Voiture · Tram et métro · Train · Bus et cars

*Source : étude ASSESS.*

*L'Europe s'efforce d'adapter ses infrastructures de transport à l'essor des échanges. Les enjeux sont considérables : la réalisation d'un vrai marché unique, la compétitivité économique, une certaine convergence des économies nécessaire à la monnaie unique voire à l'émergence d'une Europe politique, sont à ce prix.*

## ❶ La croissance des échanges ralentie par la crise

### A. Les échanges ont connu une expansion majeure

L'Europe a été partie prenante de la croissance mondiale des échanges avec **une progression de 50 % pour les marchandises et de 100 % pour les voyageurs** au cours des deux dernières décennies. Entre 1995 et 2004, la croissance a été de 28 % pour les marchandises et de 18 % pour les voyageurs. Des **déséquilibres importants** en ont découlé.

### B. Un tassement des échanges depuis 2008

Au niveau mondial, la croissance du commerce de marchandises, en termes réels, n'a été que de **2 % en 2008 contre 6 % en 2007.** Avec la diminution de la croissance mondiale, voire la récession de beaucoup d'économies en 2009, **la chute du commerce s'est encore aggravée en 2009**, avec une baisse en valeur de 22 % et de 3 % en volume par rapport à 2008.

**L'Europe est d'ailleurs le continent où les exportations se sont le plus fortement tassées en 2008.** Le trafic portuaire européen a baissé de 12,5 % en 2009.

Cependant, ce tassement récent ne met pas pour l'instant en cause l'évolution générale des échanges en forte expansion depuis la Seconde Guerre mondiale, expansion à laquelle les infrastructures de transport doivent s'adapter.

# ② La progression globale des transports européens

## A. Les transports maritimes et fluviaux

Les transports maritimes occupent **une place prépondérante dans les échanges extracommunautaires de marchandises (70 %)**, et pour les échanges intracommunautaires, la progression est forte également. La Commission publie en 2008 un *Livre blanc* sur l'espace maritime qui va développer le concept d'« **autoroutes de la mer** ». L'Europe dispose de **600 ports**, les plus importants se situent sur le Northern Range dont **Rotterdam (quatrième rang mondial)**. Le tonnage total traité dans les ports de **l'UE-27 est de 3,4 milliards de tonnes en 2009** contre 3,9 milliards en 2008. Il est **en léger recul depuis 2007** en raison de la crise.

La flotte européenne officielle régresse face aux **pavillons de complaisance** (70 % de la flotte grecque, 60 % de celle du Royaume-Uni). Malte et Chypre, désormais intégrés à l'UE, continuent à jouer ce rôle et les flottes nationales subsistantes ont recours à des pavillons bis (**Kerguelen** pour la France) afin de contourner les législations.

**Les transports fluviaux** ne représentent que 7 % du transport intracommunautaire de marchandises de l'UE-27 en 2006, alors qu'il s'agit d'un moyen économique et peu polluant. Mais c'est un mode lent et le réseau à grand gabarit se trouve essentiellement **dans l'Europe du Nord-Ouest** : l'Allemagne, la Belgique et les Pays-Bas concentrent les quatre cinquièmes du trafic fluvial européen. Exception notable, **le canal Rhin-Main-Danube**, achevé depuis 1992, ouvert aux plus lourds des chalands et des convois poussés et permettant la liaison mer du Nord-mer Noire en trois semaines ; si l'essentiel du trafic est encore centré sur les pondéreux, plusieurs ports d'Europe centrale, par exemple celui de **Vienne**, s'équipent pour **traiter les conteneurs**. Il faut souligner aussi **la dimension symbolique et géopolitique de cette liaison** réalisée au lendemain de la chute du mur de Berlin. En près de trente ans, **le transport par voies navigables intérieures n'a progressé que de 17 %**, cependant son efficacité s'est beaucoup améliorée car ce résultat est obtenu avec une flotte considérablement réduite et modernisée. Aux Pays-Bas, le transport fluvial vient au second rang derrière la route. Dans les pays de l'Est, le fluvial joue **un rôle substantiel en Roumanie**.

## B. Les transports terrestres

Le rail a été la grande innovation de la révolution industrielle. Depuis un demi-siècle, sa place régresse. Pour les marchandises, il ne représente plus que **10 % du trafic**. Il ne se maintient que pour les voyageurs grâce aux Lignes à grande vitesse (**LGV**) et aux transports urbains.

Au XXe SIÈCLE, les transports routiers ont supplanté le rail en raison de leur souplesse et de l'effort d'équipement accompli. La longueur totale du réseau autoroutier est passée de moins de 40 000 kilomètres en 1990 à **plus de 51 000 en 2000**. La route réalise globalement 44 % des échanges extérieurs intracommunautaires de marchandises et l'essentiel du trafic des voyageurs (85 % en kilomètre-passagers). Depuis le début du XXIe siècle, **la route réalise en Europe (UE + AELE) 75 % de la totalité des transports de marchandises** (en tonnes-kilomètres).

L'UE dispose de **réseaux importants d'oléoducs et de gazoducs**. Ceux-ci sont largement interconnectés à l'intérieur de l'espace communautaire, mais aussi avec l'extérieur pour des raisons d'approvisionnement (en particulier avec l'ex-URSS). Ils réalisent **9 % du trafic total et 13 % des importations d'hydrocarbures**. Les réseaux électriques nationaux sont également de plus en plus interconnectés sur le plan international (liaison sous-marine France-Royaume-Uni).

## C. Les transports aériens

Les transports de passagers ont **plus que triplé** depuis le milieu des années 1970 et augmenté de 60 % au cours des dix dernières années malgré **le fléchissement faisant suite aux attentats de 2001**. L'UE dispose d'un équipement aéroportuaire important avec des aéroports internationaux majeurs. Parmi les dix premiers aéroports mondiaux, on trouve Londres (4e) avec plus de 66 millions de passagers, **les aéroports de Paris (7e) avec 58,5 millions de passagers en 2010 et suivant de près** Amsterdam (15e) et Francfort (9e). L'Europe possède, en outre, nombre de compagnies aériennes de dimension internationale (dans l'ordre, le groupe Air France-KLM, l'Allemand Lufthansa, British Airways). Les « low cost » s'adjugent désormais 25 % du trafic intracommunautaire. **Le fret aérien ne représente encore que 12 millions de tonnes en 2008 pour l'UE-27**, mais il est de valeur considérable et il progresse fortement, l'Allemagne étant nettement en tête dans ce domaine.

Cependant de nombreux problèmes se posent alors que la crise, depuis 2008, fait fléchir les résultats dans un contexte d'énergie qui demeure coûteuse.

# 61 Les transports, une problématique complexe

*Nombreux sont les enjeux et les déséquilibres liés aux transports. Si l'économie et l'environnement sont au premier plan des préoccupations,* **la dimension géopolitique n'en demeure pas moins omniprésente**.

## 1 Des problèmes non résolus

### A. Des déséquilibres préoccupants

Le primat de la route, tant pour le transport de voyageurs que pour celui de marchandises, implique **des coûts élevés en infrastructures et en énergie. Et le bilan humain s'avère aussi très lourd avec plus de 42 000 morts sur les routes de l'UE-27 en 2007** malgré une sensible amélioration puisqu'on dénombrait plus de 60 000 victimes dix ans auparavant. **Les conséquences environnementales sont également très lourdes** (effet de serre, pics d'ozone, émission de microparticules).

Les transports reflètent et en même temps renforcent les **déséquilibres géographiques**. L'essentiel des trafics se concentre dans **l'Europe du Nord-Ouest** et sur des axes majeurs, Nord-Sud (**axes rhénan et rhodanien**) et Est-Ouest. D'où la saturation de ces espaces (traversée des Alpes) et des **phénomènes de désertification** pour les espaces enclavés (Estramadure, par exemple).

### B. Des politiques européennes peu efficaces

Entre libéralisme et réglementation, intégration et souveraineté nationale, les politiques européennes sont contradictoires. Ainsi, l'Europe a imposé la privatisation du rail, mais essaie de réguler le trafic par la création de l'Agence ferroviaire européenne en 2004.

**Les transports représentent un secteur économique majeur qui « pèse » mille milliards d'euros (17 % du PIB européen) et qui fournit 10 millions d'emplois.** L'industrie automobile, secteur stratégique, est étroitement liée aux transports (près de 250 millions de véhicules en circulation dans l'UE), tout comme **les entreprises du BTP, de multiples services (assurances, maintenance) et une partie des sociétés pétrolières**. Dès lors, les enjeux économiques sont considérables et la protection de l'environnement, la lutte contre les catastrophes (*Erika, Prestige*), bien qu'affichées comme prioritaires, passent dans les faits souvent au second plan.

## 2 Route ou transport combiné

### A. Les coûts collectifs élevés du transport routier

La victoire de la route s'explique par la souplesse des « **transports d'extrémité** » pour les courtes et moyennes distances, tant pour les voyageurs que pour les marchandises. Les exigences des flux tendus et les coûts abaissés par la concurrence entre les entreprises de logistique à l'échelle européenne (par exemple bulgares ou, hors de l'UE-27, ukrainiennes) sont déterminants dans le choix du mode de transport.

La compétitivité du transport routier provient aussi des modernisations impulsées par l'Union européenne : grands chantiers inscrits au *Livre blanc* de 1992, tunnels de franchissement des Alpes et des Pyrénées qui ont permis la création de Réseaux transeuropéens (RTE).

### B. Le transport combiné : solution ou utopie?

Après avoir favorisé la dérégulation, la Commission insiste depuis 1995 sur **l'intermodalité** avec le concept d'**autoroute ferroviaire** : l'Intermodal Task Force a disposé de 16 millions d'écus pour 1996-1999. Le programme Marco Polo II, qui s'inscrit dans la continuité pour la période 2007-2013, dispose d'un budget de 450 millions d'euros.

On entend par intermodalité la souplesse d'un transport qui adopte plusieurs modes successifs afin de faciliter les ruptures de charge et de raccourcir les délais et donc les coûts. L'intermodalité est une clé de la modernisation et elle est facilitée par la conteneurisation qui progresse de 10 % par an.

Cependant, le rail continue sa régression pour le trafic de marchandises, les sociétés ferroviaires privatisées ferment les lignes non rentables. **Les transports fluviaux et le cabotage stagnent malgré les incitations**. Les projets de liaisons ferroviaires par **tunnels de base dans les Alpes** ont des difficultés de financement et se heurtent aux écologistes.

Tout laisse à penser que la route conservera sa prééminence. Certes, sur un an, du milieu de 2008 au milieu de 2009, la consommation de carburant a diminué (de 2,5 % en France par exemple), mais le prix du pétrole puis la crise économique y sont pour beaucoup aussi.

# 3 Les transports, une problématique géopolitique

## A. Politique des transports et conception de l'Europe

Les États se sont largement construits par les transports : « **l'étoile Legrand** », en France, centralisant les chemins de fer et les transports en général sur Paris, traduisait et renforçait l'option centralisatrice du pays. **Les écartements différents des voies ferrées** (en Espagne, par exemple) s'inscrivaient dans un souci de défense.

Les partisans d'une Europe « *a minima* », simple marché composé de nations souveraines, préconisent raccordements et harmonisation. Les militants de l'intégration prêchent pour des réseaux conçus sur une logique européenne.

Il faut renouer les liaisons européennes rompues par la guerre froide (le Mittellandkanal en Allemagne), rétablir les connexions entre les villes d'Europe orientale et Vienne, que le traité de Versailles avait estompées en 1919. De vieilles logiques liées à la Mitteleuropa, à l'Autriche-Hongrie refont parfois surface (par exemple, le rapprochement entre Vienne, Prague et Bratislava).

L'intégration de l'Est est un objectif majeur. La mise en place de **« routes roulantes » entre Ljubljana en Slovénie et Munich**, l'adaptation au transport combiné de la ligne ferroviaire Varsovie-Poznan-Berlin, la **« via Baltica », axe autoroutier de 1 046 kilomètres entre Helsinki et Varsovie**, s'efforcent d'y répondre.

## B. La question des gazoducs en provenance de Russie

Pour échapper au monopole de la fourniture de gaz naturel par la Russie et aux pressions politiques qui pourraient l'accompagner, la Commission de Bruxelles s'efforce de faire aboutir le projet **Nabucco**, qui achemine en Europe le gaz d'Asie centrale via la Turquie **sans passer par le territoire russe**. Long de plus de 3 300 kilomètres, il pourrait entrer en service à partir de 2017. La question des rapports de l'Europe au Caucase, à la Turquie et à la Russie est sous-jacente.

La Russie et l'Allemagne ont cependant entrepris le projet **Northstream**, qui achemine le gaz russe en Allemagne par un gazoduc posé sur le fond de la mer Baltique, **qui évite ainsi les territoires ukrainien et polonais au grand dam de ces pays**. Le projet, initié en 1997, a abouti en novembre 2011 pour la première section.

**Le projet Nabucco**

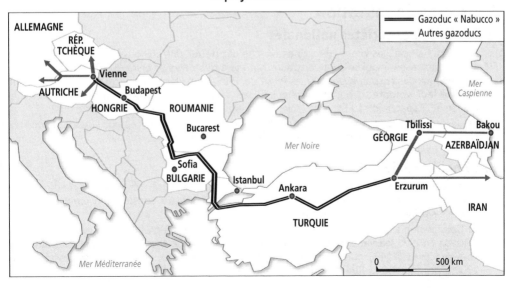

# 62 Le rail entre déclin et renouveau

**La liaison de l'Europe du Sud**

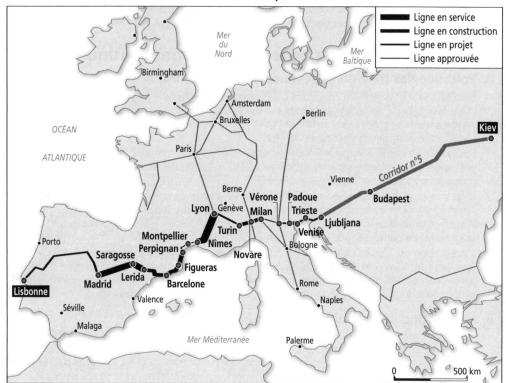

Le rail, symbole de la révolution industrielle, a été surpassé dans la seconde moitié du XXᵉ siècle par la route. Son déclin s'affiche dans les fermetures de lignes et les tonnages transportés. En revanche, la création de **Lignes à grande vitesse (LGV)** lui a permis de se maintenir sur les moyennes distances européennes pour le trafic voyageur grâce au **TGV français, à l'ICE allemand ou encore au Pendolino**, initié par Fiat en Italie.

## ① La grande mutation

### A. Le temps des sociétés nationales

Si, au XIXᵉ siècle, les premières lignes de chemin de fer ont été ouvertes par des sociétés privées, les réseaux qui se sont constitués ont été à des dates diverses (**SNCF en 1938**) nationalisés pour des raisons économiques (crise de 1929) et militaires. **Les États ont dès le début imposé leur volonté** (choix de certaines lignes, écartement des rails, par exemple, entre la France et l'Espagne ou à l'Est entre Allemagne et Russie) pour des raisons stratégiques

La desserte des territoires était **un service public** et de ce fait financée par l'État. Les sociétés nationales disposaient d'**un monopole sur le territoire national**.

### B. La politique de l'UE

La concurrence de la route a, dès les années 1950, remis en cause cette prédominance du rail : la rentabilité a été affectée, les déficits se sont accumulés. La construction européenne y a ajouté les **principes de libre circulation et de concurrence**.

La Commission a donc contesté le système en place et a mis à profit la crise pour accélérer la mutation. En 1996, **le *Livre blanc* (« Une stratégie pour revitaliser les chemins de fer communautaires »)** et la directive 91-440 ont mis les États en demeure de s'adapter. Le **« paquet ferroviaire »** de 2000 a programmé **la libéralisation de la circulation internationale** du fret en deux temps,

2003 et 2008. Le « troisième paquet ferroviaire » a permis **l'ouverture à la concurrence du transport international de voyageurs**, incluant le cabotage (la desserte des gares intermédiaires), au 1er janvier 2010.

En Allemagne, la Deutsche Bundesbahn a été privatisée en 1994 et divisée en 1996 en trois filiales distinctes (voyageurs, fret, infrastructures), le statut des cheminots a été abrogé. Mais le cas extrême est britannique : **British Rail a été démantelée, vendue à 25 sociétés de transport de voyageurs et 3 de fret**. Les infrastructures ont été reprises par Railtrack, qui en 2003 a été mise sous tutelle pour cause de négligence puis reprise par une société semi-publique, Network Rail, qui a reçu de l'État 21 milliards de livres pour couvrir les dettes et financer les investissements indispensables (mais il faudrait 54 milliards pour la décennie). On voit ici les limites de cette politique, où l'**arrière-pensée du démantèlement d'un bastion syndical compromettait la rationalité de la gestion voire parfois la sécurité**.

# 2 Le cas français

## A. La difficile application des réformes européennes

En 1997, avec retard et beaucoup de résistances internes, la SNCF est divisée, d'une part, en un **Réseau ferré de France (RFF)**, en charge du réseau, de la construction des voies et de l'essentiel de la dette, et d'autre part, de la **SNCF, société en charge de l'exploitation commerciale**, payant péage à RFF pour l'usage des voies. L'ouverture à la concurrence est ainsi permise, d'autres opérateurs pouvant intervenir sur le même réseau en payant les mêmes redevances.

L'activité de fret connaît des difficultés spécifiques : du fait de la crise, la chute de l'activité est considérable, de l'ordre de 25 % en 2008. La privatisation et la concurrence se heurtent ici de plein fouet à la culture d'entreprise. Le premier transport « privé » circule en 2005 (**un convoi Connex, une filiale de Veolia**). Les tensions sont particulièrement vives avec les chemins de fer allemands (Deutsche Bundesbahn) pour la mise en œuvre de la concurrence transfrontalière.

## B. Les difficultés économiques et sociales

**Des baisses significatives d'effectifs** accompagnent la restructuration : on comptait 198 000 cheminots en 1992 et 166 000 en 2007. Mais des résultats sont obtenus : en 2007, la SNCF a dégagé un résultat record de 1,047 milliard d'euros et versé à son « propriétaire », pour la première fois de son histoire, **un dividende de 130 millions**. Résultats fragiles pourtant : du fait de la crise, les bénéfices sont divisés par trois en 2008 et **2009 retombe dans le déficit** pour la première fois depuis 2003.

**La conflictualité sociale demeure forte** malgré les efforts réalisés à partir de 2004 et l'état du réseau est relativement dégradé, supposant un plan décennal d'entretien. L'hiver 2009-2010 a révélé, par les multiples pannes, la fragilité des matériels qu'il faudra bientôt renouveler alors même que l'entreprise souffre déjà d'**un endettement de plus de 7 milliards d'euros**.

## C. Les chemins de fer investissent

Les investissements annuels dépassent parfois un milliard d'euros. La SNCF s'efforce de maintenir son activité de fret en impliquant **sa filiale GEODIS, spécialisée dans le transport multimodal**. Coopération de plus en plus étroite aussi, y compris financière, **avec les régions pour la circulation des TER** (Transports express régionaux). **Le RER parisien** (Réseau express régional) demande une vraie remise à niveau, tant pour l'information, la régularité que pour la sécurité : la SNCF promet un « programme choc » de modernisation lancé en 2012. Pour les prochaines années, la compagnie ferroviaire souhaite combiner **le projet d'Automotrice à grande vitesse d'Alstom (AGV)** avec ses rames duplex. **La liaison TGV Lyon-Turin** devient impérative avec un tunnel de 52 kilomètres sous la chaine de Belledonne. **La branche sud du TGV Rhin-Rhône (Dijon-Lyon)** sera mixte (voyageurs et fret). Les régions de la France de l'Ouest (Centre, Poitou-Charentes, Limousin, Aquitaine, Midi-Pyrénées) et l'Espagne attendent la réalisation d'une **ligne LGV de Tours à Bordeaux** et au-delà. En fait, les régions sont de plus en plus sollicitées pour assurer les financements (coût envisagé pour Tours-Bordeaux : quatre millions d'euros, RFF ne prenant en charge qu'un million et l'État au mieux la même somme).

**Comment éviter le « tout TGV » ?** Comment répondre aux préoccupations environnementales mises en avant par le Grenelle de l'environnement ? La SNCF comptait sur une écotaxe pesant sur les transports routiers, mais la crise éloigne cette perspective.

# 63 L'intégration par les transports

Liaison ferroviaire transalpine Lyon-Turin

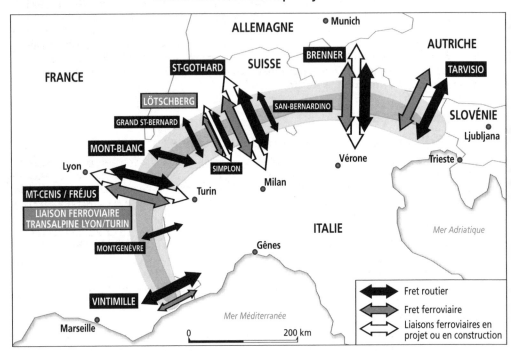

## 1 L'intégration continentale et maritime

### A. La traversée des Alpes et l'intégration Est-Ouest

L'arc alpin, c'est 2000 kilomètres au cœur de l'Europe, au carrefour des axes de communication Nord-Sud et Ouest-Est. Désormais, 44 % du trafic transeuropéen Est-Ouest passe par les Alpes. **La Suisse**, pleinement partie prenante de l'espace européen et **intégrée à l'espace Schengen depuis 2008**, est au cœur du dispositif. La réalisation progressive du **projet NLFA** (Nouvelles liaisons ferroviaires alpines) adopté en 1992 a abouti à la mise en service dès 2007 du **tunnel du Lötschberg** sur l'axe Berne-Turin (en Suisse centrale), alors qu'un nouveau tunnel du Saint-Gothard, de 57 kilomètres de long, sur Zürich-Milan, est prévu pour 2015.

La France est aux premières loges dans la construction de ce carrefour à travers le **projet Lyon-Turin**. Les ouvrages d'art à réaliser (pour 2015-2020?) sont titanesques : un tunnel sous le massif préalpin de la Chartreuse puis un tunnel de base de 50 km sous les Alpes proprement dites. Cette réalisation **constituera le segment central de l'axe Lisbonne-Kiev, hautement stratégique pour l'intégration Est-Ouest.**

### B. La structuration des façades maritimes

L'UE compte certes plus de 600 ports. La mondialisation concentre de plus en plus les flux sur quelques portes majeures : la rapidité du traitement (un bateau ne doit pas rester plus de 48 heures à quai), et donc la capacité à « remplir » rapidement les conteneurs vers une destination donnée, conditionne la rentabilité et **favorise la polarisation**. D'où le drainage d'un vaste *hinterland*. Des « **ports secs** », profondément implantés dans le continent, organisent le **préacheminement**.

Au nord de l'Europe, cette polarisation aboutit à une porte maritime majeure à Rotterdam et Anvers. **Sur un large *Northern Range* (Le Havre-Hambourg), trois ports (Rotterdam, Anvers, Hambourg) assurent la moitié du trafic conteneurs.**

À l'est et au sud en revanche, cette polarisation est moins avancée. Marseille, Gênes, Barcelone se modernisent. **Koper**, en Slovénie, qui fut stratégique pour l'empire d'Autriche-Hongrie, retrouve une partie de son rôle traditionnel. **Tanger** même, au Maroc, espère jouer un rôle régional. En mer Baltique, les ports de **Rostock** (ex-RDA), de Szczecin (Pologne), de Kaliningrad et de Saint-Pétersbourg (Russie) voudraient jouer le plus grand rôle possible, car l'insertion dans la hiérarchisation de la façade maritime est un enjeu économique et géopolitique considérable.

# ❷ Bataille du ciel et intégration de l'espace aérien

## A. La déréglementation européenne

L'Europe est la zone du plus intense trafic aérien au monde. Jadis organisé sur la base de sociétés nationales, il fut au cœur de la **bataille de la déréglementation**, initiée aux États-Unis dès la fin des années 1970.

En 1987, le conseil des ministres a décidé la mise en œuvre progressive de la libéralisation. Les compagnies ont été autorisées à libérer leurs tarifs, la **« multidésignation »** (concurrence de plusieurs compagnies sur une même ligne) et le droit de **« cabotage »** (autorisation pour une compagnie étrangère de faire des escales multiples et de transporter passagers et fret entre ces escales) se sont mis en place. **La libéralisation n'a été totale qu'en 1998.**

Le Royaume-Uni a opté pour la dérégulation en privatisant British Airways, et en appliquant brutalement les règles de la rentabilité : réforme du statut de son personnel, fermeture d'une soixantaine de liaisons déficitaires. La Lufthansa s'est orientée progressivement vers le modèle britannique. Air France, issue des restructurations de la Libération en 1945 a, pour se hisser à la hauteur des enjeux européens, fusionné avec les autres compagnies françaises importantes, Air Inter et UTA, le tout associé à une privatisation partielle en 1999. Le heurt des cultures d'entreprises très différentes, les disparités de statut aussi qu'il fallait harmoniser ont entraîné de multiples convulsions sociales.

La concurrence, prenant des allures de « guerre du ciel », a porté sur les tarifs, les créneaux horaires de décollage et d'atterrissage sur les principaux aéroports, etc.

## B. Adaptations et mondialisation

De nombreuses compagnies régionales ont pu voir le jour. Ce sont essentiellement **des compagnies « low cost »** proposant des prix bas et des services réduits qui se sont imposées : ainsi, **la compagnie irlandaise Rayanair** est-elle en passe de devenir en 2010 la première compagnie aérienne européenne avec **65 millions de voyageurs transportés**, entraînant d'ailleurs une plainte d'Air France devant la Commission européenne pour des aides illégales qui auraient été perçues.

Pour faire face, les maîtres mots sont **concentration et privatisation**. En 2004, Air France fusionne avec la grande compagnie néerlandaise pour former le premier groupe européen, Air France-KLM, ce qui d'ailleurs parachève la privatisation de l'entreprise française en diluant la part de capital de l'État. En 2005, Lufthansa absorbe Swissair. Début 2008, Air France-KLM tente de prendre le contrôle d'Air Italia au bord de la faillite mais se heurte à des réactions « nationales » : la possession d'une grande compagnie aérienne reste un enjeu de souveraineté. **Air France-KLM, Lufthansa, British Airways** demeurent aujourd'hui les sociétés majeures issues des « entreprises historiques ».

Les réseaux mondiaux sont organisés à partir de **« hubs »** (nœuds principaux des réseaux) et des *« code sharing »* (accords d'affichage et de partage des vols) entre compagnies. Ceci se fait à l'échelle mondiale entre quelques grandes alliances stratégiques : Star Alliance née en 1997, Oneworld en 1999 et **Skyteam** (à laquelle appartient Air France-KLM) en 2000.

## C. Une dépendance conjoncturelle forte

La baisse des trafics de 2002 à 2003 liée aux attentats du 11 septembre laisse la place à une franche reprise, un nouveau fléchissement se faisant jour avec la crise. Pour 2008-2009, après onze années de bénéfices ininterrompus, Air France-KLM affiche une perte de plus de 800 millions d'euros sous l'effet conjugué de la crise et de la hausse du carburant, puis des « pertes historiques » de 1,55 milliard d'euros en 2009-2010, pour se rétablir en 2010-2011 à + 613 millions d'euros.

L'UE est complètement dépassée par le processus de mondialisation en cours. La Commission se borne à des propositions pour des avions plus écologiques et pour supprimer les obstacles à la constitution d'un **« ciel unique européen »** (un espace unifié du contrôle aérien en Europe).

# 64 L'Europe, premier pôle touristique mondial

**L'Europe du tourisme : typologie**

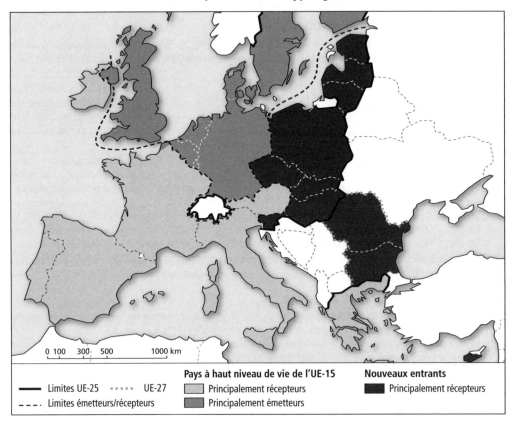

| | |
|---|---|
| —— Limites UE-25 ····· UE-27 | |
| ––– Limites émetteurs/récepteurs | |

**Pays à haut niveau de vie de l'UE-15**
Principalement récepteurs
Principalement émetteurs

**Nouveaux entrants**
Principalement récepteurs

0 100  300  500          1000 km

*L'Europe accumule les records dans le domaine touristique : **51 % des touristes internationaux**, un total de 471 millions de touristes en 2010. **Le tourisme intracommunautaire représente 88 % du total**. La France (80 millions de touristes étrangers en 2008), l'Espagne et l'Italie font partie des premiers pôles touristiques mondiaux. Si le tassement lié aux attentats de 2001 a été suivi d'une franche reprise en 2004, la crise économique mondiale récente a entraîné **un nouveau fléchissement très sensible en 2009** : cette année-là, le tourisme international a chuté de 4 % (8 % au premier trimestre), avant de repartir à la hausse en 2010.*

## 1 L'importance économique du tourisme

### A. En matière de PNB

En moyenne, le tourisme représente **5 % du PNB européen**. (1 % du PNB aux Pays-Bas, mais 9,5 % en Espagne). Avec **les activités induites** (transport, restauration, etc.), le tourisme constitue 11 % du PNB européen et **20 millions d'emplois**.

## B. En termes de balance des paiements

L'UE recueille **44 % des recettes touristiques mondiales** (473,5 milliards de dollars en 2008). Pour nombre de pays, la balance touristique fortement positive contribue au rééquilibrage de la balance des transactions courantes et constitue **une source majeure d'entrée de devises**: le cas espagnol est éloquent dans ce domaine. En 2007, sa balance touristique a dégagé un solde positif de près de **28 milliards d'euros** compensant partiellement la très grave détérioration de la balance commerciale (négative de près de 90 milliards cette année-là).

La France occupe régulièrement la première place du tourisme mondial par le nombre d'étrangers accueillis (près de 80 millions en 2008, nombre en baisse de 11 % en 2009), mais elle se situe au 3ᵉ rang derrière les États-Unis et l'Espagne, devançant en revanche l'Italie pour **les revenus du tourisme**. Le Royaume-Uni occupait le 6ᵉ rang mondial suivi par l'Allemagne. La Grèce avec 11 milliards d'euros arrivait au 7ᵉ rang en Europe. À noter **le poids de certains nouveaux membres**: la Hongrie et la Pologne et la place de la Turquie (9ᵉ rang). En France, l'excédent de la balance touristique (13 milliards d'euros en 2007) couvre près du tiers du déficit commercial.

**88 % des touristes européens voyagent à l'intérieur de l'Europe**. L'Europe est en outre inégalement attractive: l'essentiel des flux touristiques se dirige vers l'Europe du Sud et de l'Ouest.

## C. En termes d'emplois

L'activité touristique génère environ 7 millions d'emplois directs dans l'UE, soit **5 % de l'emploi total**. Encore s'agit-il là des emplois officiels, or nombre d'emplois saisonniers ne sont pas déclarés, et de plus s'y ajoutent les emplois indirects (environ 20 millions).

Ces emplois jouent un rôle d'autant plus important que leur répartition géographique est inégale et concerne souvent des régions par ailleurs économiquement défavorisées, en Europe méridionale par exemple (près de 9 % de l'emploi au Portugal). **En France, le secteur représente environ 7 % de l'emploi** total, et le secteur « Hôtels, cafés, restaurants » avec près d'un million d'emplois est largement « remorqué » par le tourisme.

**Le tourisme international en nombre d'entrées de 1950 à 2010**

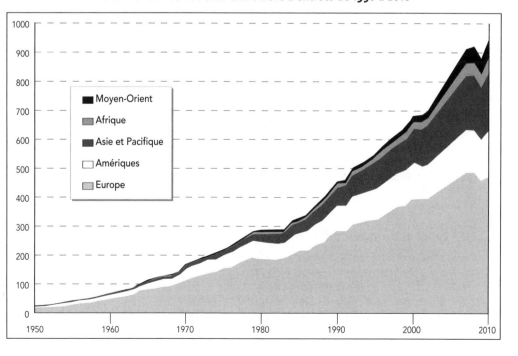

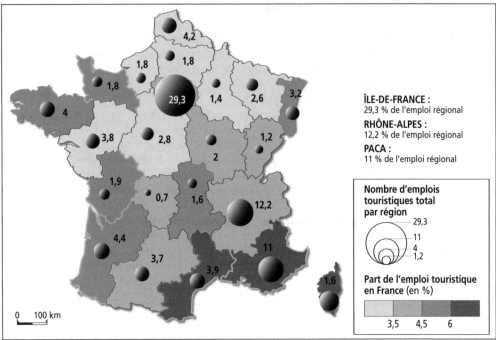

**Part de l'emploi touristique dans l'emploi total de la région**

ÎLE-DE-FRANCE :
29,3 % de l'emploi régional

RHÔNE-ALPES :
12,2 % de l'emploi régional

PACA :
11 % de l'emploi régional

Nombre d'emplois touristiques total par région
29,3
11
4
1,2

Part de l'emploi touristique en France (en %)
3,5    4,5    6

0    100 km

*Sources : INSEE/direction du tourisme, dads 2008.*

## ② Une extrême variété du secteur touristique

### A. Un phénomène généralisé

Au cours de la seconde moitié du XXᵉ siècle, la pratique du tourisme est devenue massive dans les pays à haut niveau de vie. L'Europe n'échappe pas à la règle. Le pourcentage de départs en vacances est d'autant plus important que le niveau de vie est élevé et le degré d'urbanisation fort. Les écarts demeurent considérables malgré les rattrapages liés à l'élévation du niveau de vie des pays les plus pauvres, ceux de l'Europe du Sud en particulier.

### B. Des formes multiples

Le tourisme prend des formes très variées, du **voyage d'affaires aux sports d'hiver**, en passant par le tourisme culturel des **grands festivals** (Bayreuth, Avignon…) ou des lieux saints (Lourdes, Saint-Jacques-de-Compostelle…). C'est cependant **le tourisme estival et balnéaire qui domine** (exemple de la France : en été 55,6 % des départs, **la mer représentant 42,5 % des genres de séjour**). Il est parfois encore essentiellement intérieur à l'espace national (Français : 80 %), mais de plus en plus international (54 % des Britanniques, **60 % des Allemands partent à l'étranger**).

### C. Des types nationaux différents

Dans le cadre de l'UE, cette dernière remarque permet de distinguer, en liaison avec la balance touristique, des pays essentiellement « **émetteurs** », c'est-à-dire de départ (Europe du Nord et du Nord-Ouest), avec des balances parfois très lourdement déficitaires (ainsi, l'Allemagne en 2005 a dépensé 58,4 milliards d'euros pour 23,4 de recettes) et des pays essentiellement « **récepteurs** », c'est-à-dire d'accueil. L'Espagne, l'Italie, la Grèce sont, avec la France, les bénéficiaires majeurs de cette manne.

# ③ Une des premières « industries » européennes

## A. Des entreprises

Près de **1,8 million d'entreprises** travaillent dans cette branche majeure du tertiaire, **à 90 % des petites entreprises**. Cela n'exclut pas des entreprises plus importantes, comme les « voyagistes » (TUI, Fram…).

**La concentration et l'internationalisation sont de règle.** Le groupe français Accor est présent dans une centaine de pays et contrôle plus de 4 000 hôtels. Le Club Méditerranée représente 170 000 emplois en 2007. TUI a pris le contrôle de Nouvelles Frontières et diversifie ses activités dans l'hôtellerie, les compagnies aériennes. Le e-commerce, les réservations ou les séjours aux enchères sur Internet bousculent de plus en plus les habitudes du secteur.

**De véritables secteurs industriels en dérivent** : la construction navale de plaisance (France, Italie, Pologne), les remontées mécaniques pour les sports d'hiver (Pomagalski dans la région grenobloise).

## B. Infrastructures et aménagement du territoire

Le tourisme de masse exige des infrastructures adaptées, comme **les voies autoroutières** de desserte internationale, comme l'autoroute Aquitaine en France.

**Des opérations lourdes d'aménagement du territoire** créent des espaces spécialisés, comme les stations balnéaires en chapelet continu sur la côte méditerranéenne (en Languedoc-Roussillon en France, sur la côte catalane espagnole, en Crète) ou encore les stations de sports d'hiver dans les Alpes.

## C. Inégalités et opportunités

Certaines régions voient se développer une véritable **« monoculture »** touristique. Des tensions peuvent apparaître, avec **des réactions hostiles et xénophobes** vis-à-vis des touristes (Majorque apparaît comme le « 17e Land allemand »). Les problèmes environnementaux sont souvent aggravés par le tourisme de masse : le **« bétonnage » des côtes** (la Costa Brava espagnole parmi d'autres), le « mitage » des espaces ruraux, la surconsommation d'eau estivale alors que les équipements sanitaires sont sous-dimensionnés.

Cependant, le tourisme maintient en vie des régions de montagne, des littoraux périphériques, des zones rurales (le « tourisme vert », les chambres d'hôtes en France ou les « bead and breakfast » dans l'Europe du Nord-Ouest).

Cependant, le tourisme favorise aussi des politiques adaptées tels l**es parcs nationaux et régionaux**, le Conservatoire du littoral. En 2007, l'UE a mis en place l'**Agenda 21 sur le « tourisme durable »**.

Au-delà des nuisances qu'il suscite, le tourisme aboutit à **une forme de redistribution internationale des revenus en Europe**. Il offre une seconde chance à des régions marginales ou enclavées. **« Industrie » de main-d'œuvre** peu « délocalisable », de qualifications variées, il est une arme pour l'emploi et l'aménagement du territoire.

# Conclusion

## Bourses : le recul de l'Europe

### La capitalisation totale des sociétés cotées dans le monde...

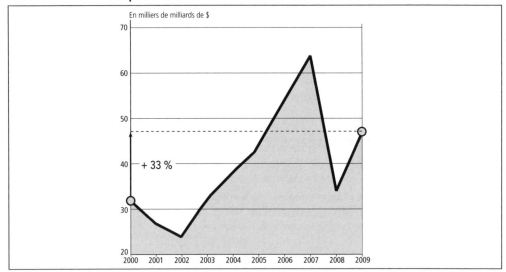

Source : Les Échos, 1er février 2010.

**Le rebond en 2009.** Alors que la crise inquiète encore les entreprises et les ménages et que le chômage continue de croître, les marchés, même s'ils sont loin de leur sommet de 2007, ont gommé les pertes enregistrées depuis 2008.

### Classement mondial des places boursières en 2010

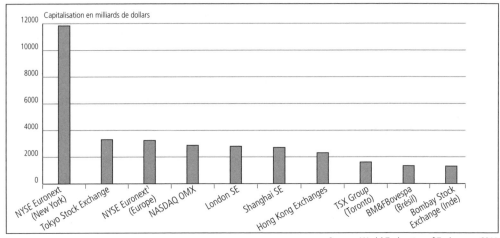

Source : World Federation of Exchanges, 2011.

La capitalisation boursière des sociétés cotées des pays émergents dépasse celle de l'Europe. Le dynamisme des marchés asiatiques reflète les avancées économiques de pays comme l'Inde et la Chine qui ont multiplié les introductions en bourse.

---

1. Euronext résulte de la fusion des Bourses de Paris, Bruxelles, Amsterdam en 2000 et Lisbonne en 2002. Elle passe sous le contrôle du New York Stock-Exchange en 2007.

*Chapitre* **5**

# Mutations démographiques et sociales

# 65 Le vieillissement démographique

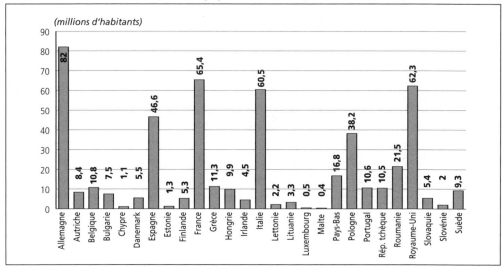

La population de l'UE-27

Source : INED, 2010.

## ① Une évolution démographique préoccupante

### A. Un grand foyer de peuplement à la population stagnante

**Le poids des hommes**. L'UE-27 compte en 2011 près de 501 millions d'habitants. Elle se place devant les deux grands foyers économiques de la Triade : l'Amérique du Nord (États-Unis, Canada : 346,5 millions) et le Japon (126,5 millions). Elle est dépassée par les deux géants asiatiques : la Chine (1,348 milliard) et l'Inde (1,210 milliard).

**Déséquilibres européens**. Depuis sa réunification, l'**Allemagne**, qui a gagné 16 millions d'habitants de l'ex-RDA, arrive largement en tête des États européens, avec 82 millions d'habitants. La **France** métropolitaine (65,4 millions), le **Royaume-Uni** (62,3 millions) et l'**Italie** (60,5 millions) constituent un groupe d'États de taille comparable. Le poids démographique des autres pays est moindre.

**Une démographie déclinante**. La population de la Communauté stagne. Son importance par rapport à l'ensemble de la population mondiale ne cesse de baisser. L'**UE-27 représente 6 % de la population mondiale** en 2007 contre 12 % en 1960. Cette tendance se poursuivra. Les estimations de l'ONU prévoient une population mondiale de 9,4 milliards en 2050 contre 6,8 milliards en 2009. L'accroissement devrait être presque exclusivement le fait des pays du Sud.

### B. La faiblesse de la croissance démographique

**La population de l'UE-27 stagne**. L'accroissement naturel (différence entre les naissances et les décès) est faible : en 2007, il s'élevait à environ 500 000 habitants dans l'UE-27. L'apport migratoire représentant environ 1,9 million d'habitants.

**Les taux de croissance démographique dans l'UE sont très variables d'un pays à l'autre.** La population de la **France** a augmenté de 0,4 % en 2010. La croissance annuelle de la France reste élevée au sein de l'UE. Ceci tient principalement à l'excédent des naissances sur les décès (+ 290 000), la France ayant un solde migratoire parmi les plus faibles des pays européens (70 000 personnes en 2007).

La situation est inverse dans la majorité des pays européens : lorsqu'il y a croissance de la population, celle-ci est principalement due aux migrations.

**L'élargissement de l'UE à douze nouveaux membres représente une augmentation de la population de cent millions d'habitants.** Ils ne modifient pas la situation de l'Europe à la démographie stagnante, leur population enregistrant même une légère décroissance en raison d'un double excédent des décès sur les naissances et des émigrations sur les immigrations. Ces pays connaissent depuis la chute du communisme un effondrement de la démographie. La Pologne a perdu 600 000 habitants entre 2000 et 2010. L'UE-27 pourrait perdre 10 % de sa population d'ici à 2050 (prévisions ONU).

# 2 Le défi du vieillissement

## A. L'effondrement de la fécondité

**C'est le phénomène le plus marquant de la démographie européenne.** Le taux de fécondité a chuté, il est passé, dans l'UE-27, de 2,6 au début des années 1960 à 1,6 aujourd'hui ; il se situe en dessous du seuil de renouvellement des générations (2,1 enfants par femme en âge de procréer).

**Aucun pays de l'UE n'a un taux de fécondité assurant le remplacement des générations.** La fécondité a chuté de 30 % depuis les années 1980, dans les pays du sud de l'Europe qui avaient les taux les plus élevés, si bien que des indicateurs faibles sont aujourd'hui observés en **Espagne** (1,4), en **Italie** (1,4) et en **Grèce** (1,5). Au nord, l'**Allemagne** avec 1,3 ne fait guère mieux. La **France** (2) se distingue avec un taux élevé. Suivent le **Danemark** (1,8), l'**Irlande** (2,1), le **Royaume-Uni** (1,9), la **Suède** (1,9), la **Finlande** (1,9) et les **Pays-Bas** (1,7).

La situation n'est pas meilleure chez les nouveaux États membres. Ils ont tous des taux de fécondité inférieurs ou égaux à 1,5, y compris la très catholique **Pologne** (1,4), qui comptait encore 2,5 enfants par femme au milieu des années 1980. Dans tous ces pays, les systèmes sociaux ont volé en éclats, et avoir des enfants « fait courir un risque important de sombrer dans la pauvreté ».

## B. L'espérance de vie augmente et les taux de mortalité infantile baissent

**L'espérance de vie est parmi les plus élevées du monde :** 75,5 ans pour les hommes et 81,5 ans pour les femmes, soit onze ans de plus qu'en 1945. On assiste à une homogénéisation progressive des situations entre les différents États et à une baisse de la mortalité des plus de 60 ans.

**Le taux de mortalité infantile, qui mesure l'importance des décès entre zéro et un an, est un des plus bas du monde (4 ‰).** Il souligne les progrès considérables réalisés par les États du Sud (Portugal, Espagne, Grèce), qui rattrapent les standards du Nord alors que les nouveaux pays membres sont en retard : 5,6 ‰ en Pologne, 9 ‰ en Bulgarie et 10,3 ‰ en Roumanie.

# 3 Le « choc démographique » du XXI$^e$ siècle

## A. L'accélération et l'ampleur du vieillissement

Au cours des prochaines décennies, la catégorie des personnes en âge de travailler (15-65 ans) va diminuer de 50 millions tandis que celle des personnes âgées de plus de 60 ans connaîtra une augmentation de près de 50 % d'ici à 2025.

Une nouvelle catégorie, le « quatrième âge » (personnes âgées de plus de 80 ans), sera trois fois plus importante qu'aujourd'hui.

## B. L'Europe, vieux continent de vieux

**Des données alarmantes :**
- une explosion du nombre des personnes âgées et des retraités ;
- une baisse de celui des enfants et des jeunes ;
- une décroissance de la population en l'absence d'apport migratoire ;
- une diminution des personnes en âge de travailler (ce qui pourrait faire baisser le taux de chômage).

**L'UE devra relever le défi du financement des retraites** (augmentation des cotisations, allongement de la durée du temps de travail, réduction des prestations, développement des fonds de pension…), et trouver des fonds pour financer les nouvelles **dépenses de santé**. La production de

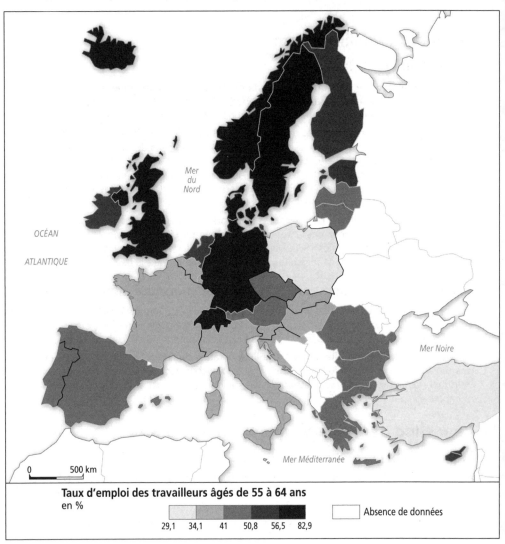

# 66 L'emploi en Europe

### Les actifs européens de 55 à 64 ans

**Taux d'emploi des travailleurs âgés de 55 à 64 ans en %**

29,1  34,1  41  50,8  56,5  82,9

Absence de données

Source : INSEE, données 2008.

## ① Un niveau d'emploi faible mais qui progresse

### A. Une augmentation régulière

Le taux moyen d'emploi (proportion de personnes occupées âgées de 15 à 64 ans, en % de la population totale du même âge) dans l'UE-27 est de 64,1 % en 2010. Ce taux, qui avait régulièrement augmenté ces dernières années, recule depuis 2008. L'UE reste en retard par rapport aux États-Unis (72 %) et au Japon (70 %).

## B. Il existe de grandes différences entre les pays européens

Le taux d'emploi est faible en Slovaquie (58,8 %), en Espagne (58,6 %), en Lituanie (57,8 %), en Italie (56,9 %), à Malte (56,1 %) et en Hongrie (55,4 %). L'Allemagne a un taux de 71,1 %. Il dépasse 70 % au Danemark, aux Pays-Bas, en Suède et en Autriche (71,4 %).

La France avec un taux de 63,8 % se situe légèrement en dessous de la moyenne de l'UE-27. Ce chiffre s'explique en grande partie par la faiblesse du taux d'emploi des 55-64 ans qui est de 39,7 %, alors qu'il est de 70,5 % en Suède, de 57,1 % au Royaume-Uni, de 57,7 % en Allemagne. Seule l'Italie parmi les grands pays européens fait ici moins bien que la France avec un taux de 36,6 %.

## C. Des répercussions sur l'emploi

**L'activité professionnelle** s'est « rétrécie » du fait de l'allongement de la durée des études et des mesures prises jusqu'à une date récente pour avancer l'âge de la retraite.

L'évolution démographique en cours entraîne un ralentissement de la croissance de la population active et son vieillissement.

C'est pour enrayer cette évolution que le **Conseil européen de Lisbonne, en mars 2000**, s'était fixé pour objectif d'atteindre un **taux d'emploi total de 70 % d'ici à 2010**. La réalisation de cet objectif impliquait une **participation plus élevée des femmes**, le taux d'emploi féminin augmente, il est de 64,4 % dans l'UE, et des **travailleurs les plus âgés** (*cf.* carte). Ceci s'est traduit en France par l'allongement de la durée de la vie active pour pouvoir bénéficier d'une retraite à taux plein. La question du report de l'âge légal du départ à la retraite est posée dans plusieurs pays européens. Il s'agit aussi en augmentant le taux d'activité d'assurer le financement des régimes de protection sociale.

## ② L'emploi dans les différentes branches de l'économie

### A. Un secteur primaire peu important en tant que pourvoyeur d'emplois

**L'agriculture, la sylviculture et la pêche occupent moins de 5,6 % des actifs** de l'UE (France : 3,3 %). Le seuil d'incompressibilité semble être atteint pour le Royaume-Uni (1,5 %) ou l'Allemagne (2,1 %). Le poids de ce secteur reste élevé en Pologne (14,8 %), en Grèce (8,5 %), au Portugal (11,5 %). Il occupe 20 % des actifs en Bulgarie et plus de 27 % en Roumanie.

### B. Un secteur secondaire spécifique des économies évoluées

Le secteur secondaire est en déclin en termes d'emplois mais reste important en Allemagne (25,4 % des actifs) et dans une moindre mesure en France (20,3 %). Les taux proches de 30 % enregistrés en Espagne et au Portugal traduisent le rattrapage industriel de ces États. Les taux sont généralement élevés dans les PECO.

### C. Une société postindustrielle ?

**Le tertiaire est le premier secteur d'activité de l'UE** et représente 70 % de la population active. Il est très élevé dans les pays économiquement les plus développés : Royaume-Uni : 80 %, Pays-Bas : 79,8 %, France : 78 %, Belgique : 77 %, Danemark : 76,3 %, Suède : 75,1 %, Allemagne : 72,4 %. Les pays les plus attardés économiquement possèdent un secteur tertiaire encore faible : Grèce : 68 %, Portugal : 59 %, République tchèque : 58,4 %, Pologne : 53,9 %, Bulgarie : 52 %.

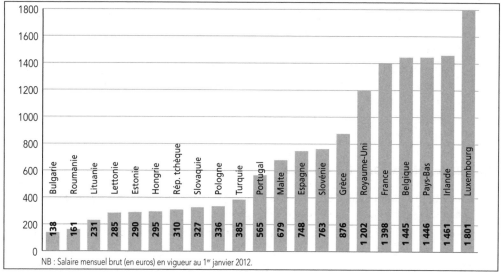

**Salaire national minimum en Europe**

NB : Salaire mensuel brut (en euros) en vigueur au 1er janvier 2012.

*Source : Eurostat, 2012.*

# ③ Des conditions de travail disparates

## A. Les salaires de l'UE : état des lieux

Ils demeurent en dehors du champ de compétence de l'UE. La législation sur les salaires reste du ressort de chaque État. Les différentiels de salaires entre les nouveaux entrants de l'ex-bloc communiste et les pays de l'UE-15 suscitent chez ceux-ci de nombreuses inquiétudes, notamment en matière de délocalisation.

Vingt pays de l'UE ont fixé un salaire national minimum qui varie de 138 euros par mois en Bulgarie à 1 801 euros bruts par mois au Luxembourg, soit treize fois plus. Les sept autres États membres (Allemagne, Autriche, Chypre, Danemark, Finlande, Italie, Suède) ont fixé un salaire minimum par branche.

L'écart entre les pays se réduit lorsqu'on supprime l'effet des différences de niveau de prix en appliquant les Parités de pouvoir d'achat (PPA) aux dépenses de consommation finale des ménages.

Les PECO connaissent aussi des écarts salariaux très importants entre une minorité qui s'est enrichie depuis la chute du mur de Berlin et une majorité pauvre. L'absence de véritable classe moyenne est pour le moment un handicap au développement.

Les personnes employées à temps partiel ou par intermittence dans l'année ne percevant qu'une partie du salaire minimum constituent des « travailleurs pauvres » dont les revenus sont inférieurs au seuil de pauvreté.

## B. La durée du temps de travail

**L'emploi à temps plein reste prédominant.** Les salariés à temps plein déclarent travailler 40,4 heures par semaine. La durée moyenne du travail est globalement plus prononcée dans les dix PECO. La durée est de 40,9 heures en Pologne et de 40,5 heures en Hongrie. Les moyennes ne rendent pas compte de la réalité des situations, des pointes à plus de 50 heures par semaine concernent 20 % des salariés des dix PECO. Dans ces pays, l'accumulation des heures de travail vient compenser des salaires de base insuffisants. Ces chiffres ne tiennent pas compte du travail non déclaré et sont donc sous-estimés. L'absence de paiement des heures supplémentaires est aussi une pratique courante dans les PECO.

**La France** est le seul pays de l'UE à avoir agi par voie législative pour réduire la durée légale du temps de travail à 35 heures par semaine (**loi Aubry**). Les gouvernements qui se sont succédé depuis, sans revenir sur la durée légale, ont assoupli les conditions de recours aux heures supplémentaires et ont réduit leur coût pour les employeurs. Le « **travailler plus pour gagner plus** » de Nicolas Sarkozy se traduisant par une défiscalisation de ces mêmes heures supplémentaires, pour les salariés qui y ont recours.

**Il n'existe pas d'accord européen sur la durée hebdomadaire du travail**.
**La Confédération européenne des syndicats (CES)** penche pour une nouvelle approche au niveau communautaire ; il s'agit de prendre en compte toute la vie active (50 000 heures), ce qui permettrait « une flexibilité positive et rendrait possible le temps partiel choisi et les congés formation ».

# ❹ Un travail flexible : l'emploi à temps réduit

## A. Le travail à temps partiel

**On parle de temps partiel dans la mesure où la durée de travail est inférieure à la durée légale hebdomadaire, qui varie pour chaque pays.** Ce type de travail progresse, il concerne 19,2 % de la population active travaillant dans l'UE. Les **Pays-Bas** détiennent en Europe le record de l'emploi à temps partiel (48,9 %). 76,5 % des femmes actives travaillent à temps partiel aux Pays-Bas. En Allemagne, au Royaume-Uni, en Suède, au Danemark, en Autriche et en Belgique, l'emploi à temps partiel occupe environ un quart des travailleurs.

**Les dix PECO n'ont que faiblement recours au temps partiel**, qui est écarté par les employeurs et par les salariés. Les premiers cherchant à échapper au code du travail, aux charges fiscales et les seconds visant, dans un contexte de bas salaires, un emploi à plein-temps. La flexibilité du marché du travail n'en est pas moindre du fait de la généralisation du statut de travailleur indépendant. Bon nombre d'entreprises demandent à leurs salariés d'adopter le statut de **travailleur indépendant**, même pour les grandes entreprises. En Pologne, 33 % des salariés ont le statut « d'indépendants », ils travaillent parfois jusqu'à 56 heures par semaine. Ce type d'emploi entraîne une perte de recettes pour l'État et favorise l'économie informelle. **Cette forme d'emploi « se rapproche en effet fortement de la logique anglo-saxonne de flexibilité totale sur les marchés du travail, en matière d'embauche et de licenciement »** (Daniel Vaughan-Whitehead).

## B. Le travail temporaire

L'intérim ne cesse de progresser en Europe car il procure de la souplesse au marché du travail. L'intérim connaît un fort développement, sauf en Italie et en Grèce, où le travail « au noir » reste important.

Le travail temporaire est surtout important aux **Pays-Bas** et au **Royaume-Uni**, du fait d'une réglementation très libérale. En **Allemagne**, le marché est peu ouvert car les « intérimaires sont souvent des salariés permanents des entreprises du travail temporaire ».

La France est le deuxième marché européen du travail temporaire. La profession du travail temporaire fait travailler l'équivalent de 2 % de la population active française.

La concentration dans le secteur de l'intérim est à noter : la fusion du Français Ecco et du Suisse Adia sur une base égalitaire a donné naissance au groupe Adecco (leader mondial avec l'Américain Manpower). Adecco dispose de 7 000 bureaux et agences répartis sur 60 pays ; le siège mondial se trouve en Suisse et la société figure dans la liste des 500 plus grandes entreprises du monde. Le Néerlandais Vendex a racheté le Français Bis et constitue le troisième groupe mondial (Vedior-Bis) devenu Randstad en 2009.

# 67 Trente ans de chômage de masse

**Taux de chômage en mars 2012** (données corrigées des variations saisonnières)

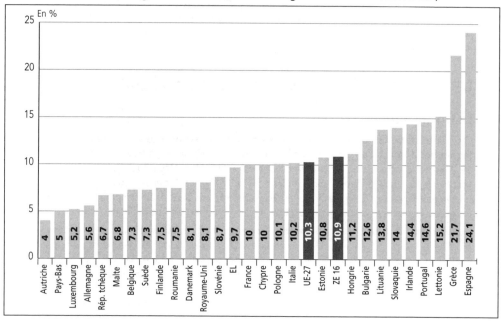

| Pays | Taux |
|------|------|
| Autriche | 4 |
| Pays-Bas | 5 |
| Luxembourg | 5,2 |
| Allemagne | 5,6 |
| Rép. tchèque | 6,7 |
| Malte | 6,8 |
| Belgique | 7,3 |
| Suède | 7,3 |
| Finlande | 7,5 |
| Roumanie | 7,5 |
| Danemark | 8,1 |
| Royaume-Uni | 8,1 |
| Slovénie | 8,7 |
| EL | 9,7 |
| France | 10 |
| Chypre | 10 |
| Pologne | 10,1 |
| Italie | 10,2 |
| UE-27 | 10,3 |
| Estonie | 10,8 |
| ZE 16 | 10,9 |
| Hongrie | 11,2 |
| Bulgarie | 12,6 |
| Lituanie | 13,8 |
| Slovaquie | 14 |
| Irlande | 14,4 |
| Portugal | 14,6 |
| Lettonie | 15,2 |
| Grèce | 21,7 |
| Espagne | 24,1 |

## 1 L'évolution conjoncturelle

### A. Les Trente Glorieuses : le plein emploi

Le chômage est faible dans la Communauté du fait du fort taux de croissance du PIB (4,8 % par an de 1960 à 1973) malgré un faible taux de créations d'emplois (0,3 %). Le chômage représente moins de 3 % de la population active.

### B. L'apparition d'un chômage de masse

La situation se dégrade dès 1974 avec la crise économique qui touche plus particulièrement les secteurs industriels traditionnels. L'emploi dans le secteur privé baisse, mais il augmente dans le secteur public ; la forte poussée du chômage est liée aussi à l'augmentation de la population en âge de travailler, celle des *baby-boomers*. Le chômage dépasse le cap de 5 % de la population active des Quinze en 1979 et atteint près de 10 % de la population active dès 1985.

**1986-1990 : un recul provisoire.** Les restructurations en cours dans l'industrie, mais surtout la création d'emplois dans les services et la reprise de la croissance (3,2 %) renversent la tendance. Le taux est ramené à 8,2 % en 1990.

**Le début des années 1990 : une nouvelle aggravation.** Durant les années 1990, la situation économique se dégrade à nouveau. Le taux de croissance du PIB baisse, il est même négatif en 1993. En 1994, le taux de chômage atteint 11 % de la population active, l'Europe compte 19 millions de chômeurs. L'Espagne a 24 % de chômeurs, l'Irlande 16 %. La rigueur imposée pour le passage à la monnaie unique pèse également sur l'emploi.

## C. Une situation qui s'améliore depuis 2005

La croissance qui dépasse les 3 % du PIB en 2000 provoque une embellie de courte durée car dès l'été 2001 le marché du travail s'est à nouveau dégradé et ce jusqu'en 2005. Depuis cette date, le taux de chômage corrigé des variations saisonnières est en baisse dans l'UE-27. Le taux de chômage s'élève à 6,7 % en février 2008, il était de 7,4 % un an plus tôt.

## D. Une nouvelle dégradation avec la crise mondiale

La crise économique commencée en 2008 remet en cause le retour au plein emploi qui semblait à portée de main. Dans l'UE-27, le taux de chômage s'est établi à 10,3 % en mars 2012 (10,9 % pour la zone euro). Cela représente près de 23 millions de chômeurs (15,6 millions pour la zone euro). Par rapport à janvier 2009, le nombre de chômeurs s'est accru de 3,8 millions dans l'UE-27 et de 2,2 millions dans la zone euro.

Les taux de chômage les plus bas ont été enregistrés aux Pays-Bas (5 %), au Luxembourg (5,2 %) et en Autriche (4 %). Les plus élevés en Grèce (21,7 %) et en Espagne (24,1 %). Sur un an, un grand nombre d'États ont connu une augmentation du taux de chômage. L'Allemagne (5,6 %) résiste mieux que la France (10 %). Du fait de licenciements massifs, le taux de chômage a doublé en deux ans aux États-Unis, il était de 8,5 % en janvier 2010.

## ❷ Les « chômages » de l'UE

### A. Un chômage conjoncturel

Comme le montre ce qui précède, l'évolution du chômage conjoncturel durant les dernières décennies est amplement liée à l'activité économique. Il progresse avec le ralentissement économique et il recule avec la reprise de l'activité.

La situation du marché du travail est restée défavorable aux femmes, aux non qualifiés et aux jeunes.

### B. Un chômage structurel du fait :

– d'une insertion de l'UE dans la nouvelle division internationale du travail, qui néglige trop les marchés d'avenir; conserver des clients et a fortiori en gagner, dans un environnement international moins porteur et plus concurrentiel, implique une redéfinition des objectifs ;
– « du coût relatif élevé du travail peu qualifié, qui encourage les investissements de rationalisation et freine la création d'emplois dans les services » ;
– « des rigidités du travail : législations, politique d'emploi, protection sociale, formation... » ;
– de la concurrence des NPI (Nouveaux pays industrialisés) et de la Chine.

Le chômage structurel est tombé à son niveau le plus bas depuis une décennie.

### C. Un chômage technologique

Il existe un décalage entre le progrès technique, souvent destructeur d'emplois, et la faculté d'anticiper de nouveaux besoins qui fourniraient de nouveaux gisements d'emplois.

### D. La crise de l'emploi et les politiques de lutte contre le chômage

Face à la crise actuelle, les économies européennes ont eu recours à des plans de relance qui creusent le déficit mais cherchent à amortir la récession. Les taux d'intérêt bas pratiqués par la BCE devant soutenir le crédit et l'activité. Les contrats aidés dans les secteurs marchands et non marchands, le chômage partiel indemnisé, les allègements de cotisations sociales sur les bas salaires constituent un ensemble de dispositifs, « un mille-feuille », dont l'objectif est de favoriser la création d'emplois tout en préservant les emplois existants. La montée du chômage reste sans doute la principale menace sur la sortie de crise.

# 68 L' Europe sociale

## Dépenses totales de protection sociale par habitant

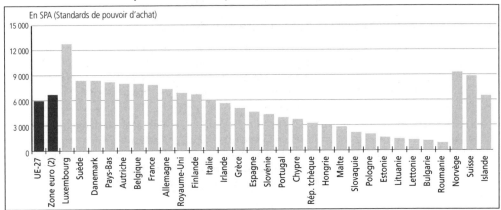

Données 2005, source : Eurostat, 2009.

## Prestations sociales dans l'UE-27*

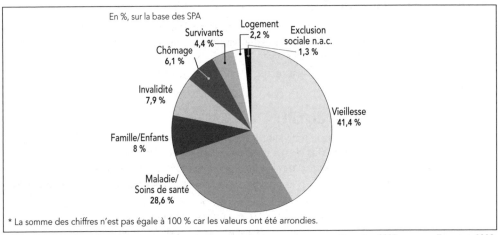

Données 2005, source : Eurostat, 2009.

# ① Le « Modèle social européen » (MSE)

## A. Comment définir le « Modèle social européen » ?

Les références au « Modèle social européen » se sont multipliées dans les sommets européens. Même s'il n'y a pas de définition exacte de ce modèle, on peut considérer que le « Modèle social européen » correspond à un certain nombre de valeurs et de pratiques qui ont cours au sein de l'UE et qui la distinguent des États-Unis et du Japon. Les mesures étant communautaires ou nationales.

**Le « Modèle » social européen est constitué de points communs** que Daniel Vaughan-Whitehead résume ainsi :
– une même volonté d'élargir le champ des acquis sociaux (droits minimaux et protection sociale universelle étendus au plus grand nombre);
– une « démocratie participative », c'est-à-dire la promotion du dialogue social et des diverses formes de participation directe des salariés (cogestion, coopératives, formules d'actionnariat et d'intéressement aux bénéfices…);

– l'importance accordée au maintien des services publics ou d'intérêt général;

– l'association de la dimension sociale à la recherche de la compétitivité.

Le Modèle social européen est en évolution permanente, il est perçu comme **un idéal à atteindre**. L'histoire de la construction européenne montre que le Modèle social européen n'est apparu que progressivement dans le droit communautaire.

## B. L'Europe sociale, parent pauvre de la politique communautaire

### Le traité de Rome

– Il précise, dans son article 117, que « l'harmonisation des niveaux de vie résultera du fonctionnement du Marché commun, qui favorisera l'harmonisation des systèmes sociaux ». **L'Europe sociale apparaît alors comme le parent pauvre, un sous-produit, de la construction économique.** La principale réalisation est la création, en 1960, du Fonds social européen (FSE).

– De 1974 à 1986, la Communauté adopte de nombreuses directives, mais ces mesures sont souvent inférieures à celles existant dans beaucoup de pays de la Communauté.

### La Charte sociale (1989)

– La préparation du **Grand Marché de 1993 relance l'Europe sociale**. L'Acte unique (1987), par le recours à la majorité qualifiée (au lieu de l'unanimité), facilite l'adoption de directives sur la santé et la sécurité.

– Le 9 décembre 1989, le Conseil européen de Strasbourg adopte (sans le Royaume-Uni) la **Charte sociale** définissant en douze points les principes de base de l'Europe sociale.

## C. La « longue marche » de l'Europe sociale

### La relance

– La Charte sociale de 1989, annexée au **traité de Maastricht**, est une prise en compte des préoccupations sociales de l'Europe. Le Royaume-Uni de Margaret Thatcher n'avait pas ratifié le protocole social, ce qui a été fait par le gouvernement de Tony Blair en 1998. Le traité étend le champ du vote à la majorité qualifiée.

– Le **traité d'Amsterdam** (1997) intègre le protocole sur la politique sociale et fait passer l'emploi au premier plan des préoccupations de la construction européenne.

### Le Conseil européen de Lisbonne (2000)

C'est une étape essentielle pour l'Europe sociale. L'UE, qui se fixe pour objectif le plein-emploi d'ici 2010, associe étroitement le progrès social à la performance économique. Le Conseil préconise **« la mise en place d'un État social actif pour réussir la marche vers la nouvelle économie et faire en sorte que celle-ci n'aggrave ni le chômage, ni l'exclusion sociale, ni la pauvreté »**.

La nouvelle Charte des droits sociaux fondamentaux (2000) est intégrée dans le projet de Constitution européenne qui est rejeté par la France et les Pays-Bas.

### Le traité de Lisbonne (2007)

Il comprend plusieurs mesures qui renforcent la dimension sociale de l'Europe mais les politiques sociales relèvent toujours de la compétence des États.

– La Charte des droits fondamentaux est réintroduite et acquiert une valeur juridique, puisque les droits sociaux (droit de négociation, d'action collective, protection en cas de licenciement injustifié…) seront garantis par les juges nationaux et communautaires.

– Il confirme les objectifs sociaux de la recherche du plein-emploi, du progrès social, la lutte contre les discriminations, l'élimination de la pauvreté…

– Une « clause sociale » exige la prise en compte des exigences sociales dans toutes les politiques de l'UE. Le non-respect de ce critère pouvant amener l'annulation de toute « loi » européenne par la Cour de justice.

– Il consacre le rôle des partenaires sociaux et renforce le dialogue social. Le Conseil européen du printemps doit être consacré chaque année à la croissance et à l'emploi.

– Il étend le domaine de la majorité qualifié en matière sociale.

# ② Un modèle en danger ?

## A. Des espaces de solidarité nationaux

La protection sociale et les relations liées aux conditions de travail restent des éléments constitutifs des **États-nations** dans lesquels s'exerce la solidarité. Le « Modèle social européen » est en réalité un « patchwork » constitué de modèles sociaux très différents (Camille Dorival) qui peuvent être schématisés de la façon suivante :

– Le modèle **« beveridgien »** est fondé sur l'impôt avec une variante libérale au Royaume-Uni et une variante sociale-démocrate dans les pays scandinaves.

– Le modèle **« bismarckien »** est fondé sur les cotisations sociales ; on le rencontre en Allemagne, en Autriche, en France, en Belgique.

– Les systèmes de protection des **pays du Sud** « se caractérisent par le faible impact des transferts sociaux, qui résulte soit de la combinaison de prestations faibles et dispersées (Portugal), soit d'un niveau plus élevé, mais qui ne concerne qu'une partie de la population (Italie) » (Pierre Volovitch).

Le poids de la protection sociale (22 % du PIB dans UE, en baisse depuis la crise de 2008) varie du simple au double : autour de 13 % du PIB en Lettonie, Lituanie, Estonie et autour de 30 % en Suède, France et Allemagne. Certains pays européens (PECO) peuvent être tentés par une course au moins-disant social pour attirer les emplois. Une coordination dans le domaine salarial paraît souhaitable mais elle est peu probable.

## B. Le défi des élargissements : l'harmonisation sociale par le haut ou par le bas ?

**L'adhésion de nouveaux pays aux acquis sociaux élevés,** comme la Suède, devait contribuer à rapprocher les législations sociales, les législations du travail et les systèmes de sécurité sociale en les tirant vers le haut. L'évolution actuelle ne semble pas aller dans ce sens depuis l'ouverture à l'Est.

**L'ouverture aux PECO présente des risques de *dumping* social :** les salaires, les allocations sociales et les indemnités chômage étant dans ces pays bien au-dessous de la moyenne de l'UE. Les PECO ont développé une **économie informelle** qui contribue à une dérégulation sociale à grande échelle. Ils sont enfin attirés par la **logique libérale** du modèle anglo-saxon opposé à toute régulation sociale. Les peuples de l'Europe de l'Ouest craignent des délocalisations vers l'Est et des flux massifs d'immigrants vers l'Ouest.

## C. Le projet de « directive Bolkestein »

Il illustre la dérive libérale de l'UE et la stimulation d'un *dumping* social généralisé. La « directive Bolkestein » sur les services, adoptée par la Commission européenne en janvier 2004, a été rejetée par le Conseil du 23 mars 2005, sous la pression de la France, pour faire l'objet de nouveaux amendements. Les risques de *dumping* social étaient réels dans la mesure où la directive appliquait le « principe du pays d'origine, selon lequel un prestataire de services ne serait sujet qu'à la loi du pays dans lequel il est établi, lui permettant donc de fournir des services dans un ou d'autres États membres sans être soumis à leur législation ». (D. Vaughan-Whitehead). Le risque de nivellement social par le bas était grand dans la mesure où les entreprises étaient tentées de faire assurer leurs services à partir des pays où les normes sociales et les règles de travail sont les plus faibles. Une nouvelle directive sur la libéralisation des services a été adoptée par les députés européens en 2006. Le nouveau texte évacue le principe si controversé du pays d'origine qui avait alimenté le fantasme du **« plombier polonais »** déferlant en masse à l'Ouest. Le débat autour de la « directive Bolkestein » a contribué au rejet du projet de Constitution européenne lors du référendum français.

## D. La déficience du « dialogue social »

La **Confédération européenne des syndicats (CES)** créée en 1973 regroupe l'ensemble des organisations syndicales du Vieux Continent. Elle a négocié avec l'Unice, le patronat européen, plusieurs accords (congé parental, contrats à durée déterminée et temps partiel…) instituant des règles sociales minimales. Le traité de Maastricht donne un rôle prédominant aux partenaires sociaux dans la mesure où les accords conclus deviennent la règle en Europe, mais ils sont trop peu nombreux.

**La faiblesse des partenaires sociaux et du dialogue social** dans les nouveaux États membres représente une autre menace, 80 % des travailleurs des PECO ne sont pas couverts par des conventions collectives. Le clivage ne se fait pas entre anciens et nouveaux membres, mais entre ceux qui font le choix d'une politique néolibérale, de type britannique, et ceux qui sont attachés à plus de sécurité. Les nouveaux États membres ont déjà mis en place une flexibilité plus grande que celle qui existe dans la plupart des anciens États membres et ils penchent pour le modèle anglo-saxon du libre marché et de la flexibilité.

## E. La « flexicurité »

Comme le soulignent Franck Cochoy et Janine Goetschy (*Sociologie du travail*, n° 4, 2009), l'Europe sociale vise à remplir deux objectifs quelque peu antinomiques : l'un est de « **protéger** » les citoyens face à la mondialisation et à certaines conséquences négatives de l'intégration européenne pour l'emploi et les politiques sociales ; l'autre est de proposer des « **standards sociaux** » et d'emploi pour revisiter le modèle social européen et réformer les systèmes nationaux de droit du travail, d'emploi et de protection sociale. Le concept de « **flexicurité** » mis en avant par la Commission constitue un exemple de cette ambiguïté. Dans un rapport datant de 2007, la **Commission européenne** préconise de faire évoluer le modèle européen vers « **des principes communs de flexicurité** » : des emplois plus nombreux, de meilleure qualité, avec un droit du travail combinant flexibilité et sécurité, une stratégie de formation tout au long de la vie, des politiques actives du marché du travail, des systèmes de sécurité sociale modernes, c'est-à-dire un financement de la protection sociale plus favorable à l'emploi et pesant moins sur le coût du travail. La marche vers la « flexicurité », qui accorde une place excessive aux mécanismes d'un capitalisme mondial déréglementé, est remise en question par la violence de la crise actuelle.

---

### Les cinq instruments de la politique sociale européenne

*1. Législation :* elle permet d'étendre les conditions plus contraignantes dans le domaine social. Prend la forme de directives et règlements communautaires qui doivent être transposés dans les États membres.

*2. Fonds structurels :* éléments de solidarité sociale et de redistribution entre nations et régions de l'UE. Présents dès le début de la constitution de la construction communautaire.

*3. Méthode de coordination :* outil complémentaire de coordination très utile pour couvrir de nouveaux domaines. Adoptée en 1998 au sommet de Luxembourg pour élaborer une véritable stratégie pour l'emploi, et étendue depuis aux domaines de l'inclusion sociale, des retraites et de la protection sociale.

*4. Chartes sociales :* elles permettent d'inscrire un certain nombre de droits sociaux sur le plan institutionnel ou constitutionnel. Après la Convention européenne des droits de l'homme (1951), la Charte sociale du Conseil de l'Europe (1961, révisée en 1996) et la Charte des droits sociaux fondamentaux (2000), intégrée dans le projet de Constitution européenne, permet désormais de placer les droits sociaux sur le même plan que les droits de l'homme.

*5. Dialogue social européen :* il représente un processus autonome et bipartite entre organisations syndicales et patronales. Initialisé en 1980, il a acquis de nouveaux pouvoirs d'initiative avec le protocole social annexé au traité d'Amsterdam.

Source : D. Vaughan -Whitehead, L'Europe à 25,
La Documentation Française, 2005

# 69 Migrations : l'évolution des flux

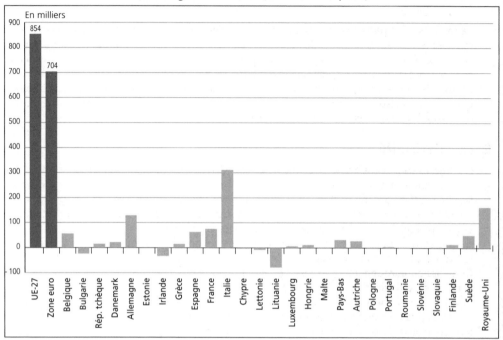

**Solde migratoire en 2010** (corrections comprises)

Source : Eurostat, 2012.

## 1 Les migrations intra-européennes

### A. Pays d'immigration et pays d'émigration

Après la Seconde Guerre mondiale et jusqu'aux années 1970, on identifie en Europe des **pays d'immigration** comme la France, le Royaume-Uni, le Benelux et la RFA (plus tardivement).

L'Italie, l'Espagne, le Portugal, la Grèce, l'Irlande, moins développés, sont traditionnellement des **pays d'émigration**. Entre 1945 et 1975, 3 millions d'Espagnols ont quitté l'Espagne, dont 2 millions vers l'Europe, la France étant la destination privilégiée. 1,7 million de Portugais émigrent de 1961 à 1974, majoritairement vers l'Europe occidentale.

### B. Le renversement de la situation depuis le milieu des années 1970

**Dans les pays d'immigration qui connaissent un retournement du marché de l'emploi :** crise économique, augmentation de la population active du fait de l'arrivée sur le marché du travail des classes nombreuses du baby-boom et de la progression du taux d'activité féminine. Les politiques migratoires deviennent très restrictives.

**Dans les pays d'émigration** (Grèce, Portugal, Espagne), du fait du « décollage » économique et de l'élévation du niveau de vie des populations. Le retour à la démocratie et l'adhésion à la Communauté européenne renforcent cette évolution. Ces pays cessent d'être des pays d'émigration. Dans les années 1980, les retours des travailleurs italiens, espagnols et portugais dans leur pays sont plus importants que les départs (400 000 Espagnols rentrent chez eux entre 1973 et 1983).

# ② Les migrations extra-communautaires

## A. La poussée migratoire des Trente Glorieuses

**Les événements politiques** sont à l'origine des mouvements de personnes déplacées, du fait du tracé des nouvelles frontières de l'Europe orientale après la Seconde Guerre mondiale (l'Allemagne de l'Ouest accueille plus de dix millions de réfugiés entre 1945 et 1961). On peut aussi citer l'exemple des Hollandais ayant quitté l'Indonésie ou des rapatriés français d'Algérie. Un million de personnes quittent l'Algérie pour la France après les accords d'Évian en 1962.

C'est surtout le **besoin de main-d'œuvre** pendant les Trente Glorieuses qui attire, en Europe, les populations extra-communautaires, les pays d'accueil favorisant ici leurs anciennes colonies. La France reçoit une main-d'œuvre venue d'Afrique du Nord et d'Afrique noire. Antillais, Pakistanais, Indiens affluent vers le Royaume-Uni ; quant à l'Allemagne, elle fait appel aux Turcs et aux Yougoslaves.

## B. La réduction des flux migratoires pendant la crise des années 1970

Les pays européens doivent gérer l'immigration en période de récession économique. Ils prennent des mesures comme **l'arrêt officiel de l'immigration** de nouveaux travailleurs ; ils pratiquent des politiques d'incitation au retour dans les pays d'origine, l'expulsion des étrangers en situation irrégulière, des contrôles stricts aux frontières. Le solde migratoire, bien que limité, reste positif du fait des regroupements familiaux (conjoints, enfants), de l'arrivée des réfugiés et demandeurs d'asile. Plus de la moitié des demandeurs d'asile (220000) dans l'UE-27 font l'objet d'un refus.

## C. L'Europe, « championne du monde » de l'immigration

**L'Italie, l'Espagne, le Portugal** et **la Grèce** sont devenus des pays d'immigration. Ils sont un pont entre le Nord et le Sud et parfois entre l'Est et l'Ouest. Ils constituent un **« modèle méditerranéen de migration »**. La Méditerranée fait un peu figure de « Rio Grande », comme entre les États-Unis et le Mexique (Catherine Wihtol de Wenden).

**L'effondrement du bloc communiste** a provoqué un flux important vers l'UE. C'est l'**Allemagne** qui a accueilli l'essentiel des migrants de l'Est depuis la chute du mur de Berlin en 1989 et les demandes d'asile de la crise Yougoslave dans les années 1990.

**Le Royaume-Uni**, qui a connu une immigration de ressortissants du Commonwealth, est devenu le troisième pays européen pour l'immigration et le deuxième pour les demandeurs d'asile avec un afflux d'Afghans. **La France**, vieux pays d'immigration, accueille des immigrants issus du regroupement familial, des demandeurs d'asile et des étudiants.

**Les flux devraient s'amplifier du fait de la persistance de la pression migratoire :**
- de la part des **pays du Sud** : plus forte fécondité, croissance économique moindre, guerres, « désir d'Europe ».
- de la part des **pays de l'Est**, où la démographie n'est pas une cause de migration car ce ne sont pas les pays au plus fort potentiel démographique qui connaissent une forte émigration mais ceux qui sont « tournés » vers l'Occident. Les causes des migrations sont surtout liées aux conditions des pays d'accueil perçus comme des États providence.

Le solde migratoire de l'UE-27 oscille autour de 1 million depuis 2008, il est supérieur à celui des États-Unis. L'Espagne est le premier pays européen pour l'accueil des étrangers avec un solde migratoire de 4,6 millions de personnes entre 2000 et 2007. En 2007, l'Espagne a réalisé 38 % du solde migratoire de l'UE-27 qui s'élevait à 1,9 million de personnes. L'Italie a eu un solde migratoire de 2,7 millions de personnes entre 2002 et 2007 et le Royaume-Uni de 1 million pour cette même période. « Les statistiques remettent en cause l'idée d'une Europe forteresse. L'Union européenne reste la région du monde qui accueille le plus grand nombre d'immigrés et de demandeurs d'asile. Dans un contexte de ralentissement de l'accroissement naturel et de vieillissement de la population, l'immigration est devenue le principal moteur de la croissance démographique dans l'Union. » (Jean-François Jamet, Fondation Robert-Schuman). En 2008, les trois quarts de l'augmentation de la population de l'UE-27 sont dus à la migration.

# 70 Les ressortissants étrangers dans l'UE

**Les ressortissants étrangers dans les États membres de l'UE-27 en 2010**

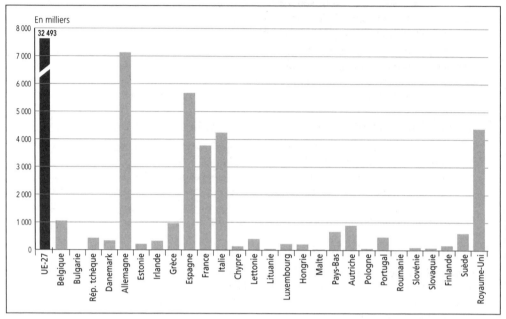

Source : Eurostat, 2011.

## 1 La présence étrangère

### A. Une proportion d'étrangers relativement faible...

Selon un rapport d'Eurostat, au 1er janvier 2012, 32,5 millions de ressortissants étrangers vivaient dans les États membres de l'UE-27, 12,3 millions d'entre eux étant ressortissants d'un autre État membre de l'UE-27. Les 20,2 autres millions étaient des ressortissants de pays tiers, dont 6 millions de citoyens d'autres pays européens, 4,7 millions d'Afrique, 3,7 millions d'Asie et 3,2 millions du continent américain. Les ressortissants étrangers constituaient 6,5 % de la population totale de l'UE-27.

### B. ... mais une forte concentration

**La plus grande partie de la population étrangère se concentre dans quatre pays : l'Allemagne** (7,1 millions), **l'Espagne** (5,7), **le Royaume-Uni** (4,4) et **la France** (3,8). Ceci représente plus de 75 % des ressortissants étrangers. Parmi les **étrangers non communautaires**, on compte 2,4 millions de Turcs, 1,7 million de Marocains et 1 million d'Albanais.

La proportion d'étrangers est exceptionnellement élevée au **Luxembourg** (43 % de la population), suivi de la Lettonie (17 %), de l'Estonie (16 %), de Chypre (16 %), de l'Irlande (13 %), de l'Espagne (12 %) et de l'Autriche (10 %).

Les États membres enregistrant le pourcentage le plus élevé de ressortissants étrangers en provenance d'un seul pays étaient la Grèce (64 % de ressortissants étrangers venaient d'Albanie), la Slovénie (47 % de Bosnie-Herzégovine) et la Hongrie (37 % de Roumanie). En Lettonie, 90 % des ressortissants étrangers étaient des non-citoyens reconnus. Au Luxembourg, 37 % des ressortissants étrangers provenaient du Portugal (76 600 personnes), 12,9 % de France (26 600 personnes) et 9,3 % d'Italie (19 100 personnes).

# ② « L'intégration à la française »

## A. Le modèle républicain français d'intégration

La France a longtemps été présentée comme le pays de l'assimilation. L'école laïque et les mariages mixtes étaient les principaux éléments du « **creuset français** ». On ne distinguait plus à la deuxième génération l'origine d'un enfant d'immigré. Ce modèle est remis en cause par une partie de l'opinion (le droit à la différence) et par le communautarisme ethnique et religieux.

## B. L'acquisition de la nationalité

Le droit français de la nationalité résulte d'un équilibre entre le droit du sol (*jus soli*) et le droit du sang (*jus sanguinis*) défini par la loi Guigou de 1998. La loi de 2003 durcit les conditions d'acquisition de la nationalité française, notamment pour éviter les mariages de complaisance. La France connaît un chiffre stable d'étrangers depuis plus de dix ans : 150 000 personnes environ chaque année accèdent à la nationalité française.

## C. La crise du modèle français d'intégration est liée :

– aux difficultés d'accès au monde du travail pour les étrangers originaires des pays hors UE, qui ont un taux de chômage double de celui des nationaux ;
– au problème de la régularisation des clandestins ;
– à la place réservée à l'islam (deuxième religion de France avec 4 millions de fidèles). L'État a mis en place le Conseil français du culte musulman (CFCM) pour « citoyenniser l'islam » ;
– à la question de la laïcité à l'école et à celle de l'égalité des chances ;
– à la crise des banlieues, malgré une politique de la ville s'appuyant sur la collaboration avec les associations civiques.

# ③ Le modèle de la société multiethnique

Dans ce modèle, les différences culturelles, religieuses et ethniques sont clairement marquées.

## A. Au Royaume-Uni, le modèle communautaire repose essentiellement sur le droit du sol et sur une tolérance mutuelle entre les diverses communautés. Ce modèle a connu de grosses difficultés : émeutes des années 1980, musulmans manifestant en masse lors de l'affaire Rushdie, problèmes de l'intégration des jeunes Antillais dans la société britannique. Un partenariat existe entre les pouvoirs publics et les réseaux communautaires pour favoriser l'intégration et lutter contre les discriminations.

## B. Les Pays-Bas ont une longue tradition de refuge pour les persécutés (juifs, huguenots), ils mènent depuis longtemps une politique basée sur le multiculturalisme. Ils ont accordé le droit de vote aux élections locales pour tous les étrangers.

## C. L'Allemagne : une législation qui se rapproche de celle des autres pays de l'UE

**L'Allemagne** ne se considérait pas, jusqu'à une date récente, comme un pays d'immigration. L'immigration était fondée sur le « principe de rotation », les travailleurs étrangers (*Gastarbeiter*) retournant dans leur pays d'origine après quelques années passées en Allemagne. La situation a changé dans la mesure où de nombreux étrangers ont fait souche en Allemagne. Plus de **cinq millions** d'étrangers ont acquis le droit de rester en Allemagne, vivent pour la plupart dans des communautés séparées, sont à l'écart de la nationalité allemande. Le système allemand est historiquement fondé sur le « droit du sang », l'attribution de la nationalité à la naissance est fondée uniquement sur la descendance. Les Allemands vivant dans les pays de l'Europe de l'Est (*Aussiedler*) sont considérés comme appartenant à la nation allemande, ils ont été massivement naturalisés ces dernières années.

**La loi sur le Code de la nationalité,** entrée en vigueur le 1er janvier 2000, consacre la percée du droit du sol, en permettant aux enfants nés en Allemagne d'obtenir la nationalité allemande sous certaines conditions. Les étrangers résidant en Allemagne depuis au moins huit ans peuvent obtenir la nationalité allemande. Ils doivent pour ce faire maîtriser correctement la langue et manifester leur attachement à la Constitution. La nouvelle loi d'immigration de 2005 maintient le système de *Green Card* pour attirer des travailleurs qualifiés (informaticiens).

# Conclusion

## Les lieux de passage des clandestins

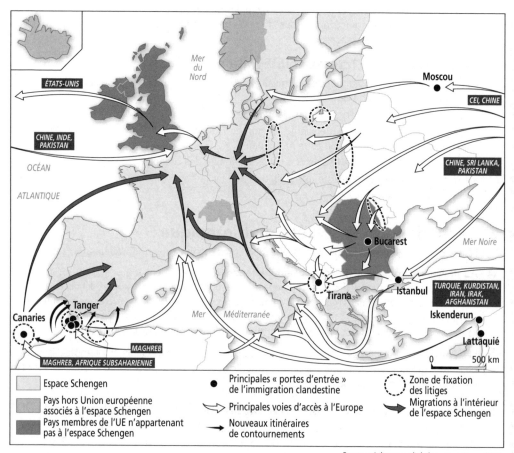

Source : Atlas mondial des migrations, 2009.

Différents États de l'UE ont créé le système Frontex pour coordonner la protection des frontières de l'UE. Des pays de départ comme le Maroc, la Turquie deviennent à leur tour des pays d'immigration et de transit et mettent en œuvre des politiques de *containment* à l'égard de leurs voisins. Des zones d'enfermement apparaissent en amont dans les pays d'arrivée (zones d'attente dans les aéroports) ou en aval (centres de rétention), dans l'attente des reconductions à la frontière (Catherine Wihtol de Wenden, *Atlas mondial des migrations*, Éditions Autrement, 2009).

Quelque 51 600 immigrants illégaux ont été interceptés aux frontières terrestres et maritimes de l'UE durant les six premiers mois de l'année 2009. La Grèce reste le pays où le plus grand nombre de clandestins sont interceptés avec près de 70 % du total.

*Chapitre* **6**

# L'espace européen

L'espace européen est un des foyers majeurs de population à l'échelle mondiale. L'environnement naturel y est donc soumis à de fortes contraintes. Il porte les marques des transformations imposées par une anthropisation plurimillénaire, mais subit tout particulièrement le poids des mutations récentes. La question de sa protection prend dès lors une place importante.

Mais l'Europe est diversité: ces problèmes environnementaux, mais aussi ces difficultés économiques, sociales, etc., s'inscrivent certes dans les cadres des divers pays regroupés au sein de l'UE, mais plus encore à l'échelle des régions, sinon des « pays ». L'Europe, non sans quelques réticences des États, a été amenée à prendre en compte ces dimensions régionales et locales. Et l'Europe, en tant qu'espace, est soumise à des dynamiques multiples, les unes générales, communes à l'ensemble de la planète (urbanisation, crise des vieilles régions industrielles…), d'autres plus spécifiques qui, toutes, façonnent une nouvelle géographie européenne.

**Évolution des températures annuelles moyennes à la fin du siècle**

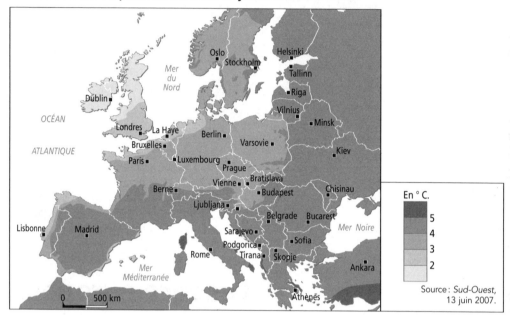

Source : *Sud-Ouest*, 13 juin 2007.

*L'espace européen* est un *ensemble complexe* du point de vue *géologique, topographique, climatique* : les *risques « naturels »* sont multiples. Mais c'est surtout *un espace densément peuplé*, surchargé de villes, d'équipements et d'activités. Les *risques liés aux sociétés* sont encore plus massifs et peuvent déboucher sur des catastrophes. Les *océans et les mers limitrophes* ne sont pas moins sollicités.

# ① Des risques multiples

## A. Les risques « naturels »

La **séismicité** n'affecte sérieusement que la partie méridionale de l'Europe. Mais dans ces régions, cela implique des précautions particulières, loin d'être toujours respectées.

Les **risques climatiques** sont divers et peuvent être exacerbés par la complexité et donc par la **fragilité de sociétés très développées** (exemple des **tempêtes de décembre 1999**), mais aussi par le non-respect des normes (exemple des constructions en zones inondables). Le résultat est le **coût croissant** de ces événements.

Les **ressources en eau** sont de plus en plus sollicitées, voire polluées. Et le réchauffement climatique entraîne **une hausse du niveau des mers** menaçante pour certaines régions littorales, comme l'a révélé **la tempête Xinthya** dans l'Ouest atlantique français en février 2010.

## B. Les risques technologiques

En fait, **l'essentiel des risques** est lié aux **activités humaines**, qui multiplient les pollutions et débouchent sur des catastrophes. Cela concerne tous les domaines : **l'agriculture productiviste** génère de nombreuses pollutions par ses intrants (engrais : environ 17 millions de tonnes ; fongicides : 140 000 tonnes ; herbicides : 120 000 tonnes...) et ses déchets organiques ou volatils. **L'industrie et les transports** sont également des sources majeures de pollutions (plus de 3,3 millions de tonnes de $CO_2$, près de 8 millions de tonnes de $SO_2$). **Les villes** sont elles mêmes de grosses **productrices de déchets** (la France émet plus de 40 millions de tonnes de déchets urbains), de plus en plus difficiles à éliminer.

La multiplication des polluants pose en effet de plus en plus problème : les **coûts de stockage et d'élimination deviennent prohibitifs**. Personne ne veut des déchets (**réflexe Nimby**) !

La nature de l'UE, agrégat de pays différents, ne facilite pas les choses : jouant sur les législations différentes, **les trafics de déchets sont nombreux** et lucratifs et les implantations d'activités polluantes jouent aussi sur ces différentiels.

## ❷ Des répartitions inégales

### A. Des risques qui ignorent les frontières

L'Europe entière est concernée par certaines pollutions qui se répandent dans l'atmosphère, en particulier **les « pluies acides »** liées à l'utilisation massive de charbon pour la production d'électricité. L'explosion de la centrale nucléaire de **Tchernobyl en 1986** a augmenté les taux de radioactivité dans le Mercantour.

Les pollutions ignorent aussi les frontières maritimes. **Le naufrage du *Prestige* en novembre 2002** affecte la Galice, mais aussi les côtes atlantiques françaises. La mer Baltique est saturée de dioxine. Les grands fleuves internationaux sont concernés : le Rhin, le Danube…

### B. À l'échelle régionale

La carte des pollutions se calque sur celle des densités humaines et des villes : **la dorsale européenne concentre toutes les sources de pollutions**. On y trouve les transports, les industries et les activités agricoles intensives. De part et d'autre de la dorsale, des pôles secondaires concentrent les mêmes risques.

### C. Dans l'UE-27

La situation en Europe occidentale est loin d'être satisfaisante. Mais elle est en général **pire dans les pays issus de l'ancien bloc de l'Est** en raison de l'absence de **préoccupations environnementales**. Les équipements et les techniques utilisés sont hors normes, et malgré les progrès encouragés par la Commission, le retard persiste.

**En Roumanie, le Danube**, deuxième fleuve européen derrière la Volga, apporte les effluents de la moitié de l'Europe. Certes, des ministres de quatorze pays du bassin danubien (Allemagne, Autriche, Hongrie, Croatie, Bosnie, Bulgarie, Roumanie, République tchèque, Slovaquie, Serbie, Slovénie, Ukraine, Monténégro et Moldavie), réunis à Vienne en février 2010, se sont engagés sous la coordination de la Commission européenne à **nettoyer et protéger ce fleuve de 2 860 kilomètres** d'ici à 2015.

**Chypre et Malte** posent d'autres problèmes : essentiellement celui des **pavillons de complaisance** et des sociétés de certification laxistes. Malte a construit son boom économique des années 1980 sur cette activité avec 3 000 navires immatriculés dont 330 pétroliers, parmi lesquels l'*Erika*, ayant fait naufrage en 1999 et ayant pollué la Bretagne. Chypre accueille 13 000 sociétés de « shipping » pour le compte d'armateurs grecs et allemands.

## ❸ Une prise de conscience tardive

### A. Des sensibilités différentes

Pays et sociétés de l'Union n'ont pas les mêmes réactions vis-à-vis de l'environnement. **L'Europe du Nord a une sensibilité précoce**, la présence électorale des écologistes en témoigne. Il n'en va pas encore de même à l'Est et au Sud même si l'accumulation des catastrophes rapproche les points de vue.

Les sensibilités divergent aussi fréquemment entre urbains et ruraux et plus encore, entre **néoruraux et ruraux de souche**. Pour les uns, l'espace rural est un espace « naturel » qui est aussi le cadre de leurs loisirs, pour les autres, c'est un espace fonctionnel au service des activités humaines.

### B. Des conflits d'intérêts majeurs

**La question de l'eau** est préoccupante dans nombre de régions, que ce soit au plan qualitatif (problèmes des **pollutions induites par l'agriculture productiviste**, comme en Bretagne) ou, de plus en plus, au plan quantitatif dans toute l'Europe du Sud, mais aussi entre régions (exemple de l'Espagne et du projet de détournement des eaux de l'Èbre).

Les intérêts des États s'opposent également : le cas est particulièrement net et dramatique en matière de navigation maritime. Certains pays, comme la Grèce, prospèrent grâce aux pavillons de complaisance, d'autres font naviguer leur flotte sous ces pavillons (Allemagne, Royaume-Uni…). L'introduction accélérée des pétroliers à double coque dans l'espace maritime européen à l'horizon de 2015 sera un rattrapage bien tardif (la norme est exigée aux États-Unis depuis 1990).

Par ailleurs, la spéculation et **les groupes de pression** jouent à plein comme l'illustre l'**autorisation des pommes de terre OGM par la Commission en 2010**.

# 72 Les politiques environnementales et l'échec de Copenhague

**Évolution des émissions agrégées des six gaz à effet de serre : France et Union européenne**
(en millions de tonnes équivalent $CO_2$)

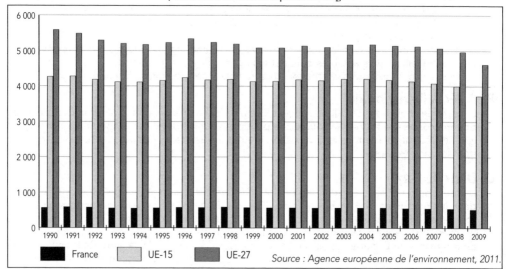

Source : Agence européenne de l'environnement, 2011.

*Depuis un quart de siècle, **les problèmes environnementaux ont pris une place croissante** dans les préoccupations des opinions publiques européennes. La prise de conscience de **la multiplicité des risques** a été accélérée par des **successions de crises** (« vache folle », Tchernobyl, les marées noires). Cependant, avec l'accélération de la fonte des glaces polaires, les ravages du cyclone Katrina à la Nouvelle-Orléans en 2005 et ceux de la tempête Xynthia en Europe en 2010, **le débat se focalise de plus en plus sur le réchauffement climatique**. L'UE s'efforce d'affronter ces problèmes en devenant le leader de l'action mondiale, sans pour autant avoir réussi à sauver **la conférence de Copenhague** en 2009.*

## 1 Aux origines des politiques européennes

### A. Le temps du coup par coup (1973-1992)

**Les premières mesures communautaires** en matière d'environnement **datent de 1973**. Ce premier programme était en fait **un catalogue de mesures ponctuelles**. En dehors de quelques directives, il n'existait **pas de réelle politique commune en matière d'environnement jusqu'en 1992**.

L'essentiel des mesures correspondait à une nouvelle sensibilité en Europe du Nord pour la protection de la nature (exemple de la protection d'espèces naturelles menacées comme les oiseaux migrateurs).

### B. L'émergence d'une politique européenne

Dans la perspective de l'ouverture du Marché unique, il a été convenu que la protection de l'environnement serait une des composantes des politiques communautaires. **Le traité de Maastricht** a confirmé ce choix.

**Le traité d'Amsterdam de 1997** a précisé que la question de l'environnement devait être désormais intégrée dans toutes les politiques économiques et sociales de l'Union. La pierre angulaire est le programme d'action « **Environnement 2010** ». L'UE est signataire du **protocole de Kyoto**, qui l'oblige à réduire l'émission des gaz à effet de serre de 8 % pour 2008-2012 par rapport à 1990, objectif qui sera atteint. Sa politique met en avant le principe de précaution et, à travers le règlement REACH de 2006 pour la chimie, **le principe pollueur-payeur**.

L'Union s'est dotée d'une **Agence européenne de l'environnement (AEE) en 1990**, opérationnelle depuis 1993 (siège à Copenhague). Le programme Life + est le principal instrument financier.

Pour 2007-2013, son budget est de 2 milliards d'euros. Mais l'essentiel des moyens s'inscrit dans **les politiques communautaires spécialisées : Urban II** pour un « développement urbain durable », **Interreg III** pour un « développement harmonieux et équilibré du territoire européen », **Leader +** pour le rural. À cela s'ajoute **Natura 2000** sur la protection de la flore et de la faune qui concerne 15 % du territoire européen.

## ❷ Le « paquet énergie-climat » de 2008

### A. Les bonnes intentions

Le « paquet » doit aboutir à une directive qui se veut **la plus ambitieuse du monde en matière de climat**. La mesure phare est celle des **« trois fois vingt »** (réduction des émissions de gaz à effet de serre de 20 % par rapport à 1990, amélioration de 20 % en matière d'efficacité énergétique et part des énergies renouvelables dans la consommation totale d'énergie en hausse de 20 % d'ici à 2020). **En 2011, 11,7 % de la consommation énergétique en Europe provient des énergies renouvelables**.

Ces résultats seraient obtenus en faisant payer aux entreprises les **« permis de polluer »**, tout particulièrement pour la production d'électricité (sous forme d'enchères). De lourds investissements seraient par ailleurs nécessaires, à peine inférieurs à **mille milliards d'euros** d'ici l'échéance (mais ne rien faire reviendrait dix fois plus cher selon la Commission).

Pour les pays les plus développés de l'UE, l'effort serait considérable : **une réduction de 14 % des GES pour la France et l'Allemagne**, de 20 % pour le Danemark, alors que les pays en retard de développement pourront les augmenter, par exemple de 14 % pour la Pologne et de 20 % pour la Bulgarie.

### B. Des réalités moins positives

Il existe **une dimension géopolitique à la posture « écologique » de l'UE**. Peinant à trouver sa place dans les différents registres de la puissance entre États-Unis et pays émergents, l'UE pense trouver dans le combat environnemental **une sorte de *soft power* et de leadership**.

**Depuis la fin de 2008, le discours des dirigeants européens s'est infléchi**. La chancelière allemande Angela Merkel se pose en protectrice de l'industrie allemande et réclame que les industries lourdes les plus gourmandes soient exclues du dispositif. L'Allemagne, soucieuse avant tout de compétitivité, craint la concurrence des pays de l'Est européen. La France, comptant désormais à peine plus de trois millions d'emplois industriels, en ayant perdu deux millions au cours des trente dernières années, craint la désindustrialisation. Dès lors, **les dérogations à l'achat des permis de polluer sont très nombreuses** : des associations écologistes estiment que 4 % seulement des émissions en feraient les frais.

## ❸ L'Europe et l'échec de Copenhague

### A. La conférence de Copenhague

**La quinzième conférence des Nations unies sur les changements climatiques** s'est tenue en décembre 2009 à Copenhague et avait pour objectif de prolonger le protocole de Kyoto, qui arrive à son terme en 2012. **L'objectif est de stabiliser l'augmentation des températures à 2 °C par rapport à l'ère préindustrielle (1850)**.

L'Europe s'est beaucoup engagée dans la conférence, avançant toujours son objectif de 20 % de réduction des GES par rapport à 1990, **proposant d'aller jusqu'à 30 %**.

### B. L'échec

Le président américain Obama, soumis à la pression du Sénat et des lobbies industriels, ne propose que 17 % de réduction. La Chine récuse tout contrôle de l'ONU.

**Un « accord » censé sauver la face est proclamé à l'issue de la conférence**. Dans la réalité, il ne fixe aucun objectif contraignant, **ne prolonge pas le protocole de Kyoto devant prendre fin en 2012, et n'a aucun caractère juridiquement contraignant**. Les engagements avancés par les participants totalisent la moitié de l'effort qu'il faudrait réaliser.

Si la conférence de Copenhague est un échec environnemental, elle est aussi un échec pour l'Europe, qui a constaté son impuissance face au « G2 » (États-Unis-Chine) et à l'activisme des pays émergents. Deux nouvelles conférences (Cancún 2010 et Durban 2011) ont permis de revenir à un accord entre les parties mais dont les contours seront définis en 2015 avec une entrée en application à partir de 2020 et sans aucun volet contraignant.

# 73 Le cadre régional européen

## Poids économique des régions européennes

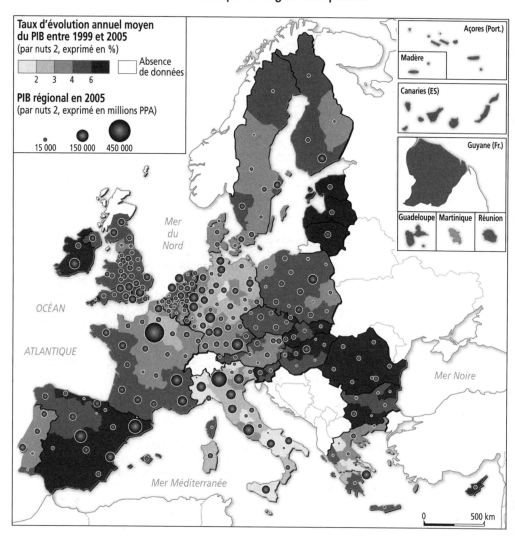

**Taux d'évolution annuel moyen du PIB entre 1999 et 2005**
(par nuts 2, exprimé en %)

2  3  4  6

Absence de données

**PIB régional en 2005**
(par nuts 2, exprimé en millions PPA)

15 000   150 000   450 000

Açores (Port.)
Madère
Canaries (ES)
Guyane (Fr.)
Guadeloupe   Martinique   Réunion

Mer du Nord
OCÉAN
ATLANTIQUE
Mer Noire
Mer Méditerranée

0   500 km

La notion de « **région** » correspond à **des réalités très différentes** selon l'histoire, la taille, la densité, la localisation géographique ou encore la structure politique des différents pays. L'absence de véritable politique régionale aux débuts de la construction européenne réduisait l'enjeu des comparaisons. **Les inégalités croissantes** au gré des élargissements successifs, **la volonté d'intégration et de convergence** ont imposé la politique régionale. Encore fallait-il **définir les cadres de l'action**.

# 1 Le cadre administratif et statistique

## A. La structure régionale européenne

Pour asseoir la politique régionale sur des fondements équitables, l'UE a créé un ensemble de « cellules » statistiques que l'on peut assimiler aux régions : la **NUTS ou Nomenclature des unités territoriales statistiques**, en vigueur dans sa version actuelle depuis 2008. Elle subdivise le territoire de l'**UE-27 en 97 régions de niveau NUTS 1**. Celles-ci, de **plus de trois millions d'habitants**, correspondent à un Land allemand ou au regroupement de plusieurs régions administratives françaises (par exemple Alsace-Lorraine-Franche-Comté ; **la France est ainsi « découpée » en neuf NUTS 1**).

Le territoire de l'UE-27 est par ailleurs subdivisé en **269 NUTS 2, de 800 000 à 3 millions d'habitants**. Ce cadre est très souple : la Lombardie italienne (9 millions d'habitants) ou l'Île-de-France (11 millions), tout comme la Corse ou le Burgenland autrichien, de moins de 300 000 habitants chacun, entrent dans la catégorie NUTS 2. Celle-ci correspond donc au **« standard » général des régions européennes** et constitue la base de comparaison la plus pertinente pour l'étude régionale en Europe.

## B. Force ou faiblesse des régions européennes

Certaines régions de niveau NUTS 2 (dans le Nord suédois ou finlandais par exemple) comptent **plus de 130 000 km²** alors que **Ceuta et Melilla**, dans la périphérie espagnole, ne s'étendent que sur 30 km². **La région européenne moyenne a une superficie de 15 000 km², compte 1,8 million d'habitants et produit 36 milliards d'euros de richesse annuelle** (*INSEE première*, 2001).

**Les régions françaises** apparaissent en moyenne comme plus vastes que les régions allemandes ou britanniques. En réalité, elles sont **plus faibles**. Une des plus puissantes régions françaises, la région Rhône-Alpes, présente une superficie supérieure de 25 % à celle du Bade-Wurtemberg allemand mais enregistre une population inférieure de près de 50 %. Le **« Comité Balladur »** pour **la réforme des collectivités locales** a proposé en février 2009 de « muscler » les régions françaises en en **regroupant certaines** : par exemple, les deux Normandie, ou Rhône-Alpes et Auvergne.

## C. La polarisation de la richesse et de l'influence

**Le tiers des régions françaises élabore les deux tiers du PIB français**. Comme dans un jeu de fractales, on retrouve cette inégale « consistance » en Europe : **un tiers des régions européennes crée les deux tiers de la richesse de l'UE**. 50 % des richesses sont produites sur 20 % de la surface.

Par ailleurs, le **« contenu politique »** du cadre régional varie énormément d'un pays à l'autre selon ses traditions centralisatrices ou fédérales. Cependant, la logique européenne pousse partout dans le sens **d'une plus grande prise de responsabilité** au niveau régional.

# 2 Un cadre hétérogène

## A. À l'échelle européenne

Selon les données publiées en 2010 par Eurostat et concernant l'année 2007, le **« grand écart régional »**, en termes de PIB par habitant exprimé en standards de pouvoir d'achat, varie de la région la plus pauvre, le **Severozapaden** en Bulgarie, dont le montant n'atteint qu'environ **le quart (26 %) de la moyenne européenne**, à la région la plus riche, **Inner London**, dont le PIB par habitant dépasse **trois fois la moyenne de l'UE (334 %)**.

**41 régions NUTS-2 dépassent 125 % du PIB par habitant moyen européen**. Outre Londres, on compte parmi elles le grand-duché du Luxembourg, Bruxelles, l'Île-de-France, neuf régions allemandes avec à leur tête Hambourg, cinq régions des Pays-Bas, etc.

En queue de classement, les trois régions au PIB/hab. le plus faible se trouvent en Bulgarie et en Roumanie. **66 régions ont un PIB par habitant inférieur à 75 % de la moyenne européenne** : outre la Roumanie et la Bulgarie, quinze de ces régions se situent en Pologne, sept en Grèce, quatre en Italie et au Portugal. Les pays baltes (Estonie, Lettonie, Lituanie), ainsi que deux régions françaises (des départements d'outre-mer) sont dans ce cas.

Ce classement est sans surprise : **la « dorsale européenne » de Londres à Milan et ses prolongements immédiats rassemblent une forte proportion des régions riches**, alors que les périphéries orientales et méditerranéennes concentrent une bonne partie de la pauvreté. **Les vingt régions européennes au PIB par habitant le plus faible se situent toutes dans la bordure orientale, en Bulgarie, Roumanie, Pologne et Hongrie.**

Cette répartition ne doit pas être caricaturée : Suède, Danemark, Irlande insèrent des régions dans la tête du classement. Prague, en République tchèque, a un PIB par habitant proche de celui de l'Île-de-France.

## B. Une typologie régionale en Europe

On soulignera d'abord **l'importance des régions-capitales**. En termes de PIB total (et non par habitant), **l'Île-de-France est la plus puissante des régions européennes**. À elle seule, elle produit plus de richesses que des pays comme la Grèce, l'Autriche et même les Pays-Bas. Dans l'UE-15, la région-capitale de dix des quinze pays est en tête du classement national. Et le phénomène est comparable dans tous les pays de l'Est européen.

On peut observer **plusieurs types de structures régionales en Europe** : dans des pays comme la France, le Royaume-Uni, l'Italie, l'écart est important entre la région-phare et les suivantes. En France, derrière l'Île-de-France, seules deux autres régions apparaissent dans le classement des vingt premières régions européennes par leur PIB total : Rhône-Alpes (7e), Provence-Alpes-Côte d'Azur (15e). En revanche, si **l'Allemagne** ne place pas de région tout à fait à la tête de l'UE, elle présente **un « tir groupé »** de puissantes régions (Rhénanie-du-Nord-Westphalie, Hesse, Bavière) et la région-capitale, Berlin, ne vient qu'au 8e rang en Allemagne. En Espagne, la Catalogne devance la région de Madrid. Cette situation reflète le **contraste entre des pays à structure urbaine parisienne ou londonienne** (le pôle majeur creusant l'écart autour de lui) et les pays à **structure urbaine rhénane** (un semis de pôles importants proches) ; différence aussi **entre pays centralisés et pays à armature fédérale**.

À l'Est, dans l'ancienne bordure communiste, deux types de régions tirent leur épingle du jeu : **la région-capitale** d'une part, **les régions les plus occidentales** d'autre part.

## C. Les disparités internes

La France, pays héritier de « Paris et le désert français » n'apparaît plus comme le pays le plus inégalitaire d'Europe. En termes de PIB par habitant, les variations des régions les plus riches aux régions les plus pauvres sont de l'ordre **de 2 à 1**. Elles sont plus faibles en Grèce ou au Portugal (de 1,6 à 1), plus fortes **en Allemagne (de 3 à 1)**.

**Le développement est de plus en plus fortement polarisé.** C'est dans les pays les plus avancés que l'écart régional se creuse le plus.

# ③ Une géographie de l'inégalité régionale

## A. Au centre, un polygone de commandement surmonte la dorsale

**Deux des grandes métropoles mondiales** se trouvent là : Londres et Paris, villes-sœurs et éternelles rivales, deux agglomérations de plus de dix millions d'habitants chacune. Le rôle international de Londres l'a emporté, avec **la City, pôle financier le plus internationalisé du monde**, mais aussi grâce à son marché du fret maritime mondial (le *Baltic Mercantile and Shipping Exchange*). Dans les deux cas cependant le rôle politique, diplomatique, culturel mondial, **la puissance industrielle** de la grande couronne contrastant avec la désindustrialisation du centre, le tourisme aussi, **le niveau technologique et universitaire**, portent parfois ombrage à l'Europe, mais souvent constituent un moteur de cette dernière.

**Francfort**, certes ville de niveau 2 au cœur d'une agglomération de l'ordre de six millions d'habitants, est un pôle financier majeur : première place boursière et bancaire de l'économie dominante en Europe, elle abrite à la fois la Banque centrale allemande **(la « Buba »)** et la **Banque centrale européenne (BCE)**.

**Bruxelles**, agglomération de deux millions d'habitants, fait de plus en plus figure de vraie capitale européenne, choisie justement pour sa relative faiblesse et son équidistance vis-à-vis des grands. **Siège de la Commission, de l'Euratom, abritant la plupart des sessions du Parlement, siège aussi de l'OTAN. Luxembourg**, petite ville de moins de 100 000 habitants, lieu de naissance de Robert Schuman, ajoute à son rôle de siège de nombreuses institutions européennes (Cour de justice des Communautés européennes, Banque européenne d'investissement, Cour des comptes européenne) une **fonction financière** de toute première importance

**La dorsale européenne** elle-même englobe **la porte de l'Europe sur la mer du Nord**, une des toutes premières zones portuaires européennes **avec Rotterdam et Anvers**, où aboutit l'essentiel du trafic du **« rail », la voie maritime la plus fréquentée du monde** en provenance de la Manche et de l'Atlantique. L'Allemagne du Sud (le Bade Würtemberg en particulier), **la Suisse** industrielle, financière et touristique pleinement intégrée à cet ensemble, prolongent la dorsale vers l'Italie du Nord avec comme point d'orgue le puissant **pôle milanais**.

**De part et d'autre de la dorsale, s'organisent deux répliques** : à l'ouest, l'Île-de-France sur un axe Lille-Lyon, à l'Est l'axe Hambourg-Prague.

## B. Les sécantes dynamiques à la dorsale

Il faut souligner l'importance croissante de **la bordure méditerranéenne proche** : Valence et Barcelone en Espagne, un semis français appuyé sur la Côte d'Azur, une sorte de « tripode » italien (Milan, Gênes, Turin) esquissent **une « *Sun Belt* » européenne**.

**Un croissant périalpin** englobe Grenoble (voire Lyon) passe par la Suisse, l'Allemagne du Sud et la Bavière (Munich), l'Autriche et la Slovénie. L'électronique, la pharmacie, les biotechnologies en particulier, les sciences en général y trouvent un terrain d'élection.

**L'arc atlantique**, du Portugal à l'Irlande, présente certes bien des faiblesses, industrielles en particulier. Une personnalité forte, les succès du tourisme, la saga du rattrapage irlandais laissent l'impression d'une dynamique malgré les problèmes de l'élevage, de la pêche, et la crise en général.

**Une sorte de dorsale nordique** s'esquisse à partir des villes hanséatiques allemandes, passant par **Copenhague** au Danemark et par le sillon suédois qui, **de Göteborg à Stockholm**, concentre l'essentiel de l'activité du pays. **Helsinki, les pays Baltes**, voire **Saint-Pétersbourg et Kaliningrad** veulent s'y rattacher.

## C. Les pôles de la reconquête de l'Est

**Vienne** est un point d'appui majeur dans la réintégration de l'Europe orientale, retrouvant quelques-unes des logiques de l'ancien empire d'Autriche-Hongrie, vers **Bratislava, l'Adriatique**. Demain vers la Serbie et la Turquie ? **L'axe du Danube** tend à devenir une des lignes de force de la nouvelle Europe.

**Berlin**, avec certes une faiblesse financière, joue ce rôle plus au nord, en particulier vers les régions les plus occidentales de la Pologne. **Le sud de la Pologne, autour de Cracovie et de Katowice**, y est sensible.

## D. Une typologie des régions en difficulté

Au cœur de l'Europe même, voire en son « centre », **les anciens pays noirs** connaissent des destins divers : certains, bien desservis, comme la Lorraine ou la Ruhr, connaissent un certain renouveau, mais souvent polarisé par les métropoles régionales, d'autres plus enclavés parfois (en Belgique, dans le sud de la France) connaissent un irrémédiable déclin.

**Les régions rurales** sont frappées à des degrés divers par la désertification. Quand elles sont enclavées (Ardennes, Alpes du Sud, Transylvanie roumaine), mais aussi quand la modernisation et le productivisme des zones les plus fertiles contribuent à vider les campagnes.

Ce sont **les périphéries excentrées de la Méditerranée** (la Grèce des îles) et **la bordure orientale des pays de l'Est** qui présentent la situation la plus difficile. **Les régions ultrapériphériques de l'UE**, les départements d'outre-mer français, à savoir Guadeloupe, Martinique, Guyane, Réunion, mais aussi les régions autonomes portugaises (Açores et Madère), les Canaries espagnoles constituent des mondes à part et posent des problèmes spécifiques.

# 74 Les politiques régionales

## La politique de cohésion de 2007 à 2013 : les régions éligibles

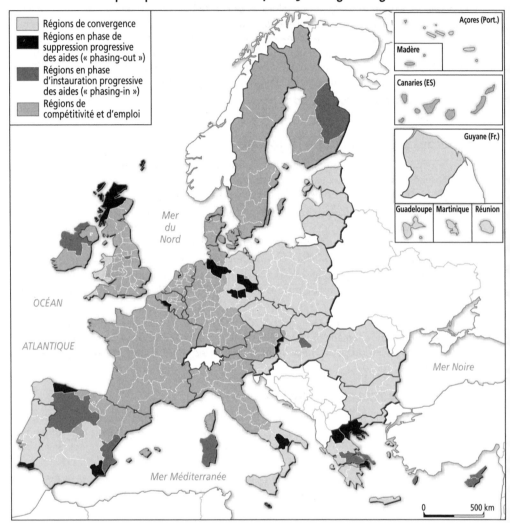

Légende :
- Régions de convergence
- Régions en phase de suppression progressive des aides (« phasing-out »)
- Régions en phase d'instauration progressive des aides (« phasing-in »)
- Régions de compétitivité et d'emploi

Açores (Port.)
Madère
Canaries (ES)
Guyane (Fr.)
Guadeloupe | Martinique | Réunion

Mer du Nord
OCÉAN ATLANTIQUE
Mer Noire
Mer Méditerranée

0     500 km

*Le traité de Rome* *ne se préoccupait que de manière lointaine de la question régionale ; on pouvait lire dans son préambule qu'il faudra « ...assurer le développement harmonieux de l'économie en réduisant l'écart entre les différentes régions et le retard des moins favorisées. »* **Aucune politique commune n'est alors prévue** *sinon sous forme indirecte. À partir des années 1970, une politique régionale voit le jour, et elle n'a cessé de se développer depuis lors jusqu'à devenir* **la seconde des politiques communautaires,** *peut-être la première bientôt.*

## ❶ L'émergence d'une politique régionale

### A. Une indifférence relative

Dans la première décennie de son existence, l'Europe a été indifférente à l'inégalité régionale pour de multiples raisons. Peut-être pensait-on que cette démarche relevait de **la souveraineté nationale**. En tout cas, même si l'homogénéité des « Six » n'était que relative, chaque pays avait les moyens, en ces temps de forte croissance, de traiter ses propres déséquilibres : **plan Delta aux Pays Bas, plan d'industrialisation du Mezzogiorno en 1957 en Italie, création de la DATAR en France en 1963**...

Quelques prémices se faisaient jour, par **la branche orientation du FEOGA** à partir de 1964, ou encore à travers certaines **aides à la reconversion de la CECA**, ou encore par des **dérogations** aux contraintes communautaires en faveur de certaines régions défavorisées.

## B. La naissance

**Les perspectives d'adhésion du Royaume-Uni** ont donné à la politique régionale une impulsion décisive : la Grande Bretagne avait une expérience en la matière depuis ses plans de relance des années 1930. La CEE y voyait aussi **un moyen de réduire le déficit du Royaume-Uni avec le budget communautaire**. Le Fonds social européen **(FSE)** naît en 1971.

C'est surtout la création du **Fonds Européen de développement régional (FEDER) en 1975** qui concrétise cette nouvelle dimension. Il s'agit au début d'une structure « passive » dotée de 75 millions d'écus seulement et n'intervenant que dans **le co-financement** d'actions décidées ailleurs.

## C. La montée en puissance de la politique régionale

L'élargissement de la CEE à de nouveaux membres de plus en plus « périphériques » aggrave les inégalités. **L'entrée de pays globalement pauvres place l'Europe devant ses responsabilités**. Une première **réforme de 1984** dote le FEDER de programmes pluriannuels et lutte contre le saupoudrage.

Mais, il s'agit aussi de mettre les anciens membres en mesure de mieux résister à la concurrence des nouveaux arrivants, d'où la mise en place, entre 1986et 1992, des **Programmes Intégrés Méditerranéens (PIM)** en faveur de la Grèce, de l'Italie et de la France en prévision de l'entrée effective de l'Espagne dans le marché commun agricole. Dans le même temps, les fonds sont redistribués : si **avant 1985, l'Italie et le Royaume-Uni totalisent près de 40 % de l'aide régionale**, après cette date, l'**Espagne** à elle seule en obtient **19 %**.

L'ambition du grand « marché unique » relance l'action régionale. **L'Acte unique de 1986** fait de la politique régionale l'une des grandes politiques communes, **doublant pratiquement les crédits** alloués (« **paquet Delors I** »).

**Des objectifs mieux ciblés** sont mis en place, dont plusieurs ont une dimension régionale, tout spécialement l'**objectif 1 (aide aux régions en retard de développement)**. Peu après, la chute du communisme et les perspectives d'élargissements massifs attenantes amènent l'Europe à se doter de nouveaux moyens. **Le traité de Maastricht** crée alors **le fonds de cohésion** à destination des États dont le PNB est inférieur à 90 % de la moyenne européenne. **Un conseil des Régions** consultatif viendra guider son action.

Les moyens alloués passent de **45 milliards d'écus** pour la phase 1989-1993 à 90 milliards pour 1994-1999 et enfin **193 milliards d'euros pour 2000-2006**.

# 2 L'adaptation aux réalités européennes du XXIᵉ siècle

## A. Les réformes de 1999 et 2006

**Le conseil de Berlin de 1999** recadre le dispositif afin d'éviter le « saupoudrage » : les conditions de « l 'éligibilité » des régions deviennent plus strictes, les objectifs sont resserrés, les aides européennes ne doivent pas se substituer aux actions des États concernés mais s'y ajouter (principe de **« l'additionalité »**). Les **préoccupations sociales (chômage) et environnementales** deviennent prégnantes dans la politique régionale.

Il s'agit surtout de **faire face aux élargissements majeurs de 2004 et 2007** amenant douze nouveaux membres dont la plupart ont **un revenu moyen inférieur à 50 % du revenu moyen de l'UE**. L'application du dispositif précédent aurait concentré la totalité de l'aide sur les « nouveaux » écartant pratiquement l'Espagne, le Portugal et la Grèce qui en étaient jusque-là des bénéficiaires importants (et qui se regroupent en un informel **« front de cohésion »** pour préserver leurs intérêts). **La réforme de 2006** aboutit à la redéfinition **de trois objectifs.**

## B. La redéfinition des objectifs et des fonds structurel

L'objectif **« Convergence »** fait la synthèse entre l'ancien objectif 1 (aide aux régions dont le PIB moyen est inférieur à 75 % de la moyenne communautaire) et le principe du Fonds de Cohésion (aide aux États dont le RNB est inférieur à 90% de la moyenne communautaire). Le FEDER concentre son action sur la **modernisation et la diversification des structures économiques.** Énergie, transport, éducation mais aussi tourisme sont les secteurs visés. **L'emploi durable** est au cœur des préoccupations. Les anciens bénéficiaires de « l'objectif 1 » disposent d'une phase transitoire (**« phasing-out »**) afin d'éviter les inconvénients liés à l'interruption brutale de l'aide européenne. En compensation, d'autres régions ne sont admises que de façon progressive à l'aide européenne (**« phasing-in »**).

L'objectif **« compétitivité régionale et emploi »** veut sortir la politique régionale du seul cadre du rattrapage des plus défavorisés. Il s'agit, pour l'essentiel, de **renforcer l'attractivité de l'ensemble du territoire européen** dans la perspective de la **« stratégie de Lisbonne »** : faire émerger en Europe **« l'économie la plus compétitive du monde »** (Conseil européen de Lisbonne de mars 2000). **Économie de la connaissance et innovation, environnement et prévention des risques** constituent l'architecture de ce deuxième objectif.

L'objectif **« Coopération territoriale européenne »** reprend les priorités accordées à la coopération des régions frontalières considérée comme un ciment de l'Europe concrète (on y intègre les moyens de l'ancien programme **Interreg**).

On en profite pour rationnaliser et simplifier l'ensemble des actions régionales : URBAN II (zones urbaines en difficulté) est intégré dans les nouveaux objectifs. LEADER +, à destination des zones rurales en difficulté est intégré à l'action du FEOGA, les deux structures étant regroupées dans un **Fonds européen agricole pour le développement rural (FEADER) à côté duquel apparaît le Fonds européen pour la pêche (FEP).**

## C. Une action de la base

L'action régionale n'est plus simplement impulsée du sommet. **Les régions elles-mêmes se prennent en charge, coopèrent et défendent directement leurs intérêts** auprès des institutions européennes.

Par delà les frontières, les régions se regroupent dans des structures partagées pour élaborer des politiques et des infrastructures communes : Sarre (Allemagne), Lorraine et Luxembourg dans **SARLORLUX**, les régions françaises et italiennes (Rhône-Alpes, PACA, Ligurie, Piémont et Val d'Aoste) dans **Alpes Méditerranée Eurorégion.** Dans cette dernière, 17 millions d'habitants sur 110 000 km$^2$ sont concernés et un bureau commun est fondé à Bruxelles. Une **Association des régions frontalières européennes (ARFE)** les fédère : l'idée a germé dès 1965 et a été concrétisée en 1971.

Des régions non voisines peuvent se structurer en réseau. Depuis 1988, les puissantes régions du Bade Wurtemberg (Allemagne), la Lombardie (Italie), la région Rhône-Alpes et la Catalogne (Espagne) créent le réseau des **« Quatre Moteurs pour l'Europe »**, avec une présidence tournante.

Le cas le plus spectaculaire est celui de la **« Commission Arc Atlantique »**, créée en 1989 au Portugal et associant 27 régions européennes, concernant 80 millions d'habitants et 900 000 km$^2$ de l'Andalousie à l'Écosse. Elle s'efforce de lutter contre la marginalisation par rapport à la dorsale. Elle s'inscrit dans une structure plus large encore, **la Conférence des Régions périphériques maritimes d'Europe.** Celle-ci associe 161 régions de 28 pays (des régions littorales turques y sont incluses).

La principale activité de ces associations est bien sûr **le lobbying** : elles ont un siège ou un bureau à Bruxelles, elles sont actives auprès de la Commission et du Parlement.

# 3 Un bilan de l'action régionale européenne.

## A. Des moyens considérables

La nouvelle politique régionale dispose d'une dotation budgétaire considérable : **308 milliards d'euros pour la période 2007-2013**. La précédente période (2000-2006) a bénéficié d'un budget de 193 milliards, certes pour 15 membres seulement sur les quatre premières années de l'exercice. Il s'agit cependant d'**une progression de 60 %** d'un exercice sur l'autre, sachant que précédemment le budget avait déjà doublé.

Désormais, avec **36 % du budget communautaire**, la politique régionale est la seconde des politiques européennes, aux moyens désormais assez proches de la politique agricole commune. Après la réforme de cette dernière en 2013, il est probable qu'elle sera la première des politiques communes par les moyens mis en œuvre. **Depuis 1988, 480 milliards d'euros** ont été consacrés à la politique régionale, preuve indéniable d'une volonté politique et de la montée en puissance d'une priorité.

## B. Des résultats peu probants pour l'instant

**La politique d'évaluation** est une dimension importante de l'action régionale depuis la fin des années 1990. Elle est conduite en coopération avec les États concernés. Les **analyses d'impact**, la mesure de l'**équilibre coûts/avantages** des politiques s'efforcent d'être plus rigoureux.

Cependant, en matière d'édu-cation, de recherche, de santé et même d'infrastructures, les résultats jouent à long terme en raison d'**effets d'entraînements** plus ou moins directs.

Toujours est-il que les études récentes de l'OCDE montrent que **les inégalités régionales ne reculent pas ou alors très lentement**. Le rendez-vous de 2013, après une phase d'inter-vention massive renouvelée dans ses méthodes de décentralisation et de partenariat et centrée de manière cohérente sur la stra-tégie de Lisbonne, sera décisif.

**L'Arc Atlantique**

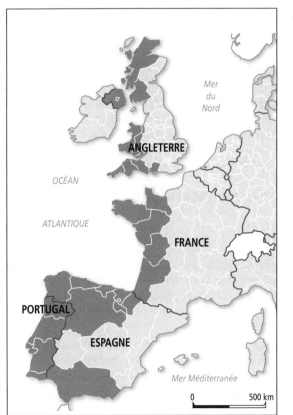

# 75 Les dynamiques transfrontalières

*Les **régions frontalières** représentent **15 % du territoire et 10 % de la population** de l'Union Européenne. Leur coopération concrétise l'intégration et l'idéal européens sur le terrain au moment où le sommet s'essouffle. Il s'agit aussi d'un laboratoire de gouvernance européenne transcendant les cadres de l'État westphalien.*

## 1 La frontière en Europe

### A. Le paradoxe de la frontière

La frontière est **une réalité vivante et changeante**. Plaies à vif au lendemain des guerres mondiales, certaines étaient des césures majeures dans le territoire européen, à la fois frontières économiques, militaires, idéologiques, constituant une sorte de **« méta frontières »** tel le **rideau de fer.** La frontière franco-allemande n'était pas loin de revêtir ce statut et sa transcendance fut un sésame pour la construction européenne.

Le géographe et diplomate Michel Foucher a montré **l'ambivalence de la frontière** dans le cadre de la construction européenne. Produit de l'histoire, elle installe les repères entre **« eux et nous »**. Elle répond au besoin d'ordre et de sécurité, elle aide à la prise de conscience d'une identité collective, elle délimite l'emprise des lois et des systèmes sociaux, elle est le lieu d'une économie spécifique qui joue, légalement ou illégalement, sur ces clivages. **La frontière unit autant qu'elle divise**.

### B. La frontière européenne depuis la chute du mur

Depuis la chute du mur de Berlin, **quelque 12 000 kilomètres de frontières nouvelles** ont été tracés sur le continent européen (Michel Foucher). Il y a peu la frontière était à la fois une séparation politique, économique, sociale, culturelle relevant de la **souveraineté nationale**.

La disparition des taxes douanières au sein de la Communauté en 1968, les accords de Schengen de 1985 sur la libre circulation des personnes et par conséquent la nécessaire approche globale des questions migratoire et de sécurité, le principe de la primauté du droit européen sur les droits nationaux, la dématérialisation même des limites afin de réduire **« l'effet frontière »** dans la foulée de l'Acte unique et de Maastricht, ont **découplé les différentes fonctions de la frontière** autrefois confondues. Elles relèvent de plus en plus de la **politique communautaire**.

## 2 La politique européenne de transcendance de la frontière

### A. Les prémices

Les premières formes d'ententes régionales transfrontalières sont à rechercher dans le principe de **jumelage des communes** par delà les frontières. C'est le **mouvement fédéraliste** français « la Fédération », fondé en 1944, qui en propose l'idée. Les premières communes qui se jumellent fondent en 1951 le Conseil des Communes d'Europe qui devient par la suite **le Conseil des communes et des régions d'Europe**.

Le Conseil de l'Europe ne cesse d'encourager cette dimension, mais c'est sans doute le Traité de réconciliation franco-allemande, **le traité de l'Élysée de 1963** qui lui confère un nouvel élan.

Cependant, l'arsenal législatif des souverainetés nationales est profondément incrusté. En France, il faudra **attendre la loi du 6 février 1992** pour que les collectivités territoriales disposent formellement du droit de conclure des conventions avec les collectivités étrangères.

## B. L'institutionnalisation de la coopération transfrontalière

La coopération transfrontalière a été légitimée dans le cadre du Conseil de l'Europe par la **convention-cadre de Madrid de 1980**. Celle-ci fournit le cadre législatif et définit les champs d'application des conventions transfrontalières, propose des **conventions-types**. Complétée par la suite (1995), la Convention autorise les mêmes processus pour des communautés territoriales de part et d'autre des frontières, non contiguës entre elles et **non contiguës aux frontières elles-mêmes**.

**La loi française du 13 août 2004 concernant les libertés et responsabilités locales** rend possible la création de **districts européens**, groupements locaux de coopération transfrontalière fondés à l'initiative des collectivités territoriales.

Pour bénéficier au mieux des aides européennes, les différents gouvernements se dotent de structures adéquates : la France crée la **Mission opérationnelle transfrontalière (MOT)** en 1999 sous l'égide des services de l'aménagement du territoire (ancienne DATAR). En 1971, les régions frontalières se dotent d'une structure, **l'Arfe (l'Association des régions frontalières d'Europe)**, pour promouvoir leurs intérêts et coordonner leur action.

## C. Les programmes de l'Union européenne

Les régions frontalières connaissent souvent **un revenu par habitant inférieur et un taux de chômage supérieur aux moyennes nationales**. En 1990, la Commission européenne propose un programme d'initiative communautaire (PIC) baptisé **Interreg** compétent dans les domaines du **développement économique, de la recherche, de l'environnement, de la culture, du tourisme** transfrontaliers. Financés par le Feder, plusieurs phases se sont succédé depuis 1991, **Interreg III (2000-2006)** disposant de près de 5 milliards d'euros.

**Interreg IV, pour la période 2007-2013** est intégré dans le troisième objectif de la politique de cohésion, avec des prévisions budgétaires de l'ordre de 6 milliards d'euros.

# ③ Les exemples d'« Eurorégions »

Les premières formes de coopérations régionales transfrontalières sont apparues **entre Pays-Bas et Allemagne** dès les années 1960. Parmi les exemples les plus significatifs concernant en particulier la France, il convient de signaler **SAR LOR LUX**, incluant un Land allemand, la Sarre, la Lorraine et le Grand Duché du Luxembourg. Elle a d'abord été **une coopération interétatique** par un accord signé en 1980. La Belgique après une réforme constitutionnelle a pu y inscrire la **Wallonie**. Ainsi est née progressivement la **« Grande région »** Saar-Lor-Lux-Rhénanie-Palatinat-Wallonie. Les élus régionaux, les responsables et les acteurs locaux (les entreprises, les associations) investissent le terrain, multiplient les actions et les réseaux. Lorrains et Sarrois y jouent souvent un rôle moteur concrétisant **la réalité du couple franco-allemand**.

Dès 1963, une association **« regio Basiliensis »** promeut l'idée d'une région européenne du **Rhin Supérieur** à cheval sur la Suisse, l'Allemagne et la France. Elle est concrétisée par une convention cadre de 1982 et se montre tout spécialement active dans les domaines universitaires et de la recherche.

Les « Eurorégions » se généralisent en Europe centrale et orientale, par exemple tout au long des frontières germano-polonaises (Poméranie, ou Neisse) et germano-tchèques (« Forêt de Bohême »).

# 76 Le dynamisme des périphéries confronté à la crise

## 1 Le « miracle irlandais » en difficulté

**Évolution de la population irlandaise**

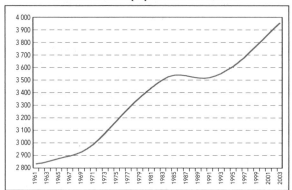

*Source : Wikimedia Commons.*

### A. Un retournement spectaculaire

L'Irlande, pays traditionnel d'émigration, a vu son **solde migratoire devenir positif** grâce à une baisse continue de l'émigration et à un afflux d'immigrants.

**Le taux de chômage en fort recul** est tombé à 4,4 % en 2006. Le PIB/habitant est monté au 2e rang de l'UE. **La croissance économique** a été en moyenne de 6,1 % pour la période 2000-2004 et de 5,8 % en 2006.

### B. Le « dopant » européen

L'Irlande a pratiqué, dès les années 1960, une politique d'attraction des investissements étrangers avec la **zone franche de Shannon**. La perspective de l'entrée dans la CE a accé-léré ce mouvement, qui s'est poursuivi grâce aux bas salaires et à une main-d'œuvre qualifiée. **Plus de mille firmes étrangères, dont tous les grands de l'informatique états-unienne**, sont présentes en Irlande et emploient plus de la moitié de la main-d'œuvre industrielle. Le pays était ainsi devenu le **premier exportateur mondial de logiciels**. Il développe également la **pharmacie et les biotechnologies**.

L'Irlande a également bénéficié des **aides européennes** au titre de l'objectif n° 1: près de 20,7 milliards d'écus pour 1994-1999 ainsi que des prêts de la Banque européenne d'investissement (BEI) à hauteur de 1,8 milliard d'écus. L'État a ainsi pu améliorer les infrastructures et mettre en œuvre détaxes et subventions.

### C. Les déboires du « tigre celtique »

À la fin de 2008, l'Irlande a été **le premier pays de l'UE à entrer officiellement en récession**. Ses banques, tournées vers le monde anglo-saxon, ont très vite été menacées et le gouvernement a proclamé sa garantie des dépôts bancaires à hauteur de 400 milliards d'euros tout en créant une **Agence nationale servant à transférer les fonds toxiques**. La croissance irlandaise devait beaucoup à la **bulle immobilière**, qui, en se dégonflant, a fait chuter les prix de 40 % dans le secteur. La crise a eu aussi des répercussions industrielles: **le secteur informatique a été touché** par la chute de la demande, et l'entreprise américaine Dell a opéré des licenciements massifs.

Dès lors, tous les indicateurs macroéconomiques « sont entrés dans le rouge ». Au printemps 2012, la consommation avait chuté de 20 %, **le taux de chômage atteint 14,4 % de la population active** pour l'année et le déficit budgétaire s'établissait à 8,6 % du PIB.

La reprise tarde à se manifester: après **une chute de 3 % du PIB dès 2008 et une autre de 7 % en 2009, 2010 a encore affiché une croissance négative**. Mais une timide reprise a eu lieu en 2011 avec + 0,8 % du PIB. Durement touchée par la crise, l'Irlande est fragilisée, avec toutefois un endettement limité à 76,7 % du PIB (2010), inférieur à la moyenne européenne.

## 2 La Grèce au bord du gouffre

### A. La Grèce et l'Europe

**La Grèce a arraché son indépendance à l'Empire ottoman en 1830**, après de nombreuses années de lutte. Certes, les insurgés grecs ont été soutenus par un puissant mouvement philhellénique, mais il n'était pas question que le nouveau pays bouleverse l'équilibre européen: la France, l'Angleterre et la Russie y ont veillé. Le premier souverain de la jeune monarchie, Othon de Bavière, est arrivé en Grèce dans un vaisseau britannique accompagné de

3 500 soldats bavarois. Guerres mondiales et occupation, conflits avec la Turquie, guerre civile en 1946 : **le pays, aux structures encore archaïques, a connu de nombreuses convulsions**. En 1963, une des premières élections réellement démocratiques n'a pas réussi à contrôler une armée extrémiste, et la sanction a été la « **dictature des colonels » (1967-1974)** dont l'effondrement peu glorieux a ouvert la porte de l'Europe en 1981.

L'opinion grecque a vu dans l'Europe la force pouvant équilibrer une influence américaine très pressante, mais aussi **un facteur modernisateur**.

La Grèce est incontestablement **un des pays les plus aidés par l'Europe**. Elle bénéficie d'environ 10 % des dépenses des fonds structurels et touche près de **20 % du total du Fonds de cohésion** mis en place par le traité de Maastricht. Au total, l'aide européenne peut parfois atteindre **5 % du PIB grec**, elle est supérieure, toute proportion gardée, à l'aide Marshall au profit de l'Europe occidentale après la Seconde Guerre mondiale. Après quelques hésitations, **la Grèce a pu entrer dans la zone Euro en 2001**.

## B. Croissance vive et déficiences structurelles

L'Europe favorise **une croissance soutenue de l'économie grecque** (10 % en 2000), mais les structures évoluent peu. À côté d'une **agriculture sous-productive** (11,4 % de la main-d'œuvre, 6 % du PNB), de l'Église orthodoxe, qui reste le plus gros propriétaire terrien, subsiste **un secteur public important**, peu concurrentiel, ponctionnant chaque année le budget public de sommes proches du montant de l'aide européenne, alors même que **l'appareil fiscal est peu efficace**. La fonction publique est parfois soumise au clientélisme politique. **Le commerce extérieur est structurellement et gravement déficitaire**.

Les secteurs porteurs demeurent **l'armement maritime et surtout le tourisme**, qui représente **15 % du PIB**, mais ils sont très sensibles à la conjoncture. **L'économie souterraine, évaluée à 28 % du PIB**, confère une certaine résilience à la société grecque mais ne contribue pas à alimenter les caisses de l'État. La résultante en est une **dette publique** de près de 160 % du PIB en 2012 amenant à la faillite en 2010. Depuis, elle fait l'objet d'une mise sous tutelle du FMI et de l'UE et de plusieurs plans d'austérité.

### Balance commerciale grecque

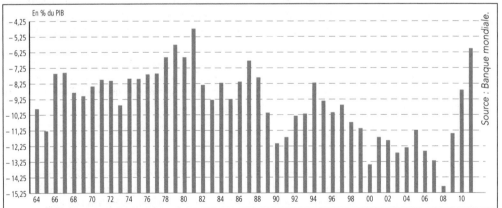

## C. Inégalités régionales : les leçons de la crise récente

La crise a révélé **les limites de la politique de convergence**, en particulier sur les périphéries. L'ouverture des marchés, la libre circulation des capitaux et les apports de liquidités en provenance des fonds structurels ont incontestablement favorisé la croissance. **L'effet sur la modernisation des structures est plus discutable** : la forte **dispersion des aides** a gêné leur efficacité, alors que la prospérité ainsi dopée a favorisé les **bulles spéculatives** et a permis de différer les réformes politiquement et socialement douloureuses.

La montée en puissance de la politique régionale au sein du budget européen ne doit pas cacher **l'absence de solidarité globale** : il n'existe pas de solidarité financière et économique intra-européenne, comme le révèle la crise grecque, et celle qui s'exerce par les fonds structurels demeure de portée limitée **vu la faiblesse globale du budget européen** (à peine plus de 1 % du PIB de l'UE). La « **convergence** » stagne voire recule.

# 77 Les dynamiques territoriales

*L'Europe a été à l'origine de la révolution industrielle. Celle-ci s'est fondée sur **la trilogie charbon/industrie textile/métallurgie (parfois la construction navale)** et a donné naissance à des espaces entièrement voués à ces activités : **les pays noirs**. Le passage à l'ère postindustrielle a impliqué pour elles des crises majeures. De même, les campagnes européennes ont subi une crise sévère au XIXe et au XXe siècle. Leur économie et leur société ont implosé sous le choc de la révolution industrielle. Leur renouveau est une dynamique importante de l'espace européen actuel, malgré le retard à l'Est, des pays de l'ancien monde communiste. **D'autres dynamiques** liées à la « société de loisirs », à la mondialisation et à la crise sont à l'œuvre.*

## 1 La fin des pays noirs

### A. Des zones de surdensité économique et démographique

Les usines et les quartiers ouvriers **(les corons)** se sont multipliés sur les bassins charbonniers (Midlands, Ruhr, région du Nord en France…), dans les ports (Liverpool). Pendant un siècle, les pays noirs ont donné à l'Europe sa puissance.

Mais dans **les années 1960**, l'agonie a commencé en raison de **la concurrence des hydrocarbures** et de la sidérurgie sur l'eau. Malgré les efforts **(usines automobiles)**, ces régions ont connu un véritable désastre industriel et social. Les **zones trop spécialisées ou très enclavées** ont particulièrement souffert (les cités minières, les villes sidérurgiques comme **Longwy**).

### B. Une reconversion inégale

L'Europe a soutenu les efforts nationaux de reconversion : **la CECA** est devenue un instrument d'accompagnement et **l'objectif n° 2 de la politique régionale « a ciblé » les pays noirs**. La population de ces régions, dense et souvent jeune, et la culture industrielle sont néanmoins demeurées des atouts.

Ainsi, les pays noirs au cœur de l'Europe, ou sur des axes majeurs de circulation, enregistrent une **diversification croissante** de leurs activités (Ruhr, Lorraine) alors que les anciens pôles miniers les plus enclavés (Carmaux, La Mure) connaissent les **friches industrielles** et l'exode forcé des habitants.

### C. À l'Est

L'entrée des pays en transition, véritables conservatoires des industries lourdes, massives et obsolètes du temps du communisme, redonne de l'acuité au problème de la reconversion, d'autant que **le charbon exploité est souvent de qualité médiocre et très polluant (lignite)**. Le sud de l'ancienne Allemagne de l'Est, le Sud-Ouest de la Pologne sont dans ce cas.

## 2 Le rural en mutation

### A. De la « fin des paysans » à la venue de « néoruraux »

**L'exode rural** a été la tendance lourde pendant près de deux siècles. Commencé en Angleterre au XVIIIe siècle (enclosures), il s'est propagé vers l'Est (Russie) et le Sud (Mezzogiorno). **La révolution agricole du XXe siècle** a achevé le processus, encore amplifié par **la quasi-disparition de toute une petite industrie** en milieu rural.

On a donc assisté à la **« fin des paysans »** (Henri Mendras) sur les terres pauvres mais aussi sur les bonnes terres productives nécessitant de moins en moins d'actifs. Avec eux, toute une civilisation des campagnes a disparu. On a pu parler de **« la fin des terroirs »** (Eugen Weber).

## B. Du productif au récréatif

Dans la seconde moitié du XXᵉ siècle, un nouveau processus se met en place : la submersion des espaces ruraux par l'urbain. **L'exurbanisation** se traduit directement par la **périurbanisation** et par la rurbanisation : autour des villes, les campagnes se repeuplent d'urbains et **les modes de vie citadins s'imposent partout**.

Les campagnes deviennent espaces de **tourisme vert** et se constellent de **résidences secondaires**. Les **parcs naturels** se multiplient.

La libre circulation et la libre installation des Européens dans les divers pays membres vont également dans ce sens : exploitants agricoles néerlandais ou néoruraux britanniques retraités ou actifs en Aquitaine…

## C. De l'Ouest à l'Est

En Europe occidentale, malgré toutes les dérives productivistes, **la PAC**, aidée aussi par des programmes comme **Leader**, a réussi à préserver **la continuité territoriale**.

La pérennité d'une agriculture intensive, l'évolution périurbaine, le tourisme vert, le **télétravail** expliquent aussi **un certain recul de la désertification des campagnes aujourd'hui**. En France, par exemple, un rapport de la Datar de 2003 est à cet égard éclairant. Sur environ 2 400 cantons ruraux, 250 sont classés en rural périurbain (densité de 195 habitants/km²), 500 en périurbain élargi (densité de 66 habitants/km²) et plus de 350 en « nouvelles campagnes » liées à l'urbain par la fonction tourisme et loisirs. **Seulement 20 % des cantons ruraux ont une densité inférieure à 23 habitants/km²**.

À l'Est, en revanche, on observe des phénomènes contraires. **La sous-productivité des agri-cultures** communistes a souvent maintenu **des densités relativement importantes** dans les campagnes. Dans le même temps, **les services publics paradoxalement indigents** se sont défaussés sur la mono entreprise dans une sorte de **« sibérisation »** du territoire. Le sous-équipement, l'archaïsme et la faiblesse des infrastructures y sont liés.

# ❸ Les nouvelles attractivités

## A. Littoraux et effet « *Sun Belt* » à l'échelle européenne

**Vieillissement, retraites conséquentes, tourisme de masse** se sont combinés pour aboutir à des flux croissants vers les espaces ensoleillés. Les régions littorales méditerranéennes et atlantiques en ont bénéficié **à l'échelle européenne**.

Nombre d'entreprises, en particulier de **haute technologie et de services**, ont suivi ces populations à niveau de vie relativement élevé (Sophia-Antipolis sur la Côte d'Azur française).

## B. L'échelle nationale

**Le phénomène « *Sun Belt* »** se manifeste aussi dans les limites nationales : outre la France, on constate au Royaume-Uni la désertion des vieux pays noirs au profit de l'Angleterre verte, en Allemagne le déplacement des activités industrielles de la Ruhr vers la Bavière.

**Le thalassotropisme** est un fait majeur, le cas français en témoigne. Alors que la population a crû de 3,6 % en dix ans, la population des communes littorales a connu une croissance de 5,7 %. **La haute montagne** bénéficie des tropismes vers le loisir et la nature.

Ces nouvelles géographies ont des conséquences positives sur des espaces qui avaient été les grands perdants de la révolution industrielle. **Une certaine inversion contemporaine** les repeuple et les dynamise. Mais, il ne faut pas sous-estimer le revers de la médaille : littoraux, montagnes sont des espaces fragiles où **les questions environnementales deviennent prégnantes**.

# 78 Urbanisation et métropolisation

*L'Europe est l'une des régions du monde caractérisée par **une urbanisation ancienne**. Le processus s'est amplifié au XIXᵉ siècle avec la révolution industrielle, engendrant **une des grandes mégalopoles de notre temps**.*

## 1 Une urbanisation croissante

### A. Une histoire longue

**Schéma de la mégalopole européenne**

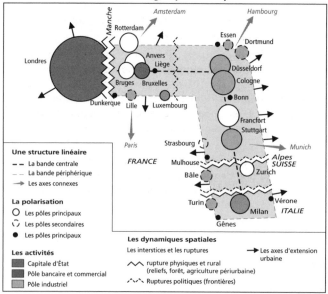

Source : C. Allmang, *Petites leçons de géographie*, PUF, 2001.

« Les villes de l'Europe sont nées avec l'Europe et dans un certain sens en ont accouché » (Benevolo). Le fait urbain européen est né **des cités grecques et des villes romaines**. Le Moyen Âge les a enfermées dans des murailles mais, même submergées par le rural, elles ont retrouvé dès l'an mil leurs fonctions de pôles artisanaux et commerciaux.

Au long du bas Moyen Âge et à l'époque moderne, elles ont grandi et affirmé leur importance tant économique que politique par **l'émergence de la bourgeoisie**. La première révolution industrielle a entraîné le développement **des nébuleuses urbaines** du Pas-de-Calais, de la Ruhr, de Silésie. Les grands centres polyfonctionnels ont vu leurs périphéries s'étendre avec les quartiers voués à l'industrie ou encore au commerce comme les **« Docklands »** à Londres.

La seconde révolution industrielle, recherchant les grands bassins de main-d'œuvre et de consommateurs, bénéficiant de l'énergie électrique facile à acheminer, s'est polarisée sur les grands centres urbains. **L'exode rural et l'immigration**, surtout urbaine après la Seconde Guerre mondiale, ont contribué à leur essor.

### B. Une position hégémonique

La population européenne est aujourd'hui à **75 % urbaine**. Mais en réalité, c'est l'essentiel des populations, y compris celles vivant dans les espaces ruraux, qui ont un mode de vie urbain.

L'hégémonie est d'autant plus forte que l'urbanisation contemporaine se caractérise par un double processus. D'une part, **l'exurbanisation, extension en nappe du fait urbain** et d'autre part, **la rurbanisation**, implantation d'urbains dans les campagnes.

### C. La morphologie urbaine européenne

L'Europe connaît **plusieurs types de villes** : le **grand pôle du type parisien** et londonien, qui tend à faire le vide autour de lui, ou encore le **modèle rhénan**, tissu serré de villes « moyennes » dont chacune est assez importante pour empêcher l'une d'entre-elles de s'imposer seule.

Le centre ancien, historique, prestigieux, lieu de pouvoir et de représentation, est la marque de la ville européenne. Les **« faubourgs »** se sont développés avec l'essor économique, et la **« révolution haussmannienne »** a adapté la ville à l'ère industrielle. Entre les deux guerres mondiales, les **« banlieues »** ouvrières ou « résidentielles » se sont développées suscitant une réflexion de fond (le IVᵉ congrès d'architecture de 1933, tenu sous l'égide du Corbusier, a abouti à la **Charte d'Athènes**, somme de conclusions sur l'organisation de la ville moderne).

Après la Seconde Guerre mondiale, les « cités » se sont étendues en nappes plus ou moins anarchiques et sous-équipées. Leur médiocrité architecturale, le sous-équipement et le paradoxal enclavement, antithèse de « l'urbanité », demeurent **des facteurs aggravants des problèmes sociaux**.

Les efforts de structuration de nappes périurbaines, par exemple par **des villes nouvelles** imaginées par les Anglo-Saxons dès les années 1930, ont pris de la consistance en France avec **la DATAR instituée en 1963**.

# 2 Une métropolisation dominante

## A. Une tendance générale

L'urbain n'est jamais un fait isolé : **les villes s'organisent en réseaux**. Ceux-ci sont plus ou moins régis par le schéma christallérien : des villes secondaires gravitent autour d'un pôle central, nœud de services et de voies de communication.

À l'échelle des États, les situations de **relative macrocéphalie** caractérisent nombre de pays (France, Espagne, Royaume-Uni, Autriche…). À l'échelle régionale, **la métropolisation** (émergence dans le réseau d'un pôle majeur pour la région) s'est affirmée, l'exemple type pouvant être Toulouse pour la région Midi-Pyrénées.

Les évolutions sont aujourd'hui complexes : **la ville se desserre, dissout ses limites dans son environnement rural, projette des satellites lointains** (zones d'activités, lotissements) alors même que des quartiers anciens sont réhabilités ou « conquis » par les classes aisées (Docklands de Londres).

## B. Mégapoles et mégalopole

L'Europe métropolisée est en outre marquée par la puissance des grandes agglomérations urbaines que l'on qualifie de mégapoles. Vraies régions urbaines, celles-ci sont souvent centrées sur un noyau primordial (Londres, Paris, Barcelone, Milan, Berlin) mais peuvent aussi prendre la forme de nébuleuse urbaine polycentrique (Ruhr, Liverpool-Manchester). La possession d'une « ville-monde », atteignant la taille critique globale, est un enjeu décisif dans la compétition mondiale.

Cette dimension est atteinte à plus large échelle dans ce que Roger Brunet a appelé la « dorsale européenne », véritable mégalopole qui court de Londres à Milan, sans avoir cependant la continuité de la mégalopolis états-unienne.

## C. La faiblesse urbaine à l'est de l'Europe

Dans les pays d'Europe centrale, l'ouverture postcommuniste a redonné toute leur importance à des villes comme **Prague ou Budapest**. Des villes qui ont été, en partie au moins, hors du monde communiste mais qui « ont buté » sur le mur de Berlin connaissent un regain de dynamisme depuis la chute de ce dernier : ainsi Vienne et Berlin.

Dans les parties les plus orientales, on observe **un retard urbain historique**. Les grandes invasions ont ici été plus durables. Par la suite, le communisme a mis l'accent sur la capitale au sein de réseaux urbains fragiles et anémiés. Il en va ainsi de Varsovie en Pologne. Dans ce pays, ce sont les villes de la bordure ouest, en contact avec l'Allemagne, qui se développent.

# 3 L'UE et l'urbain

L'UE a développé des politiques pour faire face aux problèmes urbains, comme **Urban**, lancé en 1994. Pour 2000-2006, le programme Urban II a consacré plus de 728 millions d'euros aux 70 zones urbaines en crise de l'UE-25 et **Equal** du FSE 3,274 milliards à la lutte contre l'exclusion et les discriminations.

**La charte de Leipzig de 2007** inscrit le renforcement des centres-villes dans le cadre de la « ville européenne durable ». L'agenda territorial pour 2007-2013 prévoit qu'un tiers des 350 milliards consacrés à la politique de cohésion ira aux politiques urbaines.

Les villes sont soucieuses de leur dimension internationale. En 1986, 112 villes européennes créent **le réseau Eurocités**, débordant des frontières de la seule UE. Des conurbations transfrontalières se développent. L'agglomération de Genève « déborde » largement sur la France.

**La fonction culturelle** est parmi les plus significatives de la ville. Sur proposition de Melina Mercouri, ministre grecque de la Culture en 1985, l'Europe désigne les **« villes européennes de la culture »** (deux villes chaque année depuis 2005). Le Parlement européen a ainsi désigné Guimarães (Portugal) et Maribor (Slovénie) en 2012. Marseille tiendra ce rôle en 2013.

# 79 L'Europe unifiée

*Le XXᵉ siècle a, partiellement et temporairement, introduit une césure dans le subcontinent européen. Cette **coupure de type géopolitique et socio-économique** a été masquée pendant quarante ans. Les retrouvailles de ces deux Europes depuis 1990 sont une caractéristique essentielle de notre temps. Une **nouvelle géographie de l'espace européen** s'y dessine, mais aussi **une nouvelle périphérie fragile**.*

## 1 Europe de l'Est et de l'Ouest : les retrouvailles

### A. Un retour au temps long

Depuis le Moyen Âge à tout le moins et par-delà les controverses des spécialistes, l'Europe a fonctionné comme un continuum, de l'Atlantique à l'Oural, de la Scandinavie à la Méditerranée. Sachant que la continuité n'implique pas l'homogénéité, les échanges matériels et immatériels ont forgé au long des siècles l'entité nommée « Europe ». Mais cette entité n'a jamais été ni isotrope, ni unifiée. Elle s'est au contraire caractérisée, à l'inverse de la Chine impériale, par sa diversité et par **une dialectique permanente de coopération/affrontement**. Cités, royaumes, empires y ont cohabité et s'y sont affrontés. Du Congrès de Vienne de 1815 à la Première Guerre mondiale, le **« concert européen »** a été une esquisse d'Europe politique. Il faudra attendre 1918 pour voir s'effondrer les derniers empires.

### B. Les retrouvailles

Dès 1917, la Russie révolutionnaire s'est retirée du charnier européen. Mais la coupure décisive est intervenue après 1945 avec l'instauration du **rideau de fer**. Certes, de **vieilles fractures ont sans doute rejoué à cette occasion** (grand schisme d'Occident). Deux Europes ont vécu pendant quarante ans séparément. Les retrouvailles après 1989 ne vont pas de soi. Les cultures politiques et économiques ont beaucoup divergé. Tous les équilibres sont perturbés.

En outre, **l'UE, même à 27, n'est pas toute l'Europe**. Les Balkans ont eu leurs propres retrouvailles, sanglantes en ex-Yougoslavie. La vieille question des **limites de l'Europe** refait surface avec la Turquie, mais aussi avec l'Ukraine et d'autres pays.

## 2 L'impact géographique

### A. Une dorsale prolongée ?

La construction européenne est fille de la guerre froide. Son axe majeur était Nord-Nord-Ouest/Sud-Sud-Est, de Londres à Milan. Il retrouve dans sa partie médiane **l'ancienne Lotharingie**. De part et d'autre, au Nord-Est comme au Sud-Ouest, s'étendaient les périphéries.

La fin du rideau de fer fait renaître une autre grande route de la longue histoire européenne, qui certes coïncide avec la récente voie dans sa partie nord-ouest, de Londres à la confluence du Rhin et du Main, mais qui ensuite file vers l'est/sud-est en direction de la mer Noire par le Danube. **Cet axe Rhin-Danube** n'est certes pas strictement orthogonal au précédent et, pour le moment, souffre encore de lacunes multiples ; il n'en demeure pas moins, potentiellement, qu'il esquisse une nouvelle géométrie de l'espace européen.

### B. Une nouvelle organisation de l'espace

S'esquisse ainsi, à titre évidemment prospectif, une nouvelle lecture de l'Europe. Et capitaux et touristes paraissent l'anticiper. **L'axe Rhin-Danube** pourrait prolonger la dorsale actuelle.

De part et d'autre, des groupements s'organisent : **la mare Balticum**, du Danemark aux pays Baltes, voire à la Russie du Nord-Ouest en incluant Suède et Finlande, est déjà une réalité. Au sud, du Mezzogiorno à la Grèce et à Chypre, un autre sous-ensemble peut émerger, ce que Roger Brunet a appelé « **l'Arc méditerranéen** ».

# ❸ Une nouvelle périphérie fragile de l'UE

## A. Une fragilité organique

Si la démocratie s'est imposée, elle n'occulte pas des faiblesses héritées fondamentales. La diversité ethnique ou nationale est plus marquée en général à l'est qu'à l'ouest, et l'histoire en a exacerbé les tensions. C'est ici que **la Shoah** a été la plus systématiquement destructrice. Dans les pays Baltes anciennement soviétiques, **la population russophone** dépasse parfois le quart de la population totale. Tensions fortes aussi venant du plus profond d'une histoire multiséculaire entre **la majorité « bulgare » et la minorité turcophone** de Bulgarie. La Roumanie est une mosaïque ethnique (**magyars, tziganes**). Les **jeux troubles de la dictature communiste** ont toujours entretenu ces difficultés.

Les traumatismes plus récents fragilisent parfois implicitement les légitimités territoriales. La Pologne a vu une partie importante de son territoire oriental annexé par la Russie soviétique alors que **plus du tiers de son territoire actuel, à l'ouest, était historiquement allemand**. Une petite frange de l'opinion soupçonne toujours les « associations de personnes déplacées » en Allemagne de vouloir entretenir un « irrédentisme » allemand. **La Hongrie estime avoir été injustement traitée lors des deux guerres mondiales**, et cela au profit de ses voisins immédiats, la Slovaquie et la Roumanie. L'expulsion soudaine des Allemands des Sudètes par l'État tchécoslovaque en 1945 a pesé sur les relations germano-tchèques lors de l'effondrement du communisme.

**La fragilité de l'État** n'est pas propre à faciliter le développement : **en Roumanie, l'économie parallèle représente 25 % du PIB**. Souvent, la corruption et le crime organisé sont présents. Les choix erronés de la transition se payent au prix fort. La Pologne a enregistré les contrecoups de la crise des pays émergents à la fin des années 1990. Il en a été de même en Roumanie où le « second choc de transition » a engendré trois années consécutives de récession.

## B. Les régions capitales

D'une manière générale, les pays de l'Est ont hérité de la période communiste **un espace économique centré autour de la capitale**. Budapest, « la plus belle ville du Danube », représente plus du quart de la population de la Hongrie. En dehors de la Pologne, **la capitale est partout deux fois plus riche que le reste du pays**. En République tchèque, Prague, joyau au cœur de l'Europe, a rattrapé le niveau de vie de l'Europe occidentale.

## C. Bordure ouest et bordure est

**Partout, le tiers ouest est plus actif** : l'interface avec l'Allemagne ou l'Autriche est l'élément moteur. Entre la Pologne et l'Allemagne, **l'Oder retrouve sa fonction d'échanges** autour de Szczecin. Les ponts sont redevenus opérationnels et la puissante influence de Berlin s'exerce à plein, bien plus que celle de la lointaine **Varsovie, la plus faible des capitales européennes**, dont l'agglomération « pèse » à peine 5 % de la population polonaise. C'est à Wroclaw, dans l'extrême Sud-Ouest polonais, que s'est installée en 2005 une puissante usine produisant des écrans plats (investissement combiné Philips-LG).

En Hongrie aussi, outre Budapest, c'est le tiers ouest du pays, c'est-à-dire **la Transdanubie** en contact avec l'Autriche, qui présente le plus fort dynamisme.

Le schéma est le même en Roumanie : si Bucarest domine, le delta du Danube, à l'est, est peu développé malgré le canal Danube-mer Noire. L'Ouest en revanche (**la Transylvanie**) est plus ouvert et moderniste.

Partout cependant, à des degrés divers, **le tropisme européen semble plus fort que les forces centrifuges**. Et les déficits publics sont souvent moins prononcés, un atout dans la crise d'aujourd'hui.

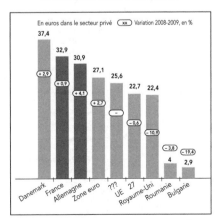

**Fragilité et avantage comparatif de l'Europe orientale : le coût de l'heure de travail**

En euros dans le secteur privé — Variation 2008-2009, en %

| Danemark | France | Allemagne | Zone euro | ??? | UE 27 | Royaume-Uni | Roumanie | Bulgarie |
|---|---|---|---|---|---|---|---|---|
| 37,4 | 32,9 | 30,9 | 27,1 | 25,6 | 22,7 | 22,4 | 4 | 2,9 |
| +2,9 | +0,9 | +4,1 | +2,7 | – | -0,6 | -10,9 | -3,8 | -19,4 |

Source : *Les Échos*.

# Conclusion

## Les régions européennes

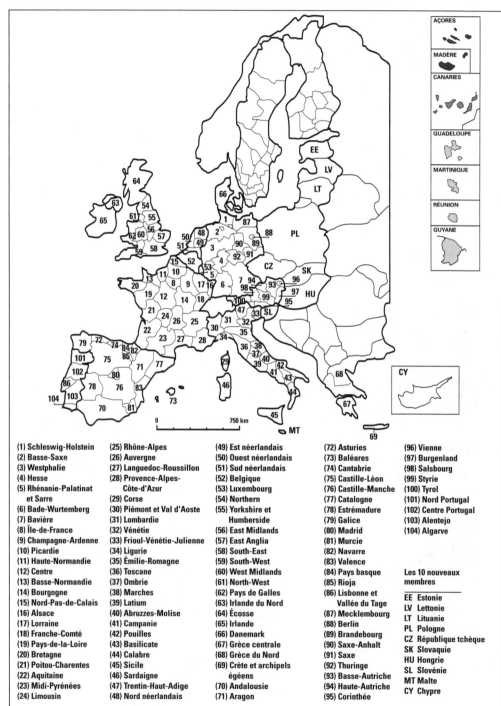

(1) Schleswig-Holstein
(2) Basse-Saxe
(3) Westphalie
(4) Hesse
(5) Rhénanie-Palatinat et Sarre
(6) Bade-Wurtemberg
(7) Bavière
(8) Île-de-France
(9) Champagne-Ardenne
(10) Picardie
(11) Haute-Normandie
(12) Centre
(13) Basse-Normandie
(14) Bourgogne
(15) Nord-Pas-de-Calais
(16) Alsace
(17) Lorraine
(18) Franche-Comté
(19) Pays-de-la-Loire
(20) Bretagne
(21) Poitou-Charentes
(22) Aquitaine
(23) Midi-Pyrénées
(24) Limousin

(25) Rhône-Alpes
(26) Auvergne
(27) Languedoc-Roussillon
(28) Provence-Alpes-Côte-d'Azur
(29) Corse
(30) Piémont et Val d'Aoste
(31) Lombardie
(32) Vénétie
(33) Frioul-Vénétie-Julienne
(34) Ligurie
(35) Émilie-Romagne
(36) Toscane
(37) Ombrie
(38) Marches
(39) Latium
(40) Abruzzes-Molise
(41) Campanie
(42) Pouilles
(43) Basilicate
(44) Calabre
(45) Sicile
(46) Sardaigne
(47) Trentin-Haut-Adige
(48) Nord néerlandais

(49) Est néerlandais
(50) Ouest néerlandais
(51) Sud néerlandais
(52) Belgique
(53) Luxembourg
(54) Northern
(55) Yorkshire et Humberside
(56) East Midlands
(57) East Anglia
(58) South-East
(59) South-West
(60) West Midlands
(61) North-West
(62) Pays de Galles
(63) Irlande du Nord
(64) Écosse
(65) Irlande
(66) Danemark
(67) Grèce centrale
(68) Grèce du Nord
(69) Crète et archipels égéens
(70) Andalousie
(71) Aragon

(72) Asturies
(73) Baléares
(74) Cantabrie
(75) Castille-Léon
(76) Castille-Manche
(77) Catalogne
(78) Estrémadure
(79) Galice
(80) Madrid
(81) Murcie
(82) Navarre
(83) Valence
(84) Pays basque
(85) Rioja
(86) Lisbonne et Vallée du Tage
(87) Mecklembourg
(88) Berlin
(89) Brandebourg
(90) Saxe-Anhalt
(91) Saxe
(92) Thuringe
(93) Basse-Autriche
(94) Haute-Autriche
(95) Corinthée

(96) Vienne
(97) Burgenland
(98) Salsbourg
(99) Styrie
(100) Tyrol
(101) Nord Portugal
(102) Centre Portugal
(103) Alentejo
(104) Algarve

**Les 10 nouveaux membres**

EE Estonie
LV Lettonie
LT Lituanie
PL Pologne
CZ République tchèque
SK Slovaquie
HU Hongrie
SL Slovénie
MT Malte
CY Chypre

# 3

# Europe : approche géopolitique

Les concepts de **géographie politique**, **géopolitique**, **géostratégie**, **géoéconomie** sont l'objet de multiples débats entre spécialistes.

Nous nous en tiendrons ici à des considérations de bon sens, hors des discussions d'écoles : la **géopolitique** sera envisagée sous l'angle des relations et rivalités entre États sur des espaces pluriscalaires (allant du régional au mondial), la **géostratégie** comme les moyens (en particulier militaires, mais aussi diplomatiques…) mis en place sinon en œuvre pour réaliser les objectifs géopolitiques et la **géoéconomie**, à partir de sa théorisation par *Edward Luttwak* comme déplacement du critère central de la puissance de la stratégie vers l'économie : « *l'ancienne rivalité entre les États a pris une forme nouvelle…la* « ***géoéconomie*** » *… Quand l'État intervient, lorsqu'il encourage, assiste ou dirige ces activités, ce n'est plus de l'économie* « *pur sucre* », *mais la géoéconomie* » (cit. in M. Foucher, La République européenne, Belin 1998).

L'Europe, par sa **complexité interne** et par ses **relations au monde**, est un champ privilégié d'observation de ces diverses dimensions des relations internationales.

*Chapitre* **7**

# Le puzzle européen

Le **subcontinent européen** se caractérise à l'échelle du monde par la **complexité de sa carte politique**, par les **poids de l'histoire** qui en ont fait un des foyers majeurs à la fois de l'organisation du monde, mais aussi d'affrontements mondialisés au xxe siècle.

Espace densément peuplé, urbanisé, foyer de la Révolution industrielle, l'Europe est engagée depuis un demi siècle dans un **processus** complexe d'**unification**. Si du point de vue **géoéconomique** les avancées sont incontestables, il n'en va pas de même du point de vue strictement **géopolitique**. Les difficultés sont multiples et majeures, le chantier ouvert, mais des **choix** décisifs demeurent **en suspens**.

# 80 La dialectique des limites et de l'identité

## Les nouvelles frontières de l'Union

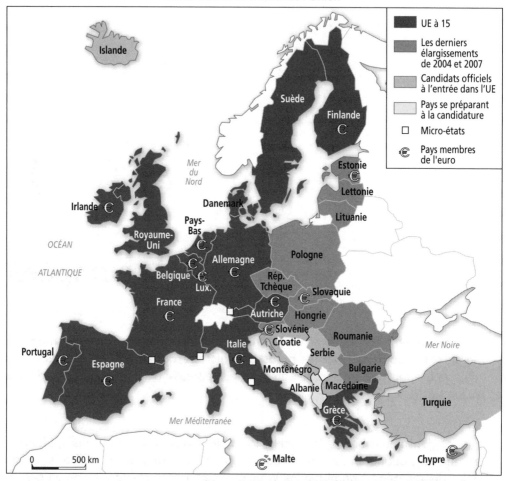

Source : Le Monde, Dossiers & Documents, janvier 2005, actualisé 2012.

*En continuité avec l'Asie, **l'Europe n'a pas de limites géographiques évidentes**. Dès lors, le péri-mètre de sa construction dépend des valeurs dans lesquelles elle se reconnaît, du « grand dessein » vers lequel elle tend : donc de son **identité**. Aujourd'hui, personne ne veut plus d'une simple **Europe-marché** qui serait extensible à l'infini, mais personne ne veut non plus d'une « **Europe-État** » intégrée, forcément restreinte. **Au flou du projet correspond celui du contour.***

## 1 La question des limites de l'Europe

### A. Au nord, à l'ouest et au sud, des limites totalement évidentes ?

Au nord, **la Scandinavie** est indubitablement un sous-ensemble de l'espace européen. Qu'en est-il cependant de l'Islande et du Groenland ? À l'ouest, l'océan Atlantique semble une césure majeure. Cependant, « **l'atlantisme** » est fortement enraciné dans une grande partie de l'opinion européenne qui n'envisage ni politique étrangère, ni défense, ni culture indépendante de celle des États-Unis et n'envisage pas de construction européenne qui ne soit organiquement liée avec ces derniers. « **L'Europe européenne** » est largement un fantasme franco-français.

Même ambiguïté au sud, **la Méditerranée divise-t-elle plus qu'elle n'unit** ? Chypre est intégrée dans l'UE alors que la géographie traditionnelle la plaçait toujours en Asie. Dans les gènes mêmes de l'Europe, **la Méditerranée est un héritage difficile à scinder**, englobant toutes ses rives, qu'il s'agisse des cités grecques, de l'Empire romain, de la chrétienté, de Venise ou de l'Empire ottoman, et tout récemment encore des empires coloniaux.

## B. Des problèmes majeurs à l'est

**La Russie s'est toujours interrogée sur sa double nature, asiatique et européenne. La construction de Saint-Pétersbourg** par les tsars et le statut de capitale qui lui fut conféré constituent une proclamation volontariste d'identité européenne. La fixation de la limite traditionnelle de l'Europe sur **l'Oural** dérive des écrits de géographes russes « instrumentalisés » par Pierre le Grand, qui voulait par là légitimer son rôle en Europe. Ainsi, la Biélorussie et l'Ukraine tout comme la Russie dite « d'Europe » devenaient de « plein droit » européens. D'ailleurs la Russie a joué un rôle important dans le **« concert européen »** du XIXᵉ siècle.

**La question de l'Ukraine** est indissociable de celle de la Russie. Les opinions des deux pays ne se considèrent pas pleinement étrangères, tant les héritages communs sont prégnants et échappent à la seule loi du dominant-dominé. La première forme de construction monarchique régionale, au Moyen Âge, englobait Moscou et Kiev. Aujourd'hui, les 2/3 de la population ukrainienne utilisent la langue russe dans la vie de tous les jours, à l'université et dans les entreprises. Étymologiquement, *oukraïna* signifie « frontière », « terre des confins », à la fois de la Russie et de l'Europe. À côté de l'influence russe, celles de la Lituanie, de l'Autriche ou de la Pologne ont contribué à arrimer l'Ukraine à l'Europe, et **la Pologne est aujourd'hui très active pour favoriser le rapprochement** avec Bruxelles.

## C. Des enjeux cruciaux au Sud-Est.

Si la limite de l'Europe est sur l'Oural, alors le **Caucase** en est une autre frontière, et le **mont Elbrouz (5 642 m)** devient le point culminant du Vieux Continent, déclassant le mont Blanc (4 810 m). Le Caucase est la **« montagne des peuples »** dont les Russes veulent tenir la ligne de crêtes, comme en témoignent les multiples drames de la Tchétchénie à la Géorgie (Ossétie du Sud, Abkhazie). Il est aussi la porte du pétrole d'Asie centrale (oléoduc Tbilissi-Ceyan). Il est pour l'essentiel turcophone, et l'influence de la « Sublime Porte » y est de plus en plus sensible.

L'Europe traditionnelle s'arrête au Bosphore, donc **une infime partie de la Turquie est « européenne », mais c'en est une des parties les plus dynamiques et symboliques (Istanbul)**. Peuplée de 72,7 millions d'habitants et appelée, vu son dynamisme démographique, à **dépasser la population allemande** d'ici le milieu du siècle, c'est aussi **un des plus grands pays musulmans du monde**, traînant derrière lui des reliquats de passé mal assumé (**génocide arménien** du début du XXᵉ siècle). Dès lors, elle inquiète les partisans d'une certaine vision de l'Europe. Mais la Turquie se proclame **laïque**, les femmes y ont voté avant que les Françaises ne disposent de ce droit. Le pays, émergeant de l'Empire ottoman, s'est résolument **tourné vers l'Europe adoptant l'alphabet latin, s'inspirant de ses institutions démocratiques**. Carrefour énergétique en forte croissance, puissance géopolitique incontournable au Proche-Orient, influente jusqu'aux marges de la Chine, garante d'une certaine stabilité, **la Turquie a été membre fondateur du Conseil de l'Europe en 1949**, en même temps que la Grèce.

# ② L'identité de l'Europe

## A. Le « critère de masse »

À l'échelle du monde, l'Europe apparaît comme **un des grands foyers de peuplement** avec des densités de l'ordre de 100 habitants/km² (de 405 habitants/km² aux Pays-Bas à 16 en Finlande).

Loin derrière les concentrations asiatiques, **elle compte près de 732 millions d'habitants** dans ses limites conventionnelles. Le **« critère de masse »** peut aider à définir l'Europe (Jacques Lévy).

## B. La « tour de Babel »

Cette population s'exprime dans **une centaine de langues « originelles »**, majoritairement de la famille des langues indo-européennes. Le rêve des pouvoirs a longtemps été de faire régner une seule langue dans l'État, et il y a **un fort contenu géopolitique dans la question linguistique**, comme les exemples des **querelles linguistiques en Belgique ou en Espagne** le démontrent.

En Europe de l'Est surtout, **les critères ethnique et linguistique se croisent et souvent s'affrontent** aboutissant parfois à une tragédie. **La Pologne** de 1939 comptait trois millions de Juifs, plus encore d'Allemands : les minorités assemblées totalisaient dix millions de personnes, soit un tiers de la population totale. La Shoah extermina les Juifs, les Allemands furent expulsés en 1945 : aujourd'hui, les minorités assemblées ne représentent guère plus d'un million des 38 millions de Polonais. Réalité qu'il faut rapprocher des **« nettoyages ethniques » dans l'ancienne Yougoslavie** des années 1990.

**Des diasporas** transcendent les frontières nationales, souvent victimes de pouvoirs qui se méfient de ce « cosmopolitisme ». **Survivants de l'holocauste**, deux millions de Juifs vivent en Europe. Ils étaient près de dix millions au début des années 1930. En Europe de l'Est, c'est souvent 90 % de leurs effectifs qui furent exterminés. **Les Tziganes** (ou encore « Roms », « gitans », « gens du voyage ») sont nombreux en Europe de l'Est, en Espagne, en France. Au nombre de dix millions, victimes de discriminations, ils s'affirment aujourd'hui (premier congrès politique international à Londres en 1971 et fondation d'une Union romani internationale). En 1981, l'UE reconnaît que **« leur culture et leur langue font partie du patrimoine européen ».**

## C. Existe-t-il une culture européenne ?

**« Toute race et toute terre qui a été successivement romanisée, christianisée et soumise, quant à l'esprit, à la discipline des Grecs, est absolument européenne. »** (Paul Valéry, *Variété*, 1957).

Selon Paul Valéry, l'Europe n'aurait donc aucune réalité géographique ou ethnique. Elle serait purement culturelle, et fondée principalement **sur trois apports antiques** : la philosophie humaniste grecque, le droit individualiste romain, enfin le christianisme qui en fut déjà une synthèse.

**Le Moyen Âge** a été incontestablement un fécond créateur « d'européanité ». Les intellectuels circulaient presque librement entre leurs **universités** (tel l'Anglais **Roger Bacon** au XIIIᵉ siècle entre Oxford et Paris). **Les grandes abbayes (Cluny, Cîteaux)** fédéraient des milliers d'établissements répartis sur le continent, au fonctionnement « intégré ».

**L'Europe gothique, l'art baroque ou classique** (les « copies » du château de Versailles), la Réforme et **les Lumières, la communauté scientifique** du XIXᵉ siècle : les germes culturels de l'Europe d'aujourd'hui sont nombreux et puissants.

# ③ Le débat des « racines chrétiennes de l'Europe »

## A. Une empreinte incontestable

Le christianisme marque incontestablement l'Europe (**ses habitants comme ses paysages**) d'une empreinte profonde et multiséculaire.

Même ceux qui proclament leur athéisme ou leur laïcité ne le font-ils pas par référence au christianisme ? On évoque la **« catholaïcité »** française.

Les **« pères fondateurs »** de l'Europe (Robert Schuman, Konrad Adenauer, Alcide De Gasperi, Paul Henri Spaak) ne provenaient-ils pas de la même **mouvance chrétienne-démocrate** ?

## B. Une empreinte religieuse diverse et conflictuelle

**Mais le christianisme divise autant qu'il unit** (Europe catholique de l'Ouest, du Sud ou de Pologne, Europe protestante du Nord, Europe orthodoxe à l'est…). Des **guerres de Religion** du passé au **Kulturkampf** de l'Allemagne de Bismarck en passant par les **affrontements en Irlande** : les conflits aux racines religieuses ont été souvent parmi les plus longs et les plus sanglants.

Le débat bien entendu n'est pas neutre, et il a été particulièrement vif à l'occasion du projet de « Constitution européenne » au début des années 2000. Hier le « danger communiste », aujourd'hui **la perspective de l'entrée de la Turquie dans l'UE** qui pousse à l'instrumentalisation des « racines chrétiennes de l'Europe ». Parmi les ennemis de l'Europe, à l'extérieur, d'aucuns s'appuient sur ces racines pour toujours fustiger les croisades et les « croisés » d'aujourd'hui, d'autres encore évoquent l'Inquisition et ses bûchers.

## C. Le judaïsme et l'Islam aussi

Si les origines chrétiennes de l'Europe et de certaines des valeurs européennes les plus marquantes sont incontestables, il faut observer que ce ne sont pas les seules racines religieuses du continent. Il y a bien **un apport autonome du judaïsme à la culture européenne**. Une certaine vision de la divinité a favorisé la spéculation intellectuelle. Une **culture yiddish** d'Europe orientale a été une grande victime de la Shoah.

En **Sicile arabo-normande** du XIe au XIIIe siècle, surtout lors des huit siècles de **l'Espagne d'Al-Andalus** (arabo-musulmane, Mudéjar ou Mozarabe), l'islam a laissé une empreinte profonde et féconde, comme en témoigne **Averroès** au XIIe siècle. Et le **« miracle de Cordoue » qui a fait vivre en bonne intelligence juifs, arabes et chrétiens demeure une référence et un espoir.**

## D. Voltaire, Marx, Freud...

Le débat **des racines intellectuelles** de l'Europe ne peut être réduit aux seules origines religieuses : Voltaire et Diderot s'y rattachent par leur critique même, mais aussi s'en arrachent. La pensée libérale d'un Tocqueville, *l'Homo economicus* d'Adam Smith, **le rôle de l'inconscient** selon Freud, le **matérialisme** de Marx sont « a-religieux » dans leurs mécanismes mêmes et sont puissamment fondateurs de la culture européenne.

Le géographe Jacques Lévy dessine **un « gradient d'européanité »** allant du noyau européen (Fernand Braudel parle de la France comme étant issue « du plus vieux bois d'Europe, du cœur de l'arbre ») jusqu'au gradient V des confins (Sibérie, Moyen-Orient, Afrique du Nord) où un degré « d'européanité » reste perceptible.

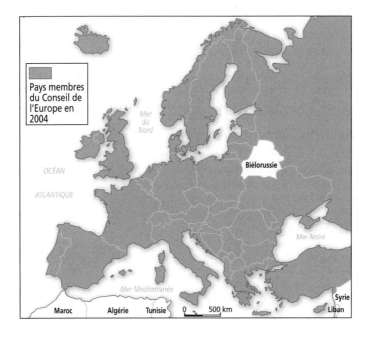

**Le jeu géopolitique européen**

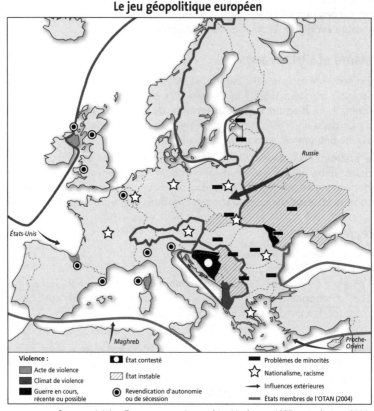

Source : J. Lévy, Europe, une géographie, Hachette, 1997, actualisé en 2008.

*L'Europe compte plus de quarante États et une cinquantaine de nations* ou « d'entités ethnolinguistiques à vocation nationale » *(Michel Foucher). On y dénombre* **26 000 kilomètres de frontières anciennes et 14 000 kilomètres qui s'y sont rajoutés depuis 1989,** *essentiellement en raison des changements de statut de tracés antérieurs. Les frontières sont de la responsabilité des États, comme ligne de délimitation et de contrôle, comme ouverture et dépassement vers l'extérieur, les deux fonctions étant intimement liées.* **L'Europe est avant tout le produit des États qui la composent.**

# ❶ « L'Europe comme juxtaposition d'États nationaux »

## A. Un modèle de balkanisation étatique

L'Europe, dans ses limites conventionnelles, correspond à 3,3 % de la superficie des continents, à 11 % de la population mondiale mais presque **à 25 % des États du monde.**

Russie « d'Europe » mise à part, **le plus grand pays européen du point de vue de la superficie est la France avec 551 000 km².** Elle est suivie par l'Espagne avec 505 000 km². Certes sans commune mesure avec les États continents, ils font presque figure de géants à l'échelle européenne.

**Allemagne (356 000 km²),** Finlande (337 000 km²), Pologne (323 000 km²), Italie (301 000 km²), Royaume-Uni (244 000 km²) relèvent d'une catégorie intermédiaire.

**La plupart des autres pays ont des superficies inférieures à 150 000 km²** (Grèce : 132 000 km²) et même à 100 000 km² (Portugal, Autriche), voire à 55 000 km² (Estonie, Lituanie, Lettonie, Danemark, Pays-Bas, Suisse…).

L'Europe comporte même des **micro-États** comme le Liechtenstein (160 km²), San Marino (61 km²), le Vatican (0,439 km²), ainsi que des entités semi-autonomes (Monaco, Andorre…).

## B. Le berceau de l'État-nation

**L'Europe est le berceau des États-nations**: certains d'entre eux ont une origine médiévale. Les modalités d'édification des États ont été elles aussi multiples. Jacques Lévy mentionne deux types de situation: soit l'État a fabriqué une nation (**type Vaterland**: France), soit il est né du regroupement de sous-ensembles (**type Heimat**: Allemagne). La France est indéniablement un des plus anciens « objets étatiques » au monde, et là, c'est bien l'État qui a accouché de la nation, le cas le plus fréquent étant l'inverse.

Le modèle de Jacques Lévy souligne la présence de **« zones de broyage »** entre États. Ces zones ont été à maintes reprises dans l'histoire européenne prétexte ou cause de guerres, avec des dimensions variables: régionale pour l'Alsace et la Lorraine, nationale pour la Pologne.

En même temps, l'Europe est « le plus neuf des continents »: **près de la moitié du kilométrage des frontières date d'après 1945**.

La remise en cause, bien sûr, n'est pas seulement une question de linéaire frontalier: les logiques historiques de la construction étatique en Europe sont également discutées. **L'éclatement de trois structures fédérales** (Yougoslavie, Tchécoslovaquie, Union soviétique), **la disparition de l'Allemagne de l'Est, la naissance du Kosovo** ont remis en cause les résultats issus de la Seconde Guerre mondiale, mais aussi le traité de Versailles, voire même des constructions multiséculaires. Certes, **la logique wilsonienne du droit des peuples à disposer d'eux-mêmes** y trouve son compte, mais avec comme inconvénient une **balkanisation** accrue du continent. La construction européenne est un processus de **fractionnement/recomposition**.

## C. La crise de l'État européen

L'État européen subit comme tous les autres **la pression liée à la mondialisation**: jadis **bouclier contre les agressions extérieures**, il ouvre les frontières et réalise le libre-échange. **Trop petit ou trop lointain**, il n'est pas à la bonne dimension des problèmes qui se posent.

En Europe, **le primat du droit européen, les contraintes des politiques communes, les disciplines budgétaires et monétaires** le privent en outre d'une partie de ses marges de manœuvre, mais la dimension communautaire lui donne aussi **un peu de prise sur les affaires mondiales**. Cependant, les États de l'est et de l'ouest de l'Europe ne « vivent pas tout à fait à la même heure ».

**À l'est, d'autres causes affaiblissent l'État.** De fraîche émergence, aux frontières souvent héritées d'un passé sourdement contesté, sa légitimité reste fragile. Les élites au pouvoir ont parfois été compromises dans le régime communiste. De lourds secrets sont encore enfermés dans des « boîtes de Pandore » dont on entrouvre précautionneusement le couvercle (ainsi des archives de la police politique, la STASI, dans l'ex-RDA). La fréquence des divisions ethnolinguistiques ou religieuses multiplie les micronationalismes qui minent l'autorité. La culture démocratique est parfois mal assimilée.

# ② La frontière en Europe: les réalités géopolitiques

## A. Le « besoin de frontière »

« Les frontières sont du temps inscrit dans l'espace; elles restent des buttes-témoins du passé ou des fronts vifs, selon les conjonctures locales, toujours des lieux de mémoire et parfois de ressentiment » (Michel Foucher).

**La frontière conserve de sa pertinence.** Elle définit une zone de compétences et de droits, une législation. Elle est le lieu du contrôle, elle délimite une fonction fiscale. Pour toutes ces raisons, **les États se « territorialisent »**.

## B. Le paradoxe de la frontière européenne

La fonction douanière a changé de sens. Si les frontières intérieures de l'Europe deviennent plus poreuses, **les frontières extérieures se renforcent**. Le **Système d'information Schengen (SIS)**, restructuré depuis 2006 (SIS II), organise la coopération policière européenne.

**Le « groupe de Trevi »** était une structure intergouvernementale, réunissant des responsables de la justice et de la police au sein de l'Europe des 12. Créé en 1976, secret jusqu'en 1989, son existence a été plus ou moins officialisée au traité de Maastricht, avant d'être remplacé par Europol, plus transparent.

2005 voit la création d'**une agence européenne, FRONTEX**, basée à Varsovie, et dont le but est de favoriser la gestion des frontières extérieures de l'Union. L'organisation de patrouilles communes, la formation des personnels, la coordination de l'action, en particulier dans les « reconduites à la frontière », sont ses missions de base.

# 82 L'Europe et la nation

## 1 La nation européenne, une définition variable aux enjeux multiples

### A. Un concept dual, une dimension affective

La nation induit **l'appartenance à une communauté**. Les marchands du Moyen Âge se répartissaient en « nations ». Si des origines médiévales sont perceptibles, la nation dans son acception moderne est **le fruit de l'affirmation des peuples au début du XIXᵉ siècle**. Fernand Braudel pensait même qu'elle était **fille du chemin de fer**. Le capitalisme, qui avait besoin de marchés intérieurs unifiés, a sans doute été un cadre favorable à l'épanouissement de la nation tout comme **la démocratie** fondée sur l'autodétermination des peuples.

Le concept de nation est au moins double. L'origine ethnique commune et l'unité linguistique et/ou religieuse ne peuvent caractériser que de petits groupes. Cette forme d'**identitarisme** peut être désignée comme **l'infranationalisme**, appelé encore **protonationalisme**. L'enracinement dans un territoire est si prégnant qu'on parle parfois de « chtonisme ».

Les grandes nations sont par nature diverses : les unités linguistiques, religieuses, ethniques y sont largement mythiques. Ces nations sont **des « objets » construits** qui relèvent du contrat. Ernest Renan les caractérise par « une volonté commune dans le présent, avoir fait de grandes choses ensemble, vouloir en faire encore ». C'est **« le plébiscite permanent »**. La **révolution française** a largement été à l'origine de cette vision de la nation, allant à l'encontre d'une vision germanique fondée sur le sang et la terre.

Mais ce serait une erreur aussi de limiter la nation à la dimension du contrat social comme tendrait à l'affirmer le philosophe allemand **Jürgen Habermas**. Jean-Louis Bourlanges, ancien député européen, distingue entre les **« cités chaudes »** que sont les nations et les « cités froides »… comme l'UE. La nation est personnifiée, elle relève aussi de l'affectif, parfois du pathos.

### B. Le poison du nationalisme européen

L'Europe du XIXᵉ et d'une bonne partie du XXᵉ siècle a été celle des nationalismes concurrents avec une **forte dimension belliciste**. Bismarck a voulu forger la nation allemande « par le fer et par le sang », option qu'a également professée Mussolini pour l'Italie.

La dimension **« ethniciste »** et **raciste** est sans doute ce que le nationalisme a pu produire de pire en Europe. Elle a engendré les tragédies absolues et le germe demeure actif.

**L'instrumentalisation du sentiment national au profit du colonialisme, de la dictature** ou tout simplement comme **dérivatif aux difficultés intérieures** a été monnaie courante dans l'histoire européenne. N'a-t-on pas voulu aussi « cacher la classe dans la nation » ? (Stéphane Kott, Sandrine Michonneau). C'est-à-dire s'appuyer sur la solidarité nationale pour occulter les disparités sociales ?

### C. La dimension incontournable de la nation dans l'Europe d'aujourd'hui

Débarrassée de ses oripeaux contestables, on peut considérer **la nation (mais non le nationalisme) comme un « bien public commun », cadre de la démocratie et assiette de la solidarité**. L'État providence, les systèmes sociaux tout comme le suffrage universel n'ont guère d'autre base que nationale. Les systèmes alternatifs ne mutualisent pour l'instant que les profits, les nations assument la solidarité. Les taux de participation aux élections nationales par rapport aux scrutins régionaux ou européens dans toute l'Europe sont tout aussi éloquents à cet égard.

L'Europe fédérale, dont plus grand monde ne veut, et celle des régions qui suscite tant de méfiance laissent en s'estompant plus d'espace à la formule imaginée par le général de Gaulle, celle de **« l'Europe des nations »**.

# ② Résurgence des protonationalismes et crise de l'État-nation en Europe

## A. En Europe occidentale

La **Belgique**, au cœur historique et géographique de l'Europe, se déchire entre **Flamands néerlandophones et Wallons francophones**, avec Bruxelles au milieu. Toute unité semble de plus en plus factice et parfois la survie même du pays semble en jeu.

**En Italie du Nord, la « Ligue lombarde »**, frôlant parfois le cinquième des voix lors des scrutins électoraux, réfute la solidarité avec le Sud, considéré comme tiers-mondiste, et proclame la nature « centre européenne » de la « Padanie »

**En Espagne, les différents nationalismes se donnent la main**, malgré les fortes autonomies déjà obtenues du pouvoir central. Par **la déclaration de Barcelone de 1998**, l'idée même de fédération assortie d'autonomies régionales est contestée par les nations basque, catalane, galicienne, qui demandent **la « libre adhésion »** à l'Europe, c'est-à-dire la quasi-éradication de l'étage espagnol.

Le Royaume-Uni a été fragilisé par la question nationale : le conflit de l'**Irlande du Nord** a fait plus de 3 000 morts dans le dernier quart du XX^e siècle, et en Écosse, le processus d'indépendance s'est enclenché en 2011. Des mouvements moins radicaux ou porteurs de conflits moins graves affectent de nombreux pays (en France par exemple à propos de la Corse ou de la Bretagne).

## B. En Europe centrale et orientale

L'implosion des grands empires (allemand, ottoman, austro-hongrois, russe) a laissé la place à des **mosaïques nationales**. Chaque communauté craint par-dessus tout d'être minoritaire dans un plus vaste ensemble et préfère un « petit chez soi » **au risque de la balkanisation**.

### La répartition « nationale » et ethnique en Roumanie au recensement de 2002

| Origine ethnique | Langue maternelle | Groupe linguistique | Population | En % |
|---|---|---|---|---|
| Roumains | roumain | langue romane | 19 741 356 | 91 |
| Hongrois | hongrois | langue ouralienne | 1 447 544 | 6,7 |
| Tsiganes | tsigane (romani) | langue indo-iranienne | 241 617 | 1,1 |
| Ukrainiens | ukrainien | langue slave | 57 593 | 0,3 |
| Allemands | allemand | langue germanique | 45 129 | 0,2 |
| Russes lipovènes | russe | langue slave | 29 890 | 0,1 |
| Turcs | turc | langue altaïque (turcique) | 26 714 | 0,1 |
| Tatars | tatar | langue altaïque (turcique) | 21 482 | 0,1 |
| Serbes | serbe | langue slave | 20 377 | 0,1 |
| Slovaques | slovaque | langue slave | 16 108 | 0 |
| Bulgares | bulgare | langue slave | 6 747 | 0 |
| Croates | croate | langue slave | 6 355 | 0 |
| Grecs | grec | langue grecque | 4 146 | 0 |
| Tchèques | tchèque | langue slave | 3 339 | 0 |
| Polonais | polonais | langue slave | 2 755 | 0 |
| Italiens | italien | langue romane | 2 563 | 0 |
| Chinois | mandarin | langue sino-tibétaine | 2 300 | 0 |
| Juifs | roumain | langue romane | 1 100 | 0 |

Le nationalisme (« **stade ultime du communisme** » selon Edgar Morin) a été exacerbé encore par les échecs des régimes socialistes qui pourtant l'ont nié. **La fédération tchécoslovaque,** issue de la Première Guerre mondiale, a éclaté en 1993. Nombreux sont les troubles dans **les pays baltes où les minorités russophones** (frôlant parfois la majorité) restent « branchées » sur Moscou et rejettent le mot tabou de « visa » pour leurs déplacements. Les **Tziganes** et les minorités résiduelles allemandes presque partout, les Magyars (Hongrois) de Roumanie, les turcophones de Bulgarie, les russophones des pays baltes sont au centre des tensions.

**L'exemple des « Turcs de Bulgarie »** est emblématique. Constituant 10 % de la population bulgare, leur origine même fait débat : surtout descendants de colons turcs ayant suivi la conquête ottomane, disent les uns, descendants de Bulgares islamisés après cette même victoire, disent les autres. Après l'indépendance de la Bulgarie en 1878, et jusqu'au début des années 1920, la tolérance est de mise et les communautés vivent en bonne intelligence. La défaite bulgare dans la Première Guerre mondiale, les contrecoups de la révolution kémaliste exacerbent en revanche les tensions et le régime communiste de Jivkov va plus loin encore. Le « processus de renaissance » impose la « bulgarisation » des patronymes, y compris ceux qui sont gravés sur les tombes, tout comme les toponymes. Face aux résistances rencontrées, le pouvoir, peu avant sa chute, organise « la grande excursion », l'émigration massive de 350 000 turcophones vers la Turquie (près de la moitié reviendra), ce qui a constitué l'un des exodes européens les plus massifs depuis la Seconde Guerre mondiale. Par la suite, la minorité turque, protégée par la signature de la convention-cadre de 1998 sur le respect des minorités, a joué un rôle dans le processus de démocratisation.

### Les textes concernant la protection des minorités

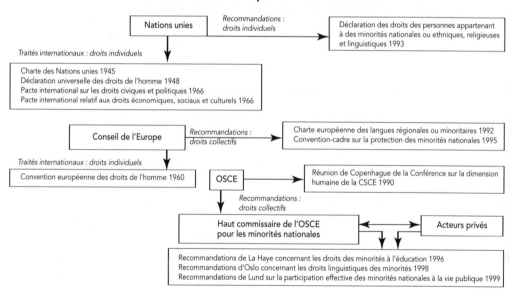

Source : S. Riedel, Politique étrangère.

## C. Une interprétation de la crise nationale

Face à **la mondialisation** et à ses risques d'acculturation, la tentation de **l'affirmation identitaire** est grande. **La construction européenne,** offrant la taille critique pour exister sur le plan national, ne permet-elle pas de **faire l'économie de l'État central honni ?** Les revendications viennent parfois des régions les plus riches (Lombardie, Catalogne) qui **réfutent la solidarité avec les plus démunis** dans le cadre de l'État national. Ainsi, les grands États nationaux sont-ils fragilisés d'autant que **certains volets du contrat social qui les fonde sont pris en charge par la politique européenne,** qui s'appuie sur l'échelon régional.

Ce sont les **protonationalismes qui progressent** : les uns sont dits **« prénationaux »** (régions ayant toujours mal accepté leur intégration dans des nations incomplètement cristallisées, comme la Catalogne) ; d'autres seraient **« postnationaux »**, car dérivant d'un éclatement des solidarités au sein d'États nations cohérents (Lombardie).

# 3 L'Europe face à la question nationale

## A. La signification de l'échec yougoslave

L'Europe joue-t-elle avec le feu quant à la question nationale ? En tout cas, **son échec a été patent dans le drame yougoslave**. Il lui aurait fallu exiger des garanties avant toute reconnaissance des **proclamations d'indépendance en 1991** (Croatie, Slovénie). L'incendie allumé, elle n'a pas su l'éteindre, et l'impuissance a aggravé l'erreur. Il a fallu l'intervention de l'OTAN, pour que la paix soit rétablie en Bosnie grâce à des accords signés en 1995 sur une base américaine, à Dayton. L'échec yougoslave est d'autant plus grave que la raison d'être même de l'Europe était d'éviter ces dérives : peut-être était-ce là justement le domaine où elle n'avait pas le droit à l'erreur ?

## B. Une politique européenne exigeante

Le Conseil de l'Europe a posé les bases morales et juridiques par **la Convention européenne des droits de l'homme dès 1950**. Il restait à les mettre en œuvre.

L'Europe s'efforce de tirer les leçons de l'échec yougoslave : **en 2002, le Conseil européen de Copenhague** pose des conditions strictes à toute nouvelle candidature, dont le respect et la protection des minorités. Depuis cette date, **la Commission durcit sa politique en haussant sans cesse le niveau de ses exigences**, en particulier en matière de **politique scolaire et universitaire** à destination des minorités nationales.

**La charte européenne des langues régionales et minoritaires de 1992** a soulevé des débats passionnés et la France dont la Constitution proclame que « la langue de la République est le français » s'est sentie menacée. Elle ne reconnaît que des droits individuels et réfute le « communautarisme ».

## C. Une nation européenne

Peut-on espérer l'éclosion d'un sentiment « national » européen ? L'adoption de **symboles forts comme la citoyenneté, l'hymne, le drapeau, le passeport** vont dans ce sens, mais ils sont justement revus à la baisse dans les derniers développements institutionnels sous le coup des échecs des référendums.

En revanche, **la crise financière de 2008-2009** a redonné du souffle aux grands États-nations : eux ont sauvé les banques, garanti les dépôts, nationalisé les établissements en quasi-faillite (en Écosse justement).

# 83 Europe : des lectures multiples

*L'Europe ne peut se représenter par une seule carte, une seule lecture.* **Pavage des États, maillage des réseaux, treillage des cités** *s'articulent sur cet espace qui n'est pas un territoire au sens strict.* **Approches géoéconomique et géopolitique se recoupent sans se superposer** *et surtout se confondre. Europe : espace ouvert ? Espace fermé ? Et, en fin de compte, quelle Europe ?*

## 1 La lecture géoéconomique

Du point de vue géoéconomique, l'espace européen se lit de façon relativement cohérente et simple par le biais du **modèle centre/périphérie**, du moins en première lecture. Mais cette approche trouve ses limites dès que l'on change d'échelle.

### A. Une organisation en centre/périphérie

À partir des travaux de Roger Brunet mettant en lumière l'existence de ce qu'il a nommé la « **dorsale européenne** » et en utilisant le modèle d'organisation de l'espace en centre/périphérie d'A. Reynaud fondé sur des critères multiples (population, activité économique…), il est possible de réaliser des cartographies de l'espace européen qui peuvent dans le détail différer selon les auteurs, mais qui toutes débouchent sur une apparente cohérence de cet espace.

Cette « invention » de l'espace européen présente, outre son apparente cohérence, un double intérêt : elle montre **le poids de l'histoire longue, les permanences par la localisation du « cœur » et plus largement du « centre » dans un espace qui, de Milan à Londres, est celui de l'Europe des marchands de l'époque médiévale.**

Enfin, se jouant des frontières et des limites, elle prend bien en compte, dans un cadre économique caractérisé par le libre-échange et le néolibéralisme, l'extension des flux de capitaux, de services, de marchandises et d'hommes en fonction des seuls critères d'opportunité économique. **En une décennie, les anciennes marches de l'empire soviétique ont été intégrées dans cet espace** : le fait est très avancé pour les États baltes, en cours pour la Roumanie et la Bulgarie.

### B. Un espace ouvert sur le monde

Ces phénomènes ne se manifestent pas seulement dans le cadre de l'Union européenne, ils la débordent largement, en particulier sur toute la périphérie de l'Union : à l'est, **Biélorussie, Ukraine, Russie, mais aussi Géorgie participent déjà à ce système généralisé d'échange**. Il en va de même de la rive sud de la Méditerranée, du Maghreb au Machrek et, **aux confins de l'est et du sud d'Israël et de la Turquie**. Il s'agit du point de vue géoéconomique de marges et de marches de l'espace central.

Ces marges permettent de **faire jouer à plein les variables socio-économiques** (législations, fiscalité, salaires et droit du travail…). Les zones frontalières, de contact, connaissent ainsi une prospérité inespérée. Mais elles posent aussi problème par les tensions que cette expansion peut générer et les dépendances qui peuvent en découler (exemple de la dépendance de l'UE vis-à-vis de l'exportation du gaz naturel russe).

Passant à **l'échelle du monde**, cette lecture fait apparaître le poids des liens avec les autres « centres » de la mondialisation. Dès lors, **l'Europe se trouve intégrée dans une lecture multipolaire du monde** avec un centre triple, ce que l'on a appelé « **Triade** » (aujourd'hui recomposée dans sa dimension asiatique, voire même remise en cause au profit d'une structure multipolaire).

# ② La lecture géopolitique

## A. Les tensions internes

L'Europe est toujours constituée d'une **mosaïque d'États** dont les intérêts divergent et qui ont entre eux des contentieux parfois vifs, surtout dans l'Europe médiane et balkanique où ils ont pu déboucher sur des crises ouvertes et sanglantes (ex-Yougoslavie).

Les tensions ne sont pas seulement internationales, la contestation des États par le haut et par le bas génère aussi des tensions qui parfois se conjuguent avec les problèmes de minorités et d'autonomismes. **L'Europe a toujours un rapport complexe à la nation.** Le système des relations européennes n'est ni simple, ni totalement pacifié.

## B. Les forces centrifuges

L'Europe est un ensemble ouvert : **à l'ouest, le Royaume-Uni n'a jamais tranché entre le continent et le grand large.** Et depuis le retour de la Mitteleuropa, ces pays, soucieux de se protéger d'un éventuel retour en force de la Russie, recherchent l'abri américain tout en intégrant l'Europe.

Par ce biais, on se heurte à un nouveau problème, celui des **marges et des limites de l'Europe** : quelles relations avec la Russie ? Avec l'Ukraine, la Géorgie et plus encore la Turquie ?

# ③ Quelle Europe ?

## A. Une zone de libre-échange ?

C'est de manière plus ou moins avouée **l'option britannique** et sans doute celle de plusieurs autres pays, anciens et surtout nouveaux membres de l'UE. Ceux-ci combinent des réticences économiques et géopolitiques, ces dernières étant primordiales pour les anciennes marches occidentales de l'empire soviétique : la Pologne, les États baltes veulent demeurer sous la protection des États-Unis.

Il est évident que **cette option minimaliste est celle qui pose le moins de problèmes, mais elle est très éloignée du projet européen** tel qu'il a été conçu et développé vaille que vaille. Elle enlève tout véritable poids géopolitique à l'Europe, ce qui lui vaut le soutien de certains aux États-Unis.

## B. Une construction politique ?

C'est de loin l'option la plus difficile. Ce fut l'espérance des **« pères fondateurs »** qui acceptèrent par pragmatisme d'en passer par l'économique, mais **dont l'ambition était bien politique.** Mais un tel projet se heurte toujours à des obstacles internes et externes à l'Europe.

**Obstacles externes** : la réticence des autres puissances, États-Unis et à terme Russie, de voir émerger une entité politique de première grandeur sur la scène géopolitique mondiale est inévitable. Et pourtant, un **« besoin d'Europe »** est tout aussi manifeste dans le monde.

**Obstacles internes** donc, mais renforcés par des questions récurrentes : quelle Europe construire ? **Fédération, confédération, Europe des États, Europe des régions ? Et dans quelles limites géographiques ?** L'Europe politique demeure un chantier ouvert sans véritable plan d'ensemble. **Les échecs des référendums sur le projet de Constitution européenne** en France et aux Pays-Bas en 2005 ont encore accru la confusion. Mais la crise de 2008 relance le projet politique comme un moyen de reprise en main du volet économique.

*Il convient cependant **d'éviter la caricature** : les Britanniques ont une approche certes pragmatique mais ne se limitant plus à la vision d'une simple zone de libre-échange. Par ailleurs, en Allemagne même, l'option « fusionnelle » et quasi fédérale s'estompe de plus en plus, au moment où certaines déceptions causées par les États-Unis rapprochent l'Europe de l'Est de Bruxelles. **Une certaine convergence semble désormais cheminer en Europe sur un niveau d'ambition médiocre.***

# Conclusion

**Complexité spatiale**, complexité **temporelle** : l'Europe est bien une **mosaïque** diffi cile à déchiffrer. L'**unité géopolitique** d'une telle complexité relève de la **gageure** ou du **miracle**. Elle ne peut être simple, elle relève, ainsi que le souligne Michel Foucher d'un **processus** qui débouche nécessairement sur une « **unitas multiplex** », « nouvelle identité pluraliste, autocritique, consciente des ambivalences et ouverte sur la pluralité du monde ».

# Chapitre 8

# Une « union » européenne ?

Du point de vue **géopolitique**, l'Union européenne **existe-t-elle** ?

La réponse à cette question n'est **pas simple** : des avancées évidentes quoique incertaines existent au **plan géoéconomique**, mais aussi au **plan institutionnel**. Cependant, considérée sous cet angle, l'Union européenne apparaît encore comme un « **objet juridique non identifiable** » que le **projet de traité constitutionnel** avait pour but de **formaliser**.

Reste que, du point de vue **géopolitique et géostratégique,** l'Europe demeure plus une **collection d'États** s'efforçant de parler d'une seule voix tout en préservant leurs intérêts nationaux que comme un tout sur la scène mondiale.

# 84 Une union économique ?

## Structures et dynamiques de l'espace européen

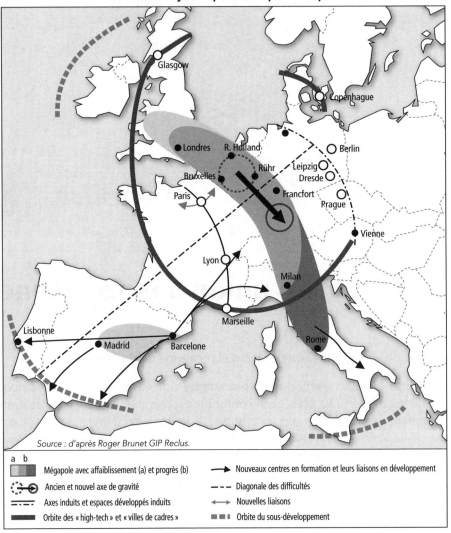

Source : d'après Roger Brunet GIP Reclus.

**Légende :**

|  |  |
|---|---|
| a b (Mégapole) | Mégapole avec affaiblissement (a) et progrès (b) |
| →■→ | Ancien et nouvel axe de gravité |
| =·=·= | Axes induits et espaces développés induits |
| ▬▬▬ | Orbite des « high-tech » et « villes de cadres » |
| → | Nouveaux centres en formation et leurs liaisons en développement |
| - - - | Diagonale des difficultés |
| ←→ | Nouvelles liaisons |
| ▰▰▰ | Orbite du sous-développement |

*Poser la question de l'existence d'une union économique paraît relever du paradoxe : si l'Union européenne a une quelconque existence, c'est bien sur le terrain économique qu'elle se manifeste. L'ampleur des flux entrecroisés le montre à l'évidence. Il est même devenu classique de représenter l'espace européen et ses sous-ensembles en négligeant les États et leurs frontières. Mais n'est-ce pas un biais cartographique ?*

## ① Des échanges anciens

### A. De l'Europe médiévale à l'Europe des marchands

On tend à oublier **le paradoxe médiéval** d'un espace cloisonné entre de multiples territoires politiques et parcouru par des flux d'échanges à longue distance d'hommes, de marchandises et de capitaux, générant des **organisations réticulaires de l'espace** telles que celle de **la Hanse**.

De là est issu ce que l'on a appelé l'« **Europe des marchands** ». Celle-ci a été largement porteuse de l'Europe des cathédrales, de l'imprimerie, de la Banque. Une certaine Europe est née là, et celle d'aujourd'hui en laisse transparaître les structures originelles, par exemple, son axe majeur de Londres à Gênes en passant par Amsterdam et le Rhin. Autrement dit, ce qui aujourd'hui encore constitue la **« dorsale européenne »** de Roger Brunet.

## B. Entre libre-échange et protectionnisme

L'émergence d'États structurés s'est accompagnée de la mise en œuvre de contrôles douaniers, de taxes et plus généralement de mesures protectionnistes : **le colbertisme** en France en est une expression, mais aussi **les idées de List en Allemagne**.

Cependant, ces politiques n'ont jamais interrompu les échanges intra-européens et ont été battues en brèche par des politiques libre-échangistes dont le Royaume-Uni a été le champion le plus conséquent au XIXᵉ siècle.

# ② Du Marché commun au Marché unique

## A. Un volontarisme inspiré par la « matrice du *Zollverein* »

Pour les « pères fondateurs », le redressement de l'Europe ruinée par deux guerres mondiales passait par l'unité de ce qui demeurait à l'ouest du rideau de fer. **Le grand projet était l'unité politique**, mais face aux réticences, **l'union économique a été le biais utilisé**. Ce biais a cependant toujours inclus des éléments politiques, à la différence de l'AELE, impulsée par le Royaume-Uni. En fin de compte, la CEE l'a emporté et le Royaume-Uni a dû s'y rallier.

La méthode n'avait-elle pas déjà été testée avec succès ? **L'union douanière allemande, ou *Zollverein*, a été instituée en 1834** sur un plan économique et monétaire, mais avec l'objectif clairement conscient pour une partie de l'élite de la fondation des bases de l'unité allemande autour de la Prusse. Tous les ingrédients étaient déjà présents : la libre circulation des marchandises à l'intérieur de la Confédération germanique, un protectionnisme modulé vis-à-vis des concurrents extérieurs, c'est dans cette perspective que l'économiste allemand Friedrich List (1789-1846), au service de la Prusse, a élaboré le concept de « protectionnisme éducateur ». Là aussi, on en est venu au **principe de la monnaie commune (c'est le Thaler prussien** qui a été adopté à cet effet). L'unité du marché a produit plus de croissance et de prospérité. En 1830, l'Allemagne, dans les limites de ce qui allait devenir l'Empire de Guillaume II, « pesait » 3,5 % de la production industrielle mondiale, trois fois moins que la Grande-Bretagne. En 1860, bien avant l'unité politique, mais après un quart de siècle de « marché commun », la production industrielle française, elle-même pourtant en forte croissance, était dépassée.

## B. Une dynamique forte

Malgré les divergences entre tenants d'une construction européenne et tenants d'une simple zone de libre-échange, le processus s'est poursuivi, marqué par **une intensification des échanges de tous ordres**. En 2011, l'UE « pèse » encore 17,1 % des importations et 17,6 % des exportations mondiales (en excluant l'intracommunautaire). Sa première façade maritime, le *Northern range*, du Havre à Hambourg sur 600 kilomètres, traite près de 900 millions de tonnes de marchandises par an. L'Europe demeure **un modèle « hypercommerçant » au service d'une volonté politique**.

Au-delà même de ce développement des échanges, ce sont des liens structurels qui se sont noués dans tous les domaines, de l'agriculture, de l'industrie et des services. Les capitaux privés ont même souvent anticipé les avancées institutionnelles.

## C. Des limites

Sur ces bases, il est tentant d'opérer une lecture univoque de l'espace européen. La mise en place du Marché unique et la **défonctionnalisation des frontières** vont dans ce sens, de même que **le primat du libéralisme** aux dépens du keynésianisme et du rôle des États, même si **la crise récente amène à « revisiter » le paradigme**.

La réalité est cependant plus complexe, l'unification des fiscalités, l'unité monétaire complète, l'alignement des politiques sociales sont loin d'être réalisés et sont même des facteurs importants de blocage de la construction européenne. La marqueterie des États continue d'exister. L'Europe a, en partie au moins, une monnaie commune, mais le budget commun est trop peu élevé, ce qui est une faiblesse organique sur le long terme. Son marché est ouvert, mais la fiscalité et les systèmes sociaux sont disparates. Le **« *dumping* monétaire »** d'hier est bien souvent remplacé aujourd'hui par le ***dumping* social et fiscal**. Ce qui est viable par « petit temps » devient difficile à maintenir dans la tempête de la crise. **L'Europe est au milieu du gué**.

# 85 Les échanges commerciaux intracommunautaires

**Part des échanges intracommunautaires dans les échanges totaux de l'UE-27**

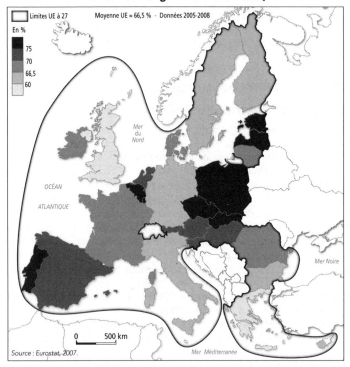

Limites UE à 27   Moyenne UE = 66,5 % - Données 2005-2008

En %
- 75
- 70
- 66,5
- 60

Mer du Nord

OCÉAN ATLANTIQUE

Mer Noire

0   500 km

Source : Eurostat, 2007.   Mer Méditerranée

*Ceux-ci occupent **une place prépondérante pour les pays membres**, en nette croissance depuis 1958 et ce jusqu'à des dates récentes et révélatrices du **degré d'intégration** de l'espace communautaire. L'existence du Marché unique et **la disparition de l'enregistrement douanier sur les frontières intérieures** de l'Union rendent un peu aléatoire la saisie précise des flux.*

## 1 Une place prépondérante, un recul récent

### A. Un double constat d'évidence

Le premier constat, c'est **l'importance intrinsèque des échanges intracommunautaires**. En 2008, ils représentent plus de **65 % des échanges totaux de l'UE-27**. Ce qui traduit le succès de la construction historique d'un Marché commun malgré le maintien d'obstacles non tarifaires. **L'ouverture du Marché unique à partir de 1993**, en commençant à démanteler ces derniers, a accéléré ce processus. Or, le second constat est **la longue progression de cette intégration** : ces échanges représentaient moins de 40 % du commerce extérieur des membres en 1958 et en moyenne 62,3 % de leurs exportations et 58,8 % de leurs importations en 2000.

### B. Une croissance remarquable

Elle l'est en soi : **les échanges ont été multipliés par huit en termes réels de 1958 à 1987**. Il y a eu certes des **fluctuations conjoncturelles** : après une phase de forte croissance de 1958 à 1973, **les chocs pétroliers** et les difficultés économiques se sont traduits par un ralentissement. Mais **depuis 1985, la reprise est nette**. Cependant **la crise entamée en 2009 en Europe est une nouvelle phase de repli commercial** dont il est difficile de prédire la sortie.

### C. La surprise du recul du taux d'intégration commerciale

Ramené à la base de l'UE-27, **le taux d'intégration commerciale en termes d'importations** a atteint **66 % en 2003**. Il est tombé à **62,6 % en 2008**. Le facteur monétaire a pu jouer : **la force de l'euro a permis de s'approvisionner moins cher hors de l'UE**. Cependant, **pour les exportations aussi le taux d'intégration a reculé** : 69 % en 2003 contre **67,4 % en 2008**, alors qu'ici le facteur monétaire aurait dû pousser en sens inverse.

L'interprétation de ce recul n'est pas forcément négative : le caractère très concurrentiel du Marché unique européen prépare les entreprises à affronter les marchés extérieurs. **Le cas de**

**l'Italie**, pays dont le taux d'intégration a nettement reculé, mais aussi dont l'industrie est très réactive, est à cet égard caractéristique.

## 2 Une double dynamique

### A. Un effet mécanique

D'un point de vue absolu, **la croissance des échanges intracommunautaires résulte de l'extension de la Communauté**: le Royaume-Uni a multiplié par huit ses échanges avec la CE de 1973 à 1990, l'Espagne a vu ses échanges s'accroître de 70 % de 1986 à 1990.

Avec le passage à quinze, les échanges ont avoisiné les 1 200 milliards d'écus en 1997. **Dans l'UE-27, les échanges commerciaux ont dépassé 2 600 milliards d'euros en 2008.**

### B. Des explications structurelles

À l'échelle communautaire, les progrès accomplis en matière d'intégration avec **la PAC**, l'élimination des **droits internes** en 1968 et enfin **l'instauration du Marché unique** ont été de puissants facteurs d'incitation. Les firmes ont pris en compte la dimension européenne en multipliant **fusions et acquisitions dans l'espace communautaire**, en particulier depuis 1985 : l'Europe est devenue leur premier champ d'investissement, devant les États-Unis.

Les flux intracommunautaires d'investissements directs (IDE) ont décuplé en cinq ans. Cependant, **en 2006, les IDE intracommunautaires ont baissé de 8 % par rapport à l'année précédente.** Les dernières années sont difficiles à interpréter en raison du fléchissement mondial de l'IDE dans **la crise financière depuis 2008 : à cette date, les flux d'IDE mondiaux ont chuté de 15 % par rapport à l'année précédente, mais les flux entrants dans l'UE-27 ont eux fléchi de 40 %, les flux sortants de 30 %.** Dans le même temps, les flux entrants ont continué à progresser de manière absolue en Asie.

## 3 Un ensemble intégré

### A. L'UE, un authentique ensemble

Les économies, comme les firmes, fonctionnent essentiellement **en réseaux**. En matière industrielle, mais aussi pour la grande distribution, **les techniques du « juste à temps » et du « zéro stock »** font que les échanges croisés se sont développés, saturant les systèmes de transport. L'émulation intérieure est améliorée, mais l'impact dépasse la simple « concurrence équitable ». Les grandes centrales de distribution ont créé des plates-formes d'approvisionnement communes, placées au centre du marché et régies par une logistique élaborée, qui favorisent l'intégration mais peuvent **déstabiliser les économies locales**. Pour un puissant réseau, il peut être rentable de ravitailler la Pologne en lait hollandais à partir de centrales logistiques situées en Allemagne plutôt que de distribuer sur place le lait polonais. L'ouverture d'**usines automobiles en Slovaquie** correspond approximativement au nombre d'unités de production fermées dans la partie occidentale de l'Union. Les échanges intra-européens portent à 41,5 % sur le matériel de transport, à 26 % sur les produits manufacturés, à 12,5 % sur les produits chimiques, à 4 % sur l'énergie, à 8,5 % sur les produits agricoles et à 8 % sur des produits divers selon la nomenclature d'Eurostat.

### B. Des degrés divers d'intégration

Les États membres sont inégalement partie prenante du fait d'abord du poids intrinsèque de leur économie : l'Allemagne en est le « poids lourd » représentant environ 20 % des échanges intra-européens dans les deux sens ; l'Italie, les Pays-Bas, le Royaume-Uni, la Belgique « pesant » chacun de 8 à 11 % du total. Malte « ferme la marche » avec moins de 0,1 % des échanges intra-européens. **La France représente 9,6 % des exportations et 12,3 % des importations « intra ».** Les pays sont **plus ou moins intégrés** dans les échanges intracommunautaires. En 2008 (pour les importations), le plus intégré est l'Estonie (79,8 % de ses échanges), le moins intégré était les Pays-Bas (48 %). **En termes d'exportations, c'est le Luxembourg qui fait figure de pays le plus intégré (à hauteur de 89 %), Malte apparaissant comme le seul des 27 à ne pas être majoritairement intégré au commerce européen (45 %),** suivi par le Royaume-Uni (57 %) et l'Italie (58 %). Les deux derniers pays admis en 2007 sont tous deux majoritairement intégrés en 2008 : la Bulgarie à hauteur de 57 %, la Roumanie de 69 % pour les importations et, respectivement, de 60 % et 70 % pour les exportations.

De manière générale, on observera la forte intégration des pays de l'Est, des pays nordiques, l'intégration croissante de l'Allemagne. Traditionnellement, la Grande-Bretagne, mais aussi l'Italie désormais regardent vers d'autres horizons. **La France est au-dessus de la moyenne européenne en termes d'intégration** : 68 % de ses importations, 64 % de ses exportations se font avec l'UE-27. **Elle se caractérise donc par une forte intégration dans un commerce communautaire avec lequel elle est structurellement déficitaire.**

**Solde des flux d'IDE intracommunautaires de l'UE-25**

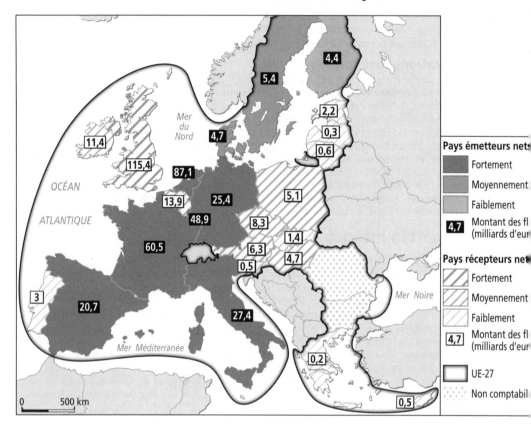

*Données 2005. Source : Eurostat, 20*

Avec l'émergence de la **géofinance** et la globalisation de l'économie mondiale, **les mouvements de capitaux ont littéralement explosé**. L'UE, avec le Marché unique, a pris une place importante dans ce processus aux formes multiples. Les Investissements directs à l'étranger **(IDE)** intracommunautaires se sont multipliés, ainsi que **les activités boursières plus ou moins spéculatives**. Les institutions européennes n'ont guère de place dans ce processus et **l'impact de la crise financière depuis 2008** est ravageur.

## ① L'Investissement direct à l'étranger (IDE)

### A. Des flux variables

Les flux d'IDE sont très variables d'une année sur l'autre en fonction de la conjoncture. **Au cours des périodes de récession, les entreprises se concentrent sur leurs métiers principaux et leurs marchés domestiques**. 2007 a encore été une année très positive : l'UE a connu un quasi-doublement des flux d'IDE entrants (**319 milliards d'euros**) par rapport à l'année précédente. L'UE **a également contribué à financer le monde**, les IDE à destination des pays extracommunautaires s'établissant à **420 milliards d'euros**.

Avec la crise de 2008, les IDE de l'UE-27 ont fortement reculé. Les IDE sortants sont passés de 281 milliards d'euros en 2009 à 107 milliards en 2010, alors que les IDE entrants ont chuté de 216 à 54 milliards d'euros! Ces fortes baisses s'expliquent par le tarissement des flux financiers à l'échelle mondiale et par un repli des économies sur leurs territoires nationaux.

## B. L'IDE intracommunautaire

En 2000, les principaux fournisseurs d'IDE intracommunautaires ont été le Royaume-Uni pour 41 % du total, suivi de loin par l'ensemble Belgique-Luxembourg avec 18,5 %, l'Allemagne avec 11,5 %, la France avec 11 % et les Pays-Bas avec 10 %. Au-delà, d'autres pays participent au flux à des niveaux mineurs: le Danemark et la Suède pour 3 % et l'Espagne pour 2 %. Réciproquement, le principal bénéficiaire s'avère l'Allemagne.

**Mais ces données sont très fluctuantes**, et dépendent parfois d'une ou deux grandes opérations qui les font fortement varier d'une année sur l'autre. En 2006, l'IDE intra-européen a fléchi de 8 % et les directions ont quelque peu changé. **Le stock est plus révélateur car il résulte des flux nets réalisés sur de nombreuses années**. En 2006, les pays les plus bénéficiaires de l'IDE intracommunautaire sont par ordre décroissant **le Royaume-Uni, la France, l'Allemagne, les Pays-Bas, l'Espagne et enfin l'Italie**. Le Danemark et l'Irlande sont également des bénéficiaires importants.

**Emplois créés ou maintenus par les investissements étrangers par région en 2011**

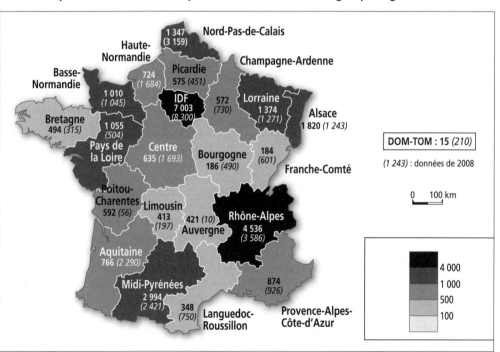

Source : Agence française pour les investissements internationaux.

## C. L'Ouest et l'Est

Les pays de **l'ancienne UE-15 apparaissent comme émetteurs nets**, à deux exceptions près, le Royaume-Uni dont la City attire les capitaux et l'Irlande toujours attractive.

Par contre, **les Nouveaux États membres (NEM-12) sont pour l'essentiel récepteurs de ces capitaux**. En 2005, l'ex-UE-15 a investi 32 milliards d'euros dans les NEM-12 (17 % des flux sortants de l'UE-15). La Hongrie a reçu 11 milliards, la République tchèque vient en deuxième position et la Roumanie en troisième avec 3,9 milliards, suivie par la Pologne (2,6 milliards). Mais Chypre, Malte, les États baltes ont également été favorisés.

Royaume-Uni, Allemagne, Italie, France, mais aussi Pays-Bas, Espagne sont les principaux émetteurs avec de grosses variations annuelles en fonction des opérations réalisées.

**L'IDE intra-européen est le facteur majeur de la transition économique** en République tchèque, en Slovaquie, en Hongrie. Dans ces trois pays, **entre 50 et 70 % des exportations industrielles sont réalisées par des compagnies étrangères**. La Slovénie est réticente face aux investissements étrangers ; la Pologne, au PIB plus important que celui des quatre autres pays cités additionnés, « dilue » davantage l'IDE. Ce même facteur est à l'œuvre en Roumanie.

# 2 L'UE, pôle financier

## A. Le poids des bourses européennes

**En termes de capitalisation boursière, les bourses européennes viennent loin derrière le pôle new-yorkais**, qui cumule le *New York Stock Exchange* (NYSE) et la *National Association of Securities Dealers Automated Quotation* (Nasdaq), soit un total de plus de 17 000 milliards de dollars. Les bourses européennes ne cumulent que 9 000 milliards de dollars, mais s'inscrivent ainsi au deuxième rang mondial devant Tokyo (4 000 milliards).

L'Europe dispose, en outre, **de multiples institutions financières** (assurances) et de deux organismes de *clearing* à statut international : Clearstream au Luxembourg et Euroclear à Bruxelles.

Mais les bourses européennes sont marquées par leur passé : même si **la City a une dimension mondiale**, son poids est limité (3 800 milliards de dollars de capitalisation, troisième rang mondial mais talonnent Tokyo). Les autres bourses sont inscrites dans le cadre des États-nations : Francfort, Paris, Milan, Stockholm. Et les regroupements sont difficiles : le plus marquant est **Euronext**, qui regroupe Amsterdam, Bruxelles et Paris et qui contrôle 2 470 milliards de dollars, un peu moins que la City.

## B. Le poids des transactions financières

La mondialisation a eu pour corollaire sinon pour moteur le développement de la **géofinance** et **l'explosion des flux** purement financiers de nature essentiellement spéculative. Les transactions quotidiennes sur les seuls marchés des changes peuvent atteindre **cinquante fois les sommes nécessaires pour financer les transactions de biens et de services**.

Cette géofinance s'appuie sur un réseau dense de **paradis fiscaux, bancaires et judiciaires**. L'UE a les siens : **des micro-États comme la principauté d'Andorre ou celle de Monaco, le grand-duché du Luxembourg**. Mais des États membres plus importants se sont dotés d'équivalents, par exemple en jouant sur leurs spécificités institutionnelles : ainsi pour le Royaume-Uni avec **l'île de Man, les îles Anglo-Normandes et Gibraltar**, ou sur des politiques de « développement » : Canaries pour l'Espagne, Madère pour le Portugal. Ceci sans compter les structures dites **« offshore »** comme à la City.

**Au cours des années 1970, le Luxembourg s'est ainsi reconverti de la sidérurgie à la finance**. Il est devenu la troisième place financière européenne après Londres et Paris grâce à une législation de havre financier : 155 banques internationales (dont 30 % allemandes) et près de 8 000 holdings en bénéficient.

On ne saurait négliger l'importance des **flux financiers générés par les travailleurs étrangers dans l'UE** renvoyant des remises aux pays d'origine : en 2008, ils ont atteint un total de

32 milliards d'euros, dont 22 milliards sont sortis de l'UE (près de 10 milliards intra-UE). Les deux tiers de ces remises sont en provenance de quatre pays : l'Espagne, la France, l'Italie et l'Allemagne.

## C. L'impact ravageur de la crise financière

La « **crise des *subprimes* »** a commencé en 2007, mais c'est **la faillite de Lehman Brothers le 15 septembre 2008 à New York** qui a servi de révélateur pour l'opinion.

La crise a eu immédiatement de très lourdes répercussions car l'intégration des systèmes financiers mondiaux a amplifié le phénomène, les banques et les institutions financières européennes ont enregistré des pertes colossales encore démultipliées par la chute consécutive de leurs actifs en biens immobiliers et en actions.

La raréfaction du crédit **(crédit Crunch)** qui en a résulté a entraîné une récession quasi généralisée, la plus forte depuis la Seconde Guerre mondiale, et la remontée du chômage. Le Royaume-Uni, l'Irlande, l'Espagne puis la Grèce ont été aux premières loges. Le risque systémique le plus grave a été la faillite des banques, avec en perspective un schéma de type années 1930.

La réaction des États européens a été spectaculaire : dès octobre 2008, **un plan de sauvetage des banques** a débloqué **1 700 milliards d'euros dans le cadre de l'UE**, le « couple franco-allemand » en en rassemblant plus de 800 milliards. Au total, **13 % du PIB de l'UE ont été mobilisés**. Il faut bien comprendre que ces sommes n'ont pas été dépensées mais « mobilisées » en cas de besoin : leur ampleur même devait enrayer la panique et rendre leur utilisation en grande partie inutile.

C'est en fin de compte le sauvetage, **la nationalisation ou la recapitalisation des banques** (Royal Bank of Scotland) déjà en grosse difficulté qui ont coûté le plus cher : **250 milliards d'euros ont été réunis à cet effet dans l'UE**.

La croissance, l'emploi, le commerce, l'investissement sont durablement victimes de la crise financière. **Le G20 de Londres d'avril 2009** a adopté le principe d'une meilleure régulation financière internationale, mais les mesures concrètes tardent à venir. **L'UE (France, Allemagne) milite pour une régulation plus stricte** et propose **une taxation des banques** afin de limiter les mouvements spéculatifs et de **constituer des fonds de sécurité**. Londres, dont la prospérité a été largement liée à « l'industrie financière » traîne les pieds. Mais le paradigme néolibéral est pour le moins décrédibilisé et on a assisté à un **« retour de l'État »**. Les conséquences à long terme sont pour l'instant encore difficiles à estimer.

En 2010, la zone euro est secouée par une crise de la dette qui la fragilise. En effet, pour faire face à la crise financière puis économique de 2008, les États se sont lourdement endettés. La reprise économique tardant à venir, les dettes s'accumulent. Certains États sont alors au bord de la faillite et font l'objet en 2011 de plans de sauvegarde. Cinq plans ont déjà été mis en place au 31 mai 2012 pour un montant de près de 500 milliards d'euros au profit de la Grèce, de l'Irlande, de l'Espagne et du Portugal. Ces plans s'accompagnent de plans d'austérité mal vécus par les populations. Désormais, les pays membres se scindent entre tenants de l'austérité (Allemagne en tête) et tenants de la croissance (France).

# 87 Le « couple » franco-allemand

## 1 Les fondements : un mariage de raison

### A. Les prémices

**Le « couple » franco-allemand n'allait pas de soi.** Au lendemain de 1945, la France cherchait à renouveler l'alliance de revers avec l'URSS et mettait en œuvre tout son possible pour diviser l'Allemagne. De son côté, Konrad Adenauer, le premier chancelier de la République fédérale allemande (RFA) avait la position la plus hostile vis-à-vis d'une France qui voulait conserver la Sarre.

**Le discours de Robert Schuman du 9 mai 1950**, à l'origine de l'Union européenne, est aussi une ébauche du futur couple, et **la CECA** en est une des premières manifestations. L'Allemagne renaissait de ses cendres, elle était protégée par les grands, et il fallait faire avec elle, au mieux. **La CED, la Communauté européenne de défense**, a cependant été une déception majeure.

Cependant, si la réconciliation et la coopération étaient déjà engagées, on ne peut parler de « couple » dans ce qu'il a d'organique, de fusionnel et de quasi institutionnel.

### B. Le traité de l'Élysée

Le traité de l'Élysée signé en 1963 par **le général de Gaulle**, de retour au pouvoir depuis 1958, et **le chancelier Adenauer**, est sans doute **l'acte de naissance officiel du couple**. Dans son sillage, on décide de la création de **l'Office franco-allemand pour la jeunesse**. Des rencontres semestrielles au plus haut niveau sont institutionnalisées entre les deux pays. La personnalité de De Gaulle, adversaire intraitable de la première heure, lui conférait la légitimité nécessaire.

Peut-être la vraie célébration du couple a-t-elle été **la réception d'Adenauer** en 1962 pour un défilé militaire commun au camp de Mourmelon, suivi d'un office religieux entouré des fastes d'un sacre dans la cathédrale de Reims.

### C. Une analyse

En fait, une certaine conception du « couple » était mort-née : De Gaulle rêvait d'un attelage capable de s'imposer aux deux grands. Mais les atlantistes allemands, conduits par le ministre des Finances et futur **chancelier Ludwig Erhard**, doutaient de la capacité de la France à suppléer à l'alliance américaine. Il restait la réconciliation, exemplaire, et d'une portée immense pour le continent et le monde ; il restait le couple comme **moteur de la construction européenne**.

Vu son passé, l'Allemagne n'avait pas alors de capacité d'initiative internationale. Elle appliquait la « *Selbstbeschränkung* », c'est-à-dire l'autolimitation de sa puissance et mettait la France en avant. La France comme l'Allemagne, éclopées de l'histoire, craignant l'une et l'autre une menace soviétique proche, n'ayant d'autre alternative que l'Europe pour exister encore dans le monde entre les géants, avaient donc un intérêt commun fondamental à être soudées.

## 2 L'apogée du couple

### A. Un couple incarné

Les grands moments du « couple » et ses réalisations marquantes furent personnifiés par trois attelages surtout (outre les fondateurs historiques) : **Valéry Giscard d'Estaing et Helmut Schmidt (1974-1981), François Mitterrand et Helmut Kohl (1982-1995), Jacques Chirac et Gerhard Schröder (1998-2005)**.

Il y eut aussi des brouilles : la France se méfiait de **l'Ostpolitik de Willy Brandt** au début des années 1970, tout comme François Mitterrand, prenant **peur de la réunification**, tenta désespérément d'impulser un peu de vie à la RDA.

### B. Les grandes œuvres

Les réalisations majeures furent le **Système monétaire européen, l'Acte unique**, de même que l'annonce, au sommet franco-allemand de La Rochelle en mai 1992, de la constitution d'une brigade franco-allemande avec un État-major commun basé à Strasbourg, embryon de l'**Eurocorps**. L'opposition à la **seconde guerre d'Irak en 2003** fut un grand moment aussi. À une autre échelle, ni **Airbus**, ni la fusée **Ariane** n'auraient vu le jour sans la volonté politique du « couple ». Bien sûr, on ne peut créditer les seuls Allemands et Français de ces réalisations. Mais ensemble ils constituaient la **masse critique** pour être une force de proposition crédible et emporter les résistances.

**Maastricht et l'euro, œuvre majeure**, furent sans doute l'aboutissement du « couple ». Ce fut aussi le début de la fin car **la réunification était là et l'Allemagne « déménageait » à Berlin**.

# ③ Le déclin

## A. La multiplication des difficultés et leurs causes

Des querelles à propos d'Airbus ou du transport ferroviaire jusqu'aux réticences allemandes à propos de l'Union pour la Méditerranée de 2007 ou les dissensions à propos de la gestion de l'euro, **les incompréhensions n'ont cessé de se multiplier, bien au-delà des questions de personnes**.

Depuis **le traité de Moscou « 4 + 2 » de 1990**, l'Allemagne a retrouvé sa pleine souveraineté et son unité. Les nouvelles générations assument un passé dont elles ne s'estiment pas responsables. Forte de son **modèle « vertueux »**, l'Allemagne n'a plus besoin de « l'interface » du couple sur la scène internationale.

Le « couple », c'est-à-dire une spécificité des liens avec la France, est même devenu contreproductif pour une puissance allemande qui veut développer ses rapports avec la Pologne et la Russie. On parle parfois d'un « triangle de Weimar » dans la relation Allemagne-Pologne-France, ce qui n'a pas beaucoup de sens : la Russie a les moyens d'empêcher un type de « regroupement » à ses portes dont elle ne serait pas partie prenante.

Quand l'Allemagne regarde vers l'Est, la France a-t-elle une carte de rechange ? Peut-être l'imaginait-elle avec l'Union pour la Méditerranée. Mais celle-ci est encore moins viable sans la puissance économique, financière et monétaire allemande et n'offre pas à la France un leadership alternatif.

## B. Que reste-t-il du « couple » ?

Sur le plan international, le « couple » franco-allemand a représenté un **modèle de réconciliation** toujours mis en avant dans d'autres problématiques internationales. L'exemplarité demeure : pourquoi demain Israël et les Palestiniens, Basques et « Castillans » ne pourraient-ils s'entendre aussi ?

Il reste aussi la **coopération privilégiée au service de la construction européenne** qui reste pour chacun des deux pays, sans alternative, **l'axe cardinal de leur positionnement international**. Les décisions lors de **la crise financière** l'ont montré ; **la coopération universitaire** le démontre au quotidien. Il arrive que le « couple » se reconstitue ponctuellement. En février 2010, les deux gouvernements avancent **« 80 propositions »** pour relancer leur coopération. Mais le caractère spécifique et organique de cette entente, un certain « souffle » aussi venant des profondeurs de l'histoire, tout ce qui en faisait la singularité et la force, vectrices d'une puissance particulière, a disparu.

## C. Le prisme des entreprises

La fondation du **consortium EADS en 2000** (de droit néerlandais, avec une participation espagnole, mais fondamentalement franco-allemand) est emblématique du « couple » d'aujourd'hui. Elle démontre l'exemplarité de la réconciliation : on fait « entreprise commune » dans des domaines (Airbus, Ariane, Eurocopter) où **le cœur même de la souveraineté et de la sécurité nationales** est en cause.

Mais les disputes restent vives, et **en 2010, si un Français préside EADS, ce sont deux Allemands que l'on retrouve à la tête d'Airbus et d'Eurocopter**. Dans le plan de restructuration de l'entreprise **« Power 8 »**, l'Allemagne tire son épingle du jeu en matière d'emploi plus que la France.

**Entre Areva et Siemens** en matière nucléaire, on en est venu au divorce pur et simple en 2009, Siemens renversant ses alliances et se regroupant avec le russe Rosatom avec l'objectif avoué de détrôner Areva de sa première place mondiale.

**Stratégie et volonté politique, souvent communes, mais aussi défense sans concession des intérêts de chacun** prévalent désormais dans les relations franco-allemandes.

# 88 Le leadership dans l'UE

## 1 Les rapports de force dans l'Europe naissante

### A. La prépondérance française

**Le territoire français**, de loin le plus grand, est aussi par sa position la clé de voûte de l'espace européen.

Même si la France sort meurtrie de la Seconde Guerre mondiale, elle n'en exerce pas moins **une sorte de magistère moral**. « Patrie des droits de l'homme », héritière de la Grande Nation et des vainqueurs de Verdun, auréolée du prestige de la Résistance : les **contentieux mémoriels** referont surface plus tard.

Héritant de son passé **la panoplie complète de la puissance (diplomatique, militaire, culturelle)**, la France peut « voyager en première classe avec un billet de seconde classe » comme le dit méchamment Ludwig Erhard. Le prestige personnel de De Gaulle, la stabilité politique et la croissance retrouvées, **la possession de l'arme atomique, une posture de charnière entre les blocs** : tout concourt à ce que la France puisse jouer le rôle d'une grande puissance au cours des années 1960. Cela d'autant plus que le **« couple » franco-allemand** lui permet de capitaliser un peu de la force émergente de sa voisine.

De cette prépondérance française, que l'on pourrait situer de la fin des années 1950 à 1969, il a résulté **une certaine architecture institutionnelle de l'Europe, le compromis du Luxembourg, le double refus de l'entrée du Royaume-Uni**. La politique agricole commune, dont la France a longtemps été la grande bénéficiaire bien que largement financée par l'Allemagne, en est un acquis historique.

### B. D'autres puissances en retrait

Parmi les autres puissances capables d'influences en l'Europe, **la Grande-Bretagne**, dans la première décennie de sa participation à la communauté, n'a cependant pas pu et n'a pas voulu exercer un rôle moteur.

Certes elle a, davantage même que la France, hérité du passé « l'outillage » de la puissance. Mais **son économie atone jusqu'au début des années 1980, ses difficultés monétaires, et surtout son positionnement critique en marge** de la construction européenne ne lui permettent pas de disputer le leadership. Par la suite, son « retour » économique impressionnant, le vent porteur du libéralisme et la fin de la guerre froide feront d'elle un partenaire écouté et admiré, plus que suivi.

L'Italie fait figure de **miraculée fragile**. Dans les années 1950 et 1960, elle a connu une **expansion exceptionnelle**. Toute une génération de grands patrons, Enrico Mattei dans le pétrole, Giovanni Agnelli à la tête de Fiat, Alberto Pirelli pour le pneumatique ou encore Olivetti dans la bureautique apparaissent comme « les héritiers lointains des hommes d'affaires du Quattrocento » (Pierre Milza), sans pour autant occulter le **rôle décisif de l'État. L'IRI, holding public**, possède des participations variables dans un ensemble d'entreprises qu'il faut plus ou moins soutenir. Mais le pays tardivement unifié avec un Sud très en retard (pour lequel on institue la *Casa per il Mezzogiorno*) souffre de l'**instabilité gouvernementale récurrente, du terrorisme des « années de plomb »** (années 1970) et **des maffias**, et n'engrange que lentement les profits politiques de sa renaissance.

## 2 Le leadership allemand dans la construction européenne d'aujourd'hui

### A. Les fondamentaux de la puissance allemande

L'Allemagne réunifiée pèse lourd dans l'UE. Sa population est la première de l'Union : avec **82,3 millions d'habitants**, elle en représente 16 % (sur 8 % de la superficie). Elle crée près de **20 % de la richesse européenne** et **58 % des exportations de la zone euro** avec un commerce structurellement excédentaire (près de 10 % des exportations mondiales).

**Le groupe Volkswagen** aspire ouvertement à devenir à brève échéance le premier constructeur mondial ; **ThyssenKrupp** est plus que jamais au cœur de la puissante industrie métallurgique, de même que **Bayer et Siemens** sont des leaders industriels mondiaux. L'assureur **Allianz**, le réassureur Munich Re, le groupe de presse Axel Springer, la Lufthansa brillent dans les services. Mais la véritable originalité allemande réside dans le **tissu serré de PME performantes**, innovatrices et exportatrices.

L'Allemagne compte aussi **une armée moderne** de près de 300 000 hommes, dont **11 000 engagés à l'étranger** (Kosovo, Afghanistan…). Le pays possède une monnaie européenne, pour laquelle il a certes fait le sacrifice du mark, et héberge la Banque centrale européenne (**BCE**). En même temps, le basculement géopolitique ouvre le vaste champ d'expansion de l'Europe centrale et orientale à **l'économie allemande, qui creuse l'écart et change de nature, atteignant une autre dimension par rapport à celles de ses partenaires.**

## B. Une Allemagne différente

L'Allemagne d'aujourd'hui ne vit plus dans la sereine prospérité qui caractérisait sa société avant 1991 : **la pauvreté demeure très forte** dans les nouveaux Länder de l'Est, mais elle est de plus en plus marquée dans le Nord-Ouest (taux de pauvreté de près de 20 % à Brême). Seul le Sud y échappe vraiment.

La reconversion de l'ex-RDA entraîne toujours des transferts de l'ordre de **4 % du PIB** de l'Ouest vers l'Est, **le coût d'un choc pétrolier permanent.**

**Le modèle social allemand est mis à rude épreuve** alors même que **la crise démographique** se poursuit. Désormais, les moins de 15 ans représentent 14 % de la population (près de 18 % en France). **Le recours à l'immigration** est important (2,6 millions de personnes d'origine turque vivent en Allemagne) et l'accès à la nationalité s'ouvre au **« droit du sol ».**

## C. Le nouveau positionnement européen de l'Allemagne

D'un côté, l'Allemagne apparaît comme **l'éternelle bonne élève de l'Europe**, le modèle vertueux fournissant 20 % du budget, perpétuellement contributrice nette, alors même qu'elle dispose à peine de plus de 12 % des sièges au Parlement et de moins de 9 % des voix au Conseil des ministres.

De l'autre côté, **elle impose à l'Europe une monnaie forte**, à laquelle ses propres structures économiques sont accoutumées depuis des décennies. Depuis 2002, elle s'applique une **très dure politique de compétitivité** (lois Hartz, « minijobs » faiblement rétribués plutôt qu'indemnisation du chômage, **âge de la retraite repoussé à 67 ans**). Une partie des **coûts sociaux est insérée dans la TVA** et donc défalquée à l'exportation. La rigueur sociale (donc **la consommation intérieure en baisse relative**) associée à sa compétitivité fait que **l'Allemagne exporte 50 % de sa production**, alors même que son taux d'intégration en Europe augmente : en clair, **elle accroît ses excédents aux dépens de ses partenaires européens** qu'elle pousse aux déficits sans pour autant se montrer très solidaire en termes de crédits (contrairement à la Chine qui finance les déséquilibres américains qu'elle suscite dans un mécanisme semblable).

L'Allemagne a toujours défendu l'Europe, mais elle en a toujours été une des grandes bénéficiaires. Aujourd'hui plus que jamais, elle est européenne, tout d'abord parce que l'Europe est la meilleure expression des intérêts allemands.

**La pauvreté en Allemagne**

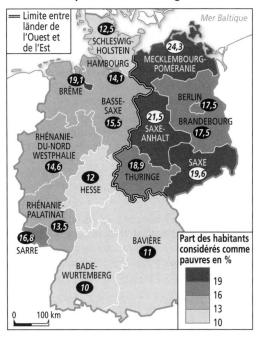

Source : Les Échos, 20 mai 2009.

# 89 Deux cas d'école

## 1 Le Royaume-Uni et les nouvelles perspectives européennes

### A. La renaissance britannique et ses implications géopolitiques

Au sortir de la Seconde Guerre mondiale, la Grande-Bretagne, seule puissance en guerre contre l'Axe de bout en bout, est **un pays recru de gloire**, mais son économie a plutôt mal traversé la guerre (**la production industrielle a reculé**) et la société est accablée par les efforts consentis après un entre-deux-guerres déjà difficile.

Les lendemains immédiats de la guerre voient la mise en place d'un État providence (esquissé par **le rapport Beveridge**) assorti d'un des systèmes de santé (**NHS**) les plus complets au monde. Nationalisations et forte influence syndicale auprès des gouvernements travaillistes vont de pair.

La Grande-Bretagne réussit mieux que d'autres la **décolonisation**, mais **la crise du canal de Suez en 1956** est emblématique des difficultés auxquelles elle se heurte. Engluée dans ses difficultés monétaires, **la livre sterling** ayant du mal à tenir son rang historique, la Grande-Bretagne pratique un « *stop and go* » cherchant à préserver la monnaie. **Croissance faible, grèves massives, déficit commercial** en résultent. C'est **« l'homme malade de l'Europe »** qui entre dans la CEE en 1973.

On peut parler d'**une révolution néolibérale impulsée par Margaret Thatcher** (parti conservateur) au cours des années 1980, poursuivie par **les travaillistes recentrés sur ce paradigme**. La Grande-Bretagne connaît un spectaculaire **retour à la croissance** (dopée encore par l'accès au marché européen), **une chute du chômage, un PIB dépassant à nouveau celui de la France**.

Les succès de cette politique confèrent un crédit croissant **au modèle britannique et à sa vision de l'Europe**, essentiellement une zone de libre-échange articulée avec les États-Unis.

### B. Conjoncture et structures

#### Dépendance vis-à-vis des activités de services financiers

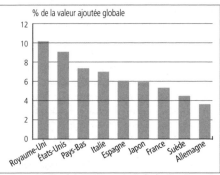

Source : A. Goodwin, UK Economic Outlook : How Secure is the UK Recovery ?; Oxford Economics, 11 novembre 2009.

L'économie britannique est **l'une des plus touchées par la crise récente du fait de l'importance particulière du secteur financier** (*big bang* de 1986). **La récession de 2009 (– 5,8 %) est la plus profonde depuis 1955 et la plus longue depuis la Seconde Guerre mondiale.** Dans le temple du néolibéralisme, l'État britannique est amené à recapitaliser son système bancaire et à **sauver de la faillite la Lloyd et la Royal Bank of Scotland**, le tout assorti d'un plan de relance équivalent à 3 % du PIB (sous forme d'une **baisse de la TVA**).

**10 % des Britanniques les plus riches sont cent fois plus fortunés que les 10 % les plus pauvres. 13 % des enfants vivent dans la grande pauvreté.** L'éclatement familial, l'ascenseur social en panne contribuent à faire de la Grande-Bretagne **la société la plus inégalitaire avec le taux de pauvreté le plus élevé d'Europe occidentale**.

Les services financiers, les plus hypertrophiés de tous les pays développés, représentent **10 % de la valeur ajoutée globale (5 % en France, 4 % en Allemagne)**. C'est le pays aussi qui a connu le processus de **désindustrialisation** le plus marqué, le poids du secteur manufacturier tombant à 21 % du PIB (26,5 % en Allemagne). Le déficit commercial plonge à 128,6 milliards de dollars, les déficits publics dépassent 11 % du PIB et le taux de chômage voisine les 7,5 %.

### C. Modèle britannique et construction européenne

Le modèle britannique issu de la fin du XXe siècle se caractérisait par **la forte création d'entreprises, la flexibilité de la main-d'œuvre, la maîtrise des dépenses publiques**. La crise a révélé qu'une bonne partie de ces performances était liée aux **bulles spéculatives**, alors même que les hautes technologies ne sont pas en mesure de compenser les pertes subies, contrairement aux États-Unis.

Il ne faudrait pas en conclure trop vite que l'ensemble du modèle est obsolète. L'observation de **Londres comme « métropole-monde »** est à cet égard révélatrice : la crise y a été moins sensible, le chômage moins marqué, les faillites d'entreprises moins nombreuses qu'ailleurs (d'autant que **les travaux en prévision des J.O. ont exercé un effet contracyclique**). La même constatation a été faite en Île-de-France, qui a mieux résisté que l'ensemble de l'économie française. Les **« métropoles-mondes »** seraient donc résilientes à la crise. **Londres, « the world in one city »**, c'est le **« syndrome de Wimbledon »** (peu importe que les joueurs ne soient pas Anglais, les meilleurs champions accourent du monde entier). **30 % des Londoniens sont nés à l'étranger**.

La reprise aidant, nul doute que le modèle britannique du « grand large » privilégié sur le cadre européen, du marché globalisé préféré au cadre identitaire, continuera de peser sur la vision de l'Europe.

# ❷ L'Espagne : les leçons d'un miracle et d'une crise

## A. La plus spectaculaire des métamorphoses

Issue d'un quasi-sous-développement, l'Espagne est aujourd'hui la **12ᵉ puissance économique mondiale** en 2011. Elle est tombée au **23ᵉ rang pour l'IDH** (13ᵉ en 2006). Archaïque, il y a peu encore, elle s'est couverte d'infrastructures et de services de bon niveau et l'espérance de vie féminine atteint 83 ans.

L'ouverture au monde est considérable : **deuxième puissance touristique mondiale**, l'Espagne, traditionnel pays d'émigration, est devenue **un pays d'immigration, comptant plus de 11 % d'étrangers** : 1 million de Sud-Américains, 1 million de Marocains, un demi-million de Roumains…

## B. Un miracle européen

La pulsion démocratique **(Constitution de 1978)** et modernisatrice **(la Movida)** qui a suivi la **mort de Franco en 1975** est essentielle. L'Europe a fait le reste par l'entrée dans la CEE en 1986, et surtout par **l'admission directe dans la zone euro**. L'avantage comparatif salarial a pu jouer à plein, alors que **le crédit à faible taux affluait**.

Le **« rattrapage » semble acquis** dans un pays à la pointe de toutes les évolutions sociétales, devenu le modèle de l'OCDE, et surtout **un modèle pour les pays de l'Est** intégrant l'Union.

## C. Le nouveau rapport à l'Europe

L'euro et le crédit facile ont favorisé la montée de la **bulle immobilière** à laquelle la croissance espagnole devait beaucoup ; **le secteur de la construction en était venu à peser près de 11 % de l'économie** (plus du double par rapport à la France et l'Allemagne) alors même que **la productivité du travail stagnait**. En dehors de certaines niches comme les énergies renouvelables, le niveau technologique demeure modeste.

**La bulle implose en juillet 2008** avec la faillite du groupe immobilier Martinsa-Fadesa. La crise révèle aussitôt la fragilité du modèle espagnol. **30 % de la population est sous le régime de contrats précaires ou saisonniers, 20 % de la population vit sous le seuil de pauvreté**.

Plus fondamentalement, le rapport à l'Europe, si miraculeux jusque-là, est remis en cause. Outre la dimension spéculative évoquée plus haut et **l'aggravation abyssale du déficit commercial** (culminant à près de 9 % du PIB, situation plus grave que celle des États-Unis) liée à la **faible compétitivité industrielle**, c'est le **rapport à la nation** qui est montré du doigt. Le système des autonomies n'a cessé de s'accentuer. L'unité linguistique est en cause.

Le système scolaire en est fragilisé et certains parlent d'une **fracture scolaire** avec le reste de l'Europe. **La démocratie espagnole est elle-même affaiblie** par les tensions entre le pouvoir central et les autonomies et **la montée de la corruption** (le pays rétrogradant au 28ᵉ rang derrière l'Uruguay). Enfin, le niveau de fractionnement du pouvoir est tel que l'**on peut s'interroger sur la capacité de l'État central à mettre en œuvre des stratégies nationales**.

**Europe, une majorité d'États récents**

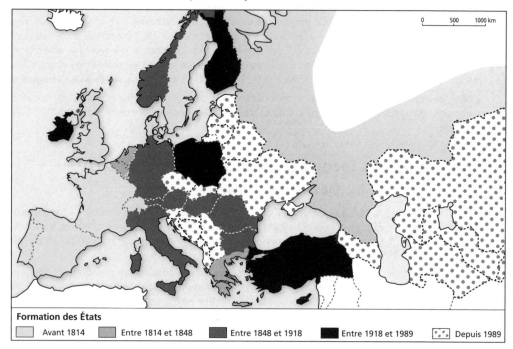

**Formation des États**

| | | | | |
|---|---|---|---|---|
| Avant 1814 | Entre 1814 et 1848 | Entre 1848 et 1918 | Entre 1918 et 1989 | Depuis 1989 |

*En 2004, à propos de l'invasion de l'Irak, l'Administration américaine a voulu opposer **deux Europes, l'une « vieille » et l'autre « jeune »**. Sans entrer dans le débat sur le caractère simpliste de ce distinguo, il nous amène cependant à nous interroger sur les États européens.*

## 1 Vieilles nations, jeunes États ?

### A. Vieilles nations, vieux États

Aux deux extrêmes de l'Europe, à l'Est et à l'Ouest, la carte permet de constater l'existence d'États anciens issus de l'histoire longue et d'un noyau national forgé au long des siècles : **noyau russe à l'Est, cœur de l'Empire tsariste, noyau castillan pour l'Espagne, noyau « capétien » pour la France**, etc. Mais cette coïncidence se retrouve aussi au Nord, avec le Danemark et la Suède.

Une telle configuration nous renvoie à la thèse de Jacques Lévy sur les quatre types d'empires caractéristiques de la géopolitique européenne avec les **empires intégrés à l'Ouest et nomades à l'Est**.

### B. Vieilles nations, jeunes États

L'analyse de la chronologie fait cependant apparaître le paradoxe de la cartographie politique européenne. **Nombre d'États sont de création récente**, issus de partitions d'empires et de processus d'unité au XIXᵉ siècle ou, plus récemment encore, de recompositions selon le principe des nationalités au XXᵉ siècle. Ces États sont récents, mais **bâtis à partir de vieilles nations (Pologne)**.

**Quelques-uns seulement ont été forgés de toutes pièces**, en particulier dans les Balkans, entraînant des crises à répétition. Dans tous les cas, ils correspondent aux **« zones de broyage »** de la typologie de Jacques Lévy.

# ② Empires et « zones de broyage »

Frontières d'Europe

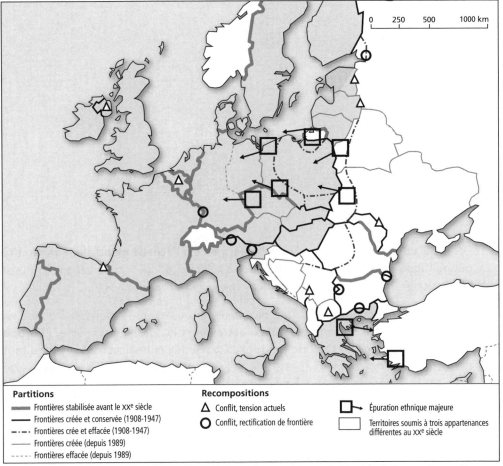

**Partitions**

▬▬ Frontières stabilisée avant le XXᵉ siècle
▬ Frontières créée et conservée (1908-1947)
–·–· Frontières créé et effacée (1908-1947)
── Frontières créée (depuis 1989)
---- Frontières effacée (depuis 1989)

**Recompositions**

△ Conflit, tension actuels
○ Conflit, rectification de frontière

☐⟶ Épuration ethnique majeure
☐ Territoires soumis à trois appartenances différentes au XXᵉ siècle

*Source : J. Barrot, B. Elissalde, G. Roques,* Europe, Europes.

## A. La fin des empires

En fait, l'essentiel des mutations résulte de l'implosion aux XIXᵉ et XXᵉ siècles de trois empires : celui des **Habsbourg, l'Empire ottoman et l'Empire tsariste prolongé par l'URSS**. Les « zones de broyage » ainsi libérées ont pu donner naissance à des États.

**Mitteleuropa, Balkans et confins baltes** sont les zones les plus affectées, le processus pouvant aller jusqu'à l'atomisation comme dans l'**ex-Yougoslavie**.

## B. La complexité sous-jacente

En fait, cette analyse générale masque les mouvements intermédiaires qui ont ensanglanté l'Europe. Il suffit d'évoquer le contentieux franco-allemand à propos de l'**Alsace-Lorraine** né en 1871 et qui mène à la catastrophe de 1914, ou encore **les déplacements du territoire polonais** entre sa renaissance de 1918, sa disparition entre 1939 et 1945 et sa nouvelle assise territoriale depuis 1945.

**L'Europe est le produit d'une histoire au moins bimillénaire**, qui est encore en train de se faire (problèmes de minorités, de vieilles nations recouvrant leur indépendance sur les confins orientaux). Elle est couturée de cicatrices, quel que soit l'âge des États actuels. **Il n'y a évidemment pas de « vieille » ni de « jeune » Europe !**

# Conclusion

De ce qui précède doit-on conclure à **l'émergence à l'échelle mondiale d'une entité géopolitique** de première grandeur ? Face à « l'autre monde » qu'incarnent les États-Unis, selon A. Minc, l'Europe apparaît comme le lieu de la complexité.

Un **espace économique** de plus en plus unifié et ouvert sur le monde lui donne un poids incontestable. Mais **la puissance est ailleurs** et, dans ce domaine, l'**Europe** apparaît plus comme un **tissu de paradoxes**, voire de contradictions. Mais **tissu tout de même** et, compte tenu du passé, c'est là sans doute que réside le **« miracle »** de cette **construction atypique, « baroque »** écrit A. Minc, et peut-être l'espérance.

# Chapitre 9

# L'UE et ses marges

À l'**Ouest**, l'Union européenne n'englobe pas tous les pays européens, mais ces **enclaves** entretiennent avec elle des **relations étroites**. Là ne sont pas les **problèmes géopolitiques** essentiels. Ceux-ci portent plutôt sur les marges du continent, au contact de la **Russie** et de ce qui reste de sa zone d'influence et sur le **pourtour méditerranéen**.

Par ailleurs, l'**Europe** comprend aussi les **restes** de ses anciens **empires coloniaux** et a des intérêts dans la part du monde qui fut colonisée par elle, ce qu'évoque Jacques Lévy avec sa formule « **le monde, région d'Europe** ».

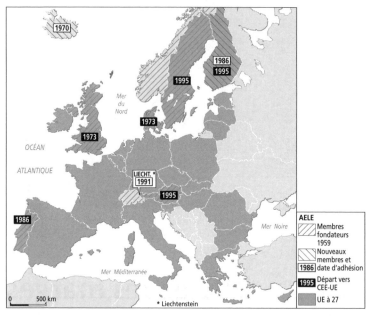

AELE et UE

*Mer du Nord*

*OCÉAN*

*ATLANTIQUE*

*Mer Noire*

*Mer Méditerranée*

0    500 km

\* Liechtenstein

**AELE**

⬜ Membres fondateurs 1959

⬜ Nouveaux membres et date d'adhésion

`1986` Départ vers CEE-UE

⬛ UE à 27

*Le regroupement (**AELE**) constitué en 1960 par le Royaume-Uni pour faire pièce à la CE a échoué, ses membres rejoignant pour la plupart la CE. La Norvège et la Suisse s'y refusent mais sont des partenaires importants, aux liens étroits mais spécifiques avec l'UE. **La crise économique et les mutations géopolitiques changent cependant la donne.***

# ❶ Entre relations privilégiées et intégration : l'AELE

## A. Un partenariat important mais dissymétrique

En 1990, la CEE réalisait environ **le quart de ses échanges**, dans un sens comme dans l'autre, avec l'AELE. Cette dernière représentait alors son premier partenaire, devant les États-Unis.

Si la tendance à l'intégration était forte, et même si l'AELE disposait de ressources précieuses pour la CE (pétrole norvégien, par exemple) et de firmes largement implantées dans la Communauté (Ciba-Geigy), les poids des deux entités étaient difficilement comparables : avec 33,3 millions d'habitants pour les sept pays membres de l'AELE en 1993 (Autriche, Finlande, Islande, Liechtenstein, Norvège, Suède, Suisse) contre 348,5 millions pour l'UE, le jeu était trop inégal. Dès l'origine d'ailleurs, **l'AELE avait souffert de sa discontinuité territoriale.**

## B. Des complémentarités fortes

Jusqu'en 1995, les pays scandinaves apparaissent principalement dans leurs échanges avec l'UE comme **des fournisseurs d'énergie et de matières premières** : pétrole norvégien, pâte à papier, bois. Les autres postes d'exportation importants sont les produits manufacturés et la pisciculture. **Leur complémentarité avec le reste de l'Europe demeure forte.**

Les pays alpins : la Suisse, le Liechtenstein et l'Autriche ne bénéficient pas des mêmes atouts. Leur savoir-faire manufacturier est cependant important et, pour la Suisse et le Liechtenstein, leur fonction bancaire est primordiale. Enfin, **leur situation géographique et leurs infrastructures leur font jouer un rôle déterminant dans les flux de transports intra-européens.**

# ❷ L'échec relatif de l'EEE

## A. Un sas pour l'Europe ?

La perspective du Marché unique de 1993 a amené les États membres de l'AELE à préciser leurs relations avec la CE : l'accord conclu en 1991 a créé **l'Espace économique européen (EEE)** qui les a associés à la CE, permettant la libre circulation généralisée entre les dix-neuf pays. Dans l'esprit de beaucoup de partenaires, l'EEE devait être **une sorte d'antichambre de l'Union** préparant une adhésion de plein droit.

**La Finlande et la Suède** ont fait le choix de l'adhésion. **L'Autriche** elle-même, par crainte des effets du libre-échange mondial sur son agriculture et à la condition que la circulation trans-alpine soit soumise à des normes strictes, a choisi également d'adhérer. De toute façon, elle a été de plus en plus étroitement dans l'orbite européenne, allemande en particulier.

## B. Le périmètre de l'EEE

Si **la Norvège** a rejeté l'adhésion à l'UE, **la population suisse** a rejeté aussi l'intégration à l'EEE en 1992. **Depuis 2009, l'EEE rassemble donc trente pays**, les 27 de l'UE et trois des quatre pays restant de l'AELE (Norvège, Islande et Lichtenstein). En réalité, les accords bilatéraux réalisent des degrés considérables d'intégration de ce qui reste de l'AELE, selon des modalités très diversi-fiées. En tant que structure, **l'AELE est devenue très formelle.**

## 3 Trois cas différents

### A. L'UE et l'Islande en grande difficulté

**L'Islande (0,3 million d'habitants) a déposé sa candidature** à l'entrée dans l'Union européenne en juillet 2009. Il reste à en négocier les modalités, puis il faudra que les Islandais se prononcent par référendum. De fait, outre son appartenance à l'EEE, l'Islande adhère déjà à **l'espace Schengen** et on estime qu'elle respecte déjà les trois quarts des directives européennes.

Elle est fortement soutenue dans sa démarche par la Suède, qui y voit un renforcement de la dimension nordique de l'Europe. Par là même, **l'Europe se rapproche du domaine arctique, qui, avec le réchauffement climatique, devient stratégique pour le transport maritime et les ressources énergétiques**. La crise financière mettant l'Islande au bord de la faillite depuis 2008 et peut-être même l'épisode du volcan perturbant les communications aériennes poussent ce petit pays à rechercher plus de stabilité dans l'Europe.

### B. L'UE excédentaire avec une Suisse puissante et largement intégrée

La Confédération helvétique demeure formellement à l'écart : non de l'UE, elle a rejeté par « votation » en 1992 l'adhésion à l'EEE.

On ne saurait exagérer **l'importance économique de la Suisse**. Outre son **rôle bancaire**, elle est **un grand pays industriel** et ses grandes firmes sont fortement présentes et très actives dans l'UE (Nestlé, CA de 65 milliards de dollars, première entreprise alimentaire mondiale). La Suisse est **un passage obligé pour les trafics européens** : d'où le développement du ferroutage, et la construction d'une nouvelle génération de grands tunnels alpins, par exemple sous le massif du Saint-Gothard (ouverture programmée pour 2013).

La Suisse est pour l'UE un partenaire de l'importance du Japon, mais avec lequel elle est nette-ment excédentaire. **Le premier accord de libre-échange date de 1972, et des accords bilaté-raux sont venus le compléter en 1999 et 2004**, allant bien au-delà de la libre circulation des marchandises et des services, touchant à la libre circulation des personnes (la Suisse a intégré l'espace Schengen), la fiscalité de l'épargne, les transports et les marchés publics, la sécurité, la participation aux programmes de R&D.

### C. La Norvège, un « château d'eau » énergétique

À deux reprises, le gouvernement norvégien a négocié son entrée dans la construction euro-péenne, et par deux fois **en 1972 et en 1994, il a été désavoué par son peuple (4,8 millions d'habitants)**. Sans doute son sens scrupuleux de la démocratie et de la souveraineté lui fait-il rejeter tout centre de pouvoir extérieur. **Ses agriculteurs**, très protectionnistes, craignant la concurrence européenne et **les pêcheurs**, très libre-échangistes, ne voulant pas s'embarrasser des contraintes de Bruxelles, additionnent paradoxalement leur méfiance vis-à-vis de l'Europe. En outre, sûre de l'alliance américaine et **peu convaincue par l'Europe, notamment par les liens franco-allemands**, la Norvège craint en outre de devoir peu ou prou partager sa rente pétrolière.

En effet, **elle est le 14e producteur de pétrole, le 6e producteur de gaz naturel au monde**, elle est pratiquement sur le « podium » des principaux exportateurs et l'Europe accumule avec elle un déficit considérable (**31 milliards d'euros en 2009**, soit le quart du déficit avec la Chine !). En fait, hormis pour l'agriculture, la pêche et l'énergie, **la Norvège est très étroite-ment intégrée à l'UE**, adoptant la quasi-totalité de ses directives sans modifications.

Là aussi, la dimension géopolitique pose problème : depuis l'élargissement, l'apparition d'une PESC, la Norvège craint de devenir un « **Randstaat** », une marge coincée entre UE et Russie. Certains responsables voudraient reposer la question de l'adhésion.

# 92 L'intégration de l'Europe centrale

## La Pologne, principale terre d'investissement des entreprises françaises

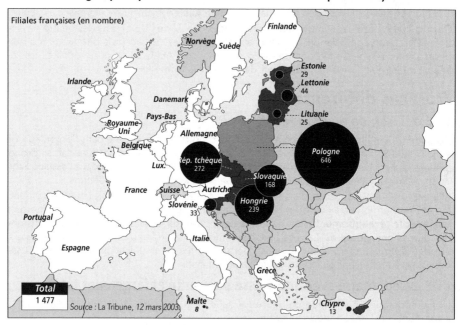

*Huit des dix pays de l'élargissement de 2004, **les « PECO »**, pays d'Europe centrale pour la plupart, ont subi **un double choc géopolitique et géoéconomique** : étroitement liés à l'URSS et fermés à l'Ouest pendant quarante ans, ils se tournent depuis 1991 vers l'Ouest, l'économie de marché et une autre construction régionale, celle de l'UE. Mais le concept géopolitique de « Mitteleuropa » implique bien d'autres réalités que la simple définition géographique de l'Europe médiane.*

## ① Le processus de la « transition »

### A. La décollectivisation

Le choc de la transition a été plus ou moins rude. Du point de vue industriel, nombre de régions avaient des activités non rentables qui ne survivaient que par l'économie dirigée. La transition a donc été difficile : **le PIB des PECO a chuté dès 1990 et n'a retrouvé son niveau de 1989 qu'en 2000**. Le chômage, jusque-là officiellement inexistant, a dépassé en général les 10 % pendant la décennie 1990 (près de 20 % par exemple à Berlin). **Sur un plan économique et social, le coût a été celui d'une guerre. La démographie, très déprimée, en rend compte aussi**.

La privatisation dépendait des secteurs et des implantations : elle a été plus commode dans l'industrie manufacturière et dans les zones les plus occidentales. **Skoda et Dacia** n'ont pas eu de mal à trouver des partenaires à l'Ouest. En revanche, **les combinats d'industrie lourde**, les activités implantées dans les régions les plus orientales ont connu au mieux **une « privatisation » par distribution de « bons » aux citoyens**, suivie de déshérence. En Allemagne de l'Est, la RFA a implanté un organisme de droit public, le **Treuhandanstalt (THA)**, auquel on a transféré 8 000 entreprises publiques de l'ex-RDA, à charge pour lui de les restructurer, les fermer ou les vendre.

La décollectivisation est encore inégale dans l'agriculture avec, ici aussi, des différences de situation au départ considérables. Il en va ainsi de la Pologne, qui avait conservé sa paysannerie au prix d'une guerre avec le Parti communiste laissant derrière elle **des microstructures largement invivables**. Paradoxalement, l'agriculture hongroise, totalement collectivisée, réussit mieux sa modernisation dans le cadre du marché. Ailleurs, les anciennes exploitations collectives subsistent souvent, plus ou moins **maquillées en « sociétés anonymes »** tenues par des **« barons verts »** eux-mêmes anciens « potentats » rouges.

## B. L'intégration à l'économie de marché

En matière de main-d'œuvre, le bilan est nuancé : son coût reste trois fois inférieur aux salaires occidentaux, ce qui est attractif pour les IDE, mais **la productivité est inégale**.

En matière de production, l'héritage du passé est lourd : les équipements sont le plus souvent obsolètes dans tous les secteurs, de l'agriculture aux services en passant par l'industrie, ce qui explique la faible productivité. Et **les normes environnementales sont souvent désastreuses** (production électrique à partir de lignite).

L'intégration dépend en partie des IDE ; or **les firmes occidentales sont très sélectives** dans leurs choix géographiques même si des facteurs historiques interfèrent (France en Pologne). Les flux sont de l'ordre de vingt milliards de dollars par an privilégiant la Hongrie, la République tchèque ou encore **la Slovaquie**. Cette dernière devient une plate-forme de la construction automobile en Europe, où les usines ouvrent leurs portes au fur et à mesure que ferment celles du Royaume-Uni ou de Belgique.

# 2 Le bilan nuancé des mutations

## A. D'une périphérie à l'autre

Avant 1991, l'économie des PECO était organisée dans le cadre du CAEM (ou COMECON). Celui-ci, même si son siège officiel était à Varsovie, opérait une division générale du travail à partir et en fonction de l'URSS. Les trois quarts des flux s'opéraient sur l'axe PECO-URSS, même pour des pays jadis très « occidentaux » dans leur commerce, comme la Tchécoslovaquie.

L'implosion de l'URSS et la fin du bloc oriental se sont traduites par une réorientation fulgurante. Les huit pays intégrés en 2004, mais aussi la Roumanie et la Bulgarie, intégrées en 2007, ont basculé de l'Est à l'Ouest. Mais force est de constater que, **s'ils étaient une périphérie de l'URSS dans le CAEM, ils conservent cette situation vis-à-vis de l'UE-15**. Alors que l'UE-15 ne représentait que 27 % de leur commerce extérieur en 1990, on constate aujourd'hui **leur intégration à hauteur des deux tiers, souvent supérieure à celle de certains pays de l'Ouest**.

## B. L'exemple de l'Allemagne de l'Est

**L'ex-RDA (17 millions d'habitants)** a été privilégiée dans sa reconversion grâce à son intégration à la RFA, l'un des plus puissants pays capitalistes, qui y transfère chaque année depuis vingt ans **4 % de son PIB**. Effectivement, **des firmes prestigieuses** comme Volkswagen (Dresde), BMW (Leipzig), Siemens, GlaxoSmithKline, Porsche y ont investi. **Quelques entreprises est-allemandes issues du communisme** font preuve de vitalité comme Jenoptik, issue du groupe Carl Zeiss. Le niveau de vie des « nouveaux Länder » (40 % de celui de la RFA lors de la chute du communisme) atteint maintenant **65 % du niveau de vie des « anciens Länder »**.

Cependant, l'inclusion dans une zone monétaire et à salaires élevés a largement **désindustrialisé** le pays qui fut jadis le plus avancé de ce point de vue de tout le bloc de l'Est. **Le chômage de masse (encore 17 % en 2007)** peine à régresser. **L'exode** a repris et touche tout particulièrement les femmes créant **un déséquilibre, unique en Europe, entre les sexes**. La dénatalité est plus marquée encore qu'à l'Ouest. Le passé communiste ne « passe pas » facilement. Le dévoilement des **archives de la Stasi**, l'ancienne police politique communiste, empoisonne l'atmosphère et des pratiques de **« lustration »**, forme d'épuration douce, sont à l'œuvre. Cependant, si **« l'ostalgie »**, la nostalgie pour l'ex-RDA, est bien présente, elle ne doit pas induire en erreur : le sentiment d'une tâche indispensable et la perception d'un rattrapage en cours prévalent.

## C. Des restructurations régionales à l'œuvre

La transition creuse les écarts à l'échelle régionale. **« L'effet capitale »** favorise les métropoles comme Prague, Varsovie ou Budapest ; **« l'effet frontière »** est favorable aux régions jouxtant des régions riches de l'UE-15 (Slovénie, ouest de la Hongrie). À l'intérieur même de chaque pays, **les régions les plus proches de l'Ouest** sont en situation plus favorable.

**Des regroupements géographiques** s'esquissent : **le bassin nordique ou la Mare Balticum** qui tend à intégrer les pays baltes et la façade maritime de la Pologne à la Finlande, la Suède et le Danemark. **Le bassin de l'Europe centrale** ou Mitteleuropa à partir de l'Allemagne et de l'Autriche et incluant République tchèque, Slovaquie, Hongrie, Pologne intérieure et au-delà par la Roumanie et la Bulgarie vers la Turquie, voire la Russie. **Un bassin méditerranéen oriental** (y compris les Balkans) avec l'Italie, la Grèce et incluant Malte, Chypre et les Balkans est moins évident mais susceptible d'apparaître.

# 93 La « Mitteleuropa » et les confins orientaux

**Le budget de TACIS**

| Postes de dépense | Budget (en millions d'euros) |
|---|---|
| I. Soutien aux réformes institutionnelles, légales et administratives | 122 |
| dont : – Réforme administrative | 30 |
| – Réforme judiciaire | 32 |
| – Lutte contre le crime organisé et le terrorisme | 20 |
| – Questions migratoires | 20 |
| – Soutien à la société civile | 20 |
| II. Aide au secteur privé et assistance économique | 120 |
| dont : – Soutien à l'intégration de la Russie à l'économie internationale | 45 |
| – Réforme du secteur financier | 30 |
| – Soutien au dialogue politique sur des questions spécifiques | 30 |
| – Soutien à la planification en matière d'infrastructures | 15 |
| III. Aide aux victimes de la transition économique | 125 |
| dont : – Réforme du secteur social et de la santé | 25 |
| – Politique du travail et dialogue social | 20 |
| – Éducation | 45 |
| – Services municipaux | 35 |
| Programme spécial pour la région de Kaliningrad | 25 |
| Total | 392 |

*Au centre et à l'est, **la problématique est avant tout géopolitique**. L'Allemagne, la Russie, mais aussi la Pologne, l'Ukraine sont à la fois actrices et enjeux dans des processus que l'UE s'efforce d'intégrer et de transcender.*

## 1 « Mitteleuropa » : le retour ?

### A. Le concept historique

La notion géopolitique de Mitteleuropa dépasse la simple localisation géographique. Elle s'est épanouie dans l'Allemagne de Guillaume II.

Une partie de la pensée politique allemande de l'époque **voyait l'Europe centrale et orientale comme une sphère prédestinée à l'hégémonie allemande**. Les implantations de **minorités allemandes**, très anciennes, souvent à l'appel des princes slaves eux-mêmes, favorisaient cette vision d'autant qu'une **germanisation culturelle et politique des élites slaves** en avait résulté. L'ampleur géographique du concept était considérable, s'étendant jusqu'à la Turquie avec des prolongements vers le Moyen-Orient.

Chez les plus extrémistes des nationalistes allemands, l'idée de **la supériorité de la « germanité » sur les peuples slaves** n'était pas absente du concept de Mitteleuropa.

### B. Le retour hypothétique d'un concept à manier avec prudence

Bien entendu, il n'y a plus aujourd'hui l'ombre du contenu géopolitique, et encore moins ethnique que l'on cristallisait jadis autour de la notion de Mitteleuropa. Cependant, il y a la « force des choses » : **l'Allemagne est redevenue le premier partenaire commercial et le premier investisseur de la quasi-totalité des pays d'Europe centrale et orientale**. Elle est devenue le pôle d'attraction par excellence des courants migratoires qui en dérivent. Ses frontières sont structurantes pour tous les territoires qui la bordent à l'est.

Cependant, le cadre est radicalement différent de ce qu'il était au début du XXᵉ siècle. **Une « mutualisation » européenne est à l'œuvre**, les investissements français (Pologne, Roumanie) ou encore italiens, néerlandais, britanniques sont importants. Politiquement, la méfiance entre voisins demeure perceptible comme le démontre **l'affaire du gazoduc Northstream**. Le souvenir des quatorze millions d'Allemands qui furent expulsés en 1945 participe d'une dimension mémorielle toujours vivace.

**Les frontières sont récentes et sensibles**, et il n'est pas trop du « **miracle européen** » pour qu'elles demeurent pacifiques, chacun en a une claire conscience. Ainsi, plutôt qu'un tête-à-tête Pologne-Allemagne, est-ce une sorte de « **triangle de Weimar** » qui prévaut avec une participation fréquente de la France. Et **les clivages révélés par la seconde guerre du Golfe en 2003** sont signifiants des sensibilités géopolitiques confrontées.

# ② Les confins orientaux

## A. Puissance des réseaux et du marché

L'influence structurante de la construction européenne s'étend bien au-delà de ses limites orientales officielles. **Les ressources propres de l'UE sont plafonnées à 1,27 % du PNB de l'UE**, mais la « **force d'attraction** » de l'UE sur les économies environnantes s'exerce principalement par **le marché** et **les réseaux** (d'entreprises en particulier).

Les firmes se délocalisent. Ainsi, la Turquie est d'ores et déjà intégrée dans le système économique de l'UE. L'ex-Yougoslavie, l'Albanie sont en train de s'inclure dans le processus. La Russie et subsidiairement la Biélorussie et l'Ukraine deviennent aussi la cible des IDE. **Les IDE entrants à destination de la Russie ont fortement fluctué depuis 2008.** L'année 2011 a même connu un désinvestissement de 2,3 milliards d'euros. La Russie investit également beaucoup moins dans l'UE-27 (10 fois moins entre 2009 et 2011). Et **l'Ukraine tend à redevenir le grenier à blé de l'Europe** qu'elle était avant la Première Guerre mondiale.

## B. La Politique européenne de voisinage (PEV)

La Politique européenne de voisinage (PEV) est **développée depuis 2004 vis-à-vis des voisins immédiats**, terrestres ou maritimes. Elle est destinée à des pays qui n'ont pas vocation à entrer dans l'UE, même si elle ne préjuge pas des évolutions futures. Condition majeure : **le partage des valeurs de démocratie et de droits de l'homme** (la Biélorussie en est exclue pour l'instant pour cette raison). **La Moldavie et l'Ukraine depuis 2005, la Géorgie depuis 2006** en relèvent. De manière pratique, on élabore de manière bilatérale des « **plans d'action PEV** » définissant des réformes politiques et économiques, assorties d'une aide de l'UE, mais avec un suivi assuré par des sous-comités eux aussi bilatéraux.

La Russie elle-même est intégrée dans cette démarche, mais de manière beaucoup plus complexe, tant dans les méthodes que les buts et les arrière-pensées, de part et d'autre.

## C. Une hypothèque géopolitique majeure : la Russie

Depuis 1991, **le recul géographique de la « sphère de puissance » russe** est énorme : de la ligne Oder-Neisse aux portes de Saint-Pétersbourg. Toute la politique actuelle de la Russie vise à donner **un coup d'arrêt à ce recul** et à conduire une politique de puissance. Elle a ainsi défini son propre concept d'« **étranger proche** » correspondant pour l'essentiel à l'ex-URSS moins les pays baltes qui ont rejoint l'UE.

La Russie a fondé dès 1991 **la CEI** qui cristallise l'étranger proche : il y a là manifestement **rivalité de puissance**. Ukraine et Géorgie furent des enjeux de taille. La Géorgie s'étant rapprochée de l'OTAN, sans doute la sécession de ses provinces (Ossétie du Sud) et l'intervention militaire russe en août 2008 en furent la punition. La Moldavie (avec la Transnistrie), et même les minorités russophones des pays Baltes constituent d'autres points de friction.

D'où **le caractère heurté de la coopération de l'UE avec la Russie**. Dès 1991, l'Europe a mis en place une aide spécifique à la Russie, **le programme TACIS** qui lui a apporté plus de trois milliards d'euros en quinze ans. Défini en 1995,` appliqué à partir de 1997, **un accord de partenariat et de coopération** est mis en place, fondé sur des « **espaces communs** » (l'économie, la démocratie, l'éducation), prévoyant à moyen terme **le libre-échange et l'intégration des économies de la Russie et de l'UE**. Mais le processus est en panne du fait des problèmes de Géorgie et d'Ukraine.

Ukraine : population et industrie

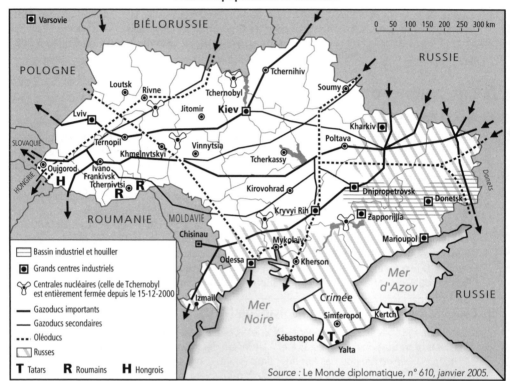

*Source : Le Monde diplomatique, n° 610, janvier 2005.*

*L'Ukraine (« confins » ou « frontière » en Russe) est un pays de 603 700 km², peuplé de 45,5 millions d'habitants, réellement indépendant depuis 1991. **Menacée de partition** treize ans seulement après sa réelle émergence dans le concert des nations, objet des **foudres « énergétiques » de Moscou** pour avoir voulu rompre les liens organiques avec la Russie, elle a vu **un spectaculaire renversement de situation à la suite des élections de 2010**.*

# ❶ Un territoire sans unité

## A. Deux Ukraine ?

La crise ouverte à propos de l'élection présidentielle de fin 2004 a révélé **le contraste entre l'ouest du territoire, plus rural et non russophone, et l'est urbain et industriel**, marqué par la présence d'une forte minorité russophone.

Mais le territoire est aussi divisé par d'autres facteurs : **minorités roumaine, hongroise, ruthène à l'ouest, tatare au sud (Crimée)**, qui se combinent à des facteurs religieux (uniates de Ruthénie) et géostratégiques (base navale russe de Sébastopol, essentielle pour la Russie).

## B. Un produit de l'histoire

**La « Rous » de Kiev est au X$^e$ siècle le berceau de la Russie**. Elle disparaît au XII$^e$ siècle sous les invasions mongoles. Son repeuplement est le fait des **Cosaques**, eux-mêmes dominés selon les époques par les Mongols, les Tatars, les Turcs avant les Polonais (XVI$^e$ et XVII$^e$), les Austro-Hongrois et les Russes.

**Au début du XX$^e$ siècle, 80 % de ce territoire de confins est sous domination russe**, 20 % aux Austro-Hongrois. De 1920 à 1940, l'ouest est partagé entre Pologne, Tchécoslovaquie, Hongrie et Roumanie. Le territoire actuel date de 1945 pour l'ouest et de 1954 pour la Crimée.

De toute façon, **Russie et Ukraine ont des origines et des histoires mêlées**. Les Russes comme de nombreux Ukrainiens estiment que ces liens sont organiques et intangibles.

# ❷ Le poids des facteurs externes

## A. Une situation géographique clé

La crise a donc des racines internes, mais des facteurs exogènes puissants l'accentuent. En premier lieu, sa localisation : **l'Ukraine contrôle une partie importante du littoral de la mer Noire** (Odessa, Kherson, Sébastopol).

Elle est également **le sas obligé ou en tout cas privilégié pour les gazoducs** reliant la Sibérie à l'Europe et pour les oléoducs venant du Caucase ou de la Caspienne.

## B. Un pion sur un échiquier géopolitique mondial

Pour l'URSS, **l'Ukraine est la base de l'industrialisation dès le premier plan quinquennal**. Le Donbass, Dnipropetrovsk, Kharkiv… demeurent des foyers industriels importants. Ceci sans compter sa fonction de « grenier à blé ». Cette importance demeure pour l'actuelle Russie.

Pour les États-Unis, rallier l'Ukraine contribue à affaiblir une Russie dont on ne souhaite pas l'effondrement, mais dont on se méfie. L'Ukraine, à l'instar d'autres territoires comme la Géorgie, fait partie de ces pions que la Russie ne doit plus contrôler.

Quant à l'Europe, elle paraît ne pas maîtriser la situation face aux géostratégies opposées de la Russie et des États-Unis alors que la crise ukrainienne l'implique fortement. Et ceci d'autant plus que **la Pologne est active dans la partie occidentale poussant à un rapprochement, voire une entrée de l'Ukraine dans l'UE**, ce qui ne manquerait pas de générer un fort contentieux entre l'UE et la Russie, la Russie voyant alors l'UE comme une puissance presque ennemie, avec **le spectre de la reconstitution**, *in fine*, **de la Grande Pologne** (sous forme d'un axe Pologne-Ukraine comme une espèce de « couple franco-allemand » de l'Est, au sein de l'UE).

# ❸ Stratégies, crises et retournements

## A. Les élections de 2004 et la révolution orange

Les élections présidentielles de 2004 ont vu la victoire de **Viktor Iouchtchenko et des partisans de la « révolution orange »** (car arborant des drapeaux de cette couleur), pour une plus grande libéralisation et surtout **pour un rapprochement avec l'OTAN et une intégration dans l'UE**.

Le pays est extrêmement divisé, les troubles sont importants et sans doute Moscou souffle sur le feu, mais sans doute aussi l'Administration américaine contribue-t-elle au financement de la révolution orange. La Russie voit là des manœuvres d'endiguement avec une instrumentalisation de l'UE à cet effet.

## B. La crise du gaz

**En janvier 2006, la Russie coupe l'arrivée de gaz naturel à l'Ukraine**. Par la même occasion, la pression du gaz livré à l'UE diminue de 30 % et sans doute n'est-ce pas fortuit.

Dans les jours qui suivent, un accord est conclu entre l'Ukraine et la Russie : les livraisons de gaz reprennent, mais **au prix du marché**.

## C. Le retournement de 2010

Aux élections présidentielles ukrainiennes de 2010, les partisans de la révolution orange s'effondrent, et **le candidat pro-russe, Viktor Ianoukovitch l'emporte nettement sur sa rivale**, l'égérie Ioulia Tymochenko, qui est rapidement emprisonnée et condamnée pour abus de pouvoir.

Les résultats ne se font pas attendre : **le 21 avril 2010, la Russie et l'Ukraine annoncent un double accord**. L'Ukraine prolonge de 25 ans **le bail pour la flotte russe basée à Sébastopol** qui doit s'achever en 2017, et la Russie diminue d'un tiers le prix du gaz naturel livré à l'Ukraine.

Ce retournement est cependant **un signe favorable pour l'UE aussi** : Moscou fait baisser la tension, se rapproche de l'UE et donne des gages à la Pologne devenue une vraie puissance régionale au sein de la communauté, incontournable pour finaliser un nouvel accord de partenariat avec l'UE (dont la Russie a besoin pour sortir de la crise économique).

# 95 L'UE et la Méditerranée : les hommes, la mémoire, l'économie

*L'UE est une héritière du monde méditerranéen, même si **l'empreinte des mythes et de la mémoire est plus forte que celle de l'histoire**. Elle est elle-même en partie méditerranéenne, dès son origine, mais davantage encore avec les élargissements des années 1980 et de 2004. Les réalités méditerranéennes ont toujours évolué entre **mare nostrum** et **limes**, échanges et fractures.*

## 1 L'histoire et la mémoire

### A. Le creuset méditerranéen

L'Europe puise dans la Méditerranée certaines de ses racines. Elle y trouve aussi son **mythe fondateur : Rome et l'Empire romain**.

Puis est venu le temps des fractures. Le partage entre **l'Empire romain d'Orient et l'Empire d'Occident en 395** n'a pas cessé d'exercer des effets. **Au VIIᵉ siècle, la conquête arabe** occupe toute la rive sud et déborde sur la rive nord esquissant une frontière largement pérennisée. **Neuf croisades se sont succédé de la fin du XIᵉ à la fin du XIIIᵉ siècle.** Le voisinage a rendu **la colonisation et la décolonisation** particulièrement douloureuses.

**L'expédition de Suez** de 1956 marque le terme de la politique de la canonnière et l'effacement de la puissance européenne en Méditerranée, au profit des États-Unis.

### B. L'affrontement des mémoires

La mémoire n'est pas l'histoire. Sélective, **elle nourrit les « méga-identités »** : monde méditerranéen occidental, qui se voit « judéo-chrétien », bloc arabo-musulman oriental.

Oubliant les passerelles et le patrimoine commun, **elle souffle sur les braises des conflits du temps** présent : au nord, de toutes les invasions, ce sont celles des Arabes ou des Ottomans qui conservent quelque écho. Pour le monde arabe, les croisades, l'expulsion d'Espagne restent traumatiques et le développement d'Israël rappelle, à tort ou à raison, le temps colonial.

## 2 Le profond renouvellement de la question migratoire et démographique

### A. Des mouvements migratoires de plus en plus complexes

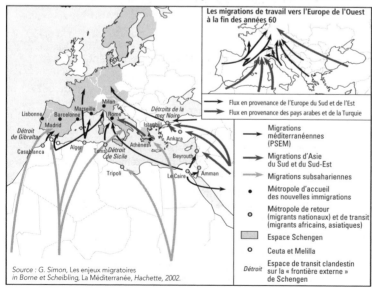

Migrations internationales et métropoles en Méditerranée en 2001

Source : G. Simon, *Les enjeux migratoires* in Borne et Scheibling, *La Méditerranée*, Hachette, 2002.

La Méditerranée est depuis la plus haute antiquité **un espace d'échanges humains**. Pendant les Trente Glorieuses, c'est l'ensemble du monde méditerranéen qui approvisionne l'Europe du Nord en main-d'œuvre.

Aujourd'hui, la question migratoire est plus complexe. La rive Nord de la Méditerranée (Espagne, Grèce, Italie), jadis pourvoyeuse d'hommes pour le reste de l'Europe, voire du monde, est devenue **le principal espace d'accueil migratoire en Europe**. L'Espagne est devenue le **8ᵉ pays d'immigration au monde**.

Il est vrai que **la rive sud reste fortement pourvoyeuse** d'hommes pour l'Europe

(510 000 Marocains créant une véritable diaspora). Mais **en Espagne, l'immigration maghrébine ne vient qu'au 3e rang**, loin derrière celle en provenance d'Europe de l'Est (796 000 Roumains, la première communauté étrangère) et d'Amérique latine (414 000 Équatoriens, 293 000 Colombiens, 227 000 Boliviens).

D'ailleurs, **la rive sud devient aussi terre d'immigration** recevant de plus en plus d'Africains « subsahariens » y compris dans les grandes villes côtières.

## B. La convergence démographique entre les deux rives de la Méditerranée

En Algérie, **l'indice conjoncturel de fécondité** était de 8 au moment de l'indépendance, il est tombé à 2,2. Le Maghreb est d'ailleurs monté en flèche dans cette évolution, montrant ici l'indéniable influence européenne.

**Dans les villes surtout**, tant sur la rive sud que nord, les comportements démographiques, voire même certains modes de vie se rapprochent.

# 3 Le partenariat euroméditerranéen

## A. La montée en puissance de la coopération

L'accord d'association signé par la CEE avec la Turquie est l'un des plus précoces (1963), suivi en 1969 par le Maroc et la Tunisie, puis par Malte et Israël en 1970. **Le Conseil européen de Milan** de 1985 amplifie l'action de l'Europe vis-à-vis des **« Pays tiers méditerranéens »** (PTM) tandis que les contradictions internes à la rive nord poussent à la mise en place des **programmes intégrés méditerranéens**.

**La conférence de Barcelone de 1995** lance le nouveau **« partenariat euroméditerranéen »** visant à établir **pour 2010 une zone de libre-échange euroméditerranéenne** avec les douze PPM (Pays partenaires méditerranéens). Pour atteindre cet objectif, l'UE a mis en œuvre le programme MEDA 1 (1995-1999), suivi de **MEDA II pour 2000-2006** doté de 3,2 milliards d'euros. Douze pays sont concernés : Maroc, Algérie, Tunisie pour le Maghreb, Égypte, Jordanie, territoires palestiniens, Syrie, Liban pour le Machrek, plus Israël, Malte, Chypre et Turquie.

**L'Union pour la Méditerranée (Paris, 2008)** s'efforce d'élargir l'action, qui reste cependant dans le giron de l'UE et dans le cadre de sa politique de voisinage.

## B. La faiblesse et les déséquilibres de l'intégration

Selon les variations des prix des hydrocarbures, c'est **de 7 à 9 % du commerce européen qui se fait avec la rive sud**, le plus souvent avec un léger excédent européen. Mais à l'inverse, **les échanges avec l'Europe représentent pour la rive sud de 50 à 70 % du commerce extérieur, des IDE, des créances bancaires, des transferts salariaux par les émigrés**. Cette **dissymétrie** est essentielle pour comprendre les tensions, même si la dépendance énergétique européenne compense un peu le déséquilibre.

L'UE importe de cette zone **plus de la moitié des hydrocarbures qu'elle consomme** (gaz algérien, pétrole libyen, etc.). L'Italie est le premier importateur, suivie de la France, des Pays-Bas, et de l'Allemagne. La France et l'Allemagne sont les premiers exportateurs **(biens manufacturés, matériels de transport, agroalimentaire)**.

Les entreprises européennes s'impliquent davantage au Sud. Safran, EADS, STM microélectronique, Renault y investissent. Les IDE européens ont dépassé **quinze milliards d'euros en 2006** dans les pays partenaires méditerranéens, soit un doublement par rapport à l'année précédente. Elles y trouvent leur compte aussi : de nouveaux marchés, une sauvegarde de segments de production en Europe grâce à leur « délocalisation » partielle et proche.

**La répartition des IDE européen est très inégale** : la Turquie (7e partenaire commercial de l'UE) en reçoit 4,2 milliards d'euros, suivie de l'Égypte (2,1 milliards), laissant une portion congrue au reste de l'Afrique du Nord. Et cela ne représente que **2,2 % du montant total des IDE sortant de l'UE**.

## C. Des responsabilités partagées

On notera la complexité des procédures européennes. **L'obsession de la question migratoire**, le caractère vexatoire qu'elle revêt parfois, sont répulsifs.

Cependant, la rive sud a ses responsabilités. Si la paix civile (Algérie) et la stabilisation macroéconomique s'améliorent, **les institutions économiques, les normes de toutes natures, les simples infrastructures sont très déficientes** et mal coordonnées d'un pays à l'autre. Le marché du travail est encore largement informel, **les frontières demeurent très fermées**.

**Les faiblesses de la démocratie et la conjoncture géopolitique** jouent un rôle immense.

# 96 La Méditerranée : enjeux géopolitiques

**États-Unis : projet du Grand Moyen-Orient**

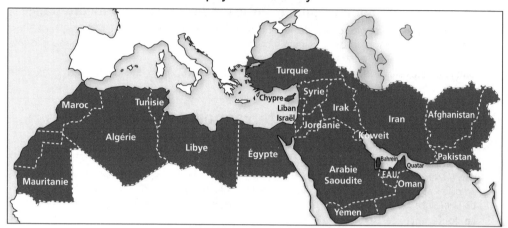

*Source : G8.*

La Méditerranée, **« mer au milieu des terres »**, est peuplée sur ses rives de quelque 500 millions d'habitants de niveaux de développement économique, de racines culturelles et religieuses très diversifiées. Cela suffirait à poser son importance géopolitique. Celle-ci est renforcée encore par le rôle de carrefour mondial et de formidable « caisse de résonance » idéologique de cet espace. Surtout, la Méditerranée est l'endroit du monde où se croisent **les deux failles géopolitiques majeures : Occident et Orient, Nord et Sud.**

## 1 La complexité géopolitique

### A. « Mère méditerranée »

La Méditerranée, « berceau des civilisations », est un espace maritime à la jonction de trois des cinq continents. Allongée sur plus de 4 000 kilomètres d'ouest en est, mais jamais plus « large » que 800 kilomètres, c'est une profonde pénétrante et donc un axe de communication exceptionnel à la jonction des masses continentales euro-afro-asiatiques. Ses limites mêmes ne vont pas sans poser de problèmes : faut-il y inclure la mer Noire, et donc une autre dimension encore de la géopolitique mondiale ?

L'achèvement du **canal de Suez en 1869** par Ferdinand de Lesseps lui donne toute sa mesure de carrefour mondial, à la jonction du vieux monde européen, du « Sud » en développement et de l'Asie émergente. Elle a vu naître et s'épanouir **les trois « religions du Livre »** sur ses rives : à l'heure du « retour du religieux », cette dimension est importante. « Marchepied » des empires coloniaux aux portes de l'Europe, le passage à **« l'ère postcoloniale »** est freiné par des blessures mémorielles sans cesse ravivées ou instrumentalisées.

Sur ses rives, on constate l'abondance pétrolière d'un côté, la dépendance énergétique de l'autre, ici le vieillissement accéléré faisant face à la jeunesse du Sud. **La Méditerranée est le « lieu » de tous les affrontements et de toutes les complémentarités.**

### B. Un espace stratégique

Les tensions sont multiples sur les rives : au Proche-Orient, dans les Balkans, en Crimée. Mais la position de carrefour « civilisationnel », énergétique, migratoire et commercial d'importance mondiale explique que la géopolitique méditerranéenne dépasse largement le cadre de la vingtaine de pays qui bordent la « *mare nostrum* » elle-même.

Les accès sont étroits : Gibraltar (les « colonnes d'Hercule ») à l'ouest, le canal de Suez au sud-est, Bosphore et Dardanelles au nord-est. **Le contrôle de ces accès a été et demeure un enjeu d'ordre mondial.**

La puissance britannique s'y est fortement enracinée: n'était-ce pas aussi la porte de l'Inde? Dès 1704, Gibraltar est occupé par les Anglais. Malte et Chypre suivent au XIXe siècle. Depuis la Seconde Guerre mondiale, on a pu décrire aussi la Méditerranée comme un « lac américain »: **la VIe flotte américaine** est basée à proximité de Naples et sa puissance de feu, y compris nucléaire, dépasse celle de la plupart des pays riverains. La Méditerranée fut au cœur de la guerre froide: au début des années 1980, **on y trouvait la moitié des bateaux de guerre du monde. Il en reste le tiers**.

Précisément à la jonction des trois continents, au Moyen-Orient, on retrouve **les plus importantes réserves pétrolières du monde dans un environnement d'affrontement géopolitique exceptionnel**. Près de 400 pétroliers à sa surface, une multitude de tubes sur son fond ou sur ses rives assurent la moitié du ravitaillement en hydrocarbures de la France, de l'Allemagne, de l'Espagne, la quasi-totalité du ravitaillement de l'Italie et de la Grèce. La montée en puissance de l'atelier asiatique « à côté » du premier bassin pétrolier planétaire et à proximité du premier pôle de consommation mondiale redonne toute son importance à **l'axe Suez-Gibraltar comme segment central et névralgique de la route maritime circumterrestre**.

## C. La Méditerranée : un milieu fragile

Espace maritime semi-fermé, les eaux se renouvellent lentement (il faut 90 ans à partir d'un instant « T » pour en constater le renouvellement complet), alors même que sa température plus élevée accroît sa fragilité et appauvrit encore sa biodiversité.

Entourée des plus imposantes masses continentales, très peuplée sur ses rives, soumise à une urbanisation galopante, premier espace touristique mondial, **la sensibilité de ses eaux aux pollutions est extrême**.

Cette fragilité se retrouve sur ses côtes, où l'aridité naturelle de l'été méditerranéen est aggravée par la surconsommation touristique en eau, la déforestation et les incendies, l'intensification agricole.

La dimension environnementale est éminemment politique et géopolitique: les interactions au-delà des frontières sont totales et posent tout le problème de la coopération internationale, des rapports Nord-Sud.

# ❷ Impuissance européenne

## A. Le paradoxe européen

On ne peut qu'être frappé par **le contraste entre l'importance économique majeure que représente l'UE sur les rives de la Méditerranée et la faiblesse de son rôle réel**. Pourtant, cet espace maritime a vocation à être le débouché naturel de sa puissance.

D'ailleurs, l'Europe ne trouve-t-elle pas là **le lieu d'application par excellence de son *soft power***? Le processus de Barcelone (MEDA I et II) prolongé par l'Union pour la Méditerranée et la politique de voisinage ont un volet économique (arriver par le partenariat à une zone de libre-échange), mais aussi un volet culturel, social et environnemental. Dans le fond, sa finalité est géopolitique: créer un espace de paix, de stabilité, rééditer le « miracle européen » pour le plus grand profit de l'Europe politique.

**Les rivalités internes de l'Europe pour le *leadership*, le poison du conflit israélo-arabe et la question palestinienne, la pesanteur mémorielle postcoloniale, l'obsession migratoire** sapent et minent les efforts européens. Par ailleurs, **la Méditerranée et ses enjeux sont trop importants pour être laissés aux Européens** et aux riverains en général: les États-Unis ont refusé même aux Européens le commandement local de l'OTAN; Russes, Chinois (conférence sino-africaine), Japonais, Brésiliens (ouverture vers le Maroc et le monde arabe) y affirment leur présence.

## B. Le semi-échec de l'Union pour la Méditerranée

En 2007, la France a tenté d'impulser une « Union pour la Méditerranée » (UPM). La conférence de 2008 à Paris a été brillante. Elle a surtout été un enterrement discret d'une ambition sous le poids des contradictions.

**La position française dans le monde est profondément déstabilisée par la fin de la guerre froide et la réunification allemande**, le déplacement des centres de gravité européens vers l'Est. L'UPM avait pour finalité dans l'esprit des dirigeants français de compenser ces dérives. Mais, l'Europe du Nord et l'Allemagne n'ont pas voulu de ce qui apparaissait comme une source de division, voire une manœuvre.

La Turquie (et donc les États-Unis, la Grande-Bretagne) a refusé cette nouvelle structure apparaissant comme **une « voie de garage » pour sa candidature**, une sorte de « lot de consolation ». Dès lors, **la conférence a été une « grande messe » vidée de son contenu**. On en revient aux fondamentaux: la politique de voisinage et la candidature turque à l'entrée dans l'UE.

L'Europe d'outre-mer

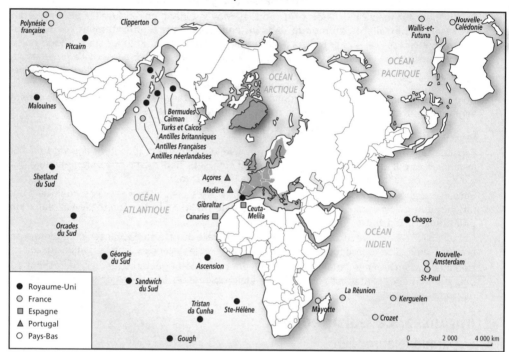

La formule de Jacques Lévy rappelle à quel point **notre monde actuel a été façonné par l'expansionnisme multiséculaire de l'Europe**. Portugal, Espagne, Pays-Bas, Royaume-Uni, France, mais aussi Belgique, Allemagne, Italie ont contribué à **« européaniser » le monde**. Et même si, au XIXe et surtout au XXe siècles sont intervenues les décolonisations, l'empreinte de l'Europe demeure.

# ❶ Les marques de l'Europe

## A. Les traces indirectes

Les plus manifestes résident dans **le peuplement de nombre de contrées** : l'Amérique du Nord avec son peuplement à dominante anglo-saxonne et ses multiples minorités européennes (Québec : la « petite France »). L'Amérique dite « latine », peuplée de Portugais, d'Espagnols, mais aussi de toutes les nations européennes (Argentine). Sans oublier l'Australie, la Nouvelle-Zélande et la minorité blanche d'Afrique australe.

Au-delà, c'est **l'introduction de continents entiers dans l'économie moderne** qui fut l'œuvre de l'Europe : l'Afrique, l'Asie par des colonisations diverses ont été ainsi introduites de force dans l'économie marchande européenne.

## B. Les restes actuels

De ces empires demeurent des « confettis », les territoires **« ultra-périphériques »** de la carte de l'UE. Et nombre de territoires dispersés sur tous les océans.

Demeurent aussi **des liens géopolitiques** : le Commonwealth britannique, l'ancienne Union française et les multiples traités bilatéraux qui en découlent. La diplomatie de ces anciennes puissances coloniales, donc de l'Europe dans son ensemble, est *de facto* mondiale.

## ❷ Une relation qui s'est voulue exemplaire

### A. Des relations privilégiées

Dès 1957, la CE avait accepté de prendre en compte l'héritage colonial et organisé **le regroupement ACP (Afrique, Caraïbes, Pacifique)**. 77 pays (dont 34 PMA), peuplés de plus de 500 millions de personnes, ont constitué ce groupement de coopération avec l'Europe bâti sur **les accords de Yaoundé (1963) et de Lomé (1975)**. Groupement qui se voulait modèle avec un Conseil des ministres et une Assemblée paritaire à statut consultatif.

La coopération s'appuyait sur le **Fonds européen de développement (FED)**, qui fournissait des subventions quand **la Banque européenne d'investissement (BEI)** accordait des prêts à taux privilégiés. Elle s'appuyait en outre sur des mécanismes originaux visant à stabiliser les recettes d'exportation, en particulier **le système Stabex** financé par le FED.

Dès 1971, la CE a été pionnière pour la mise en œuvre du **Système généralisé de préférences (SGP)** élaboré par **la CNUCED en 1970**. Elle a multiplié les accords de coopération, bilatéraux et multilatéraux. L'UE a inclus ces accords dans le traité de Maastricht de 1992. Elle a enfin participé à l'effort de réduction de la dette du tiers-monde et développé des programmes d'aide humanitaire comme ECHO (550 millions d'euros).

Les pays membres demeurent **les premiers bailleurs d'Aide publique au développement (APD)**, quoique inégalement et rarement à la hauteur des engagements internationaux pris à l'ONU en 1970 (0,7 % du PNB) : Danemark avec 1,1 % ; France avec 0,3 % ; Grèce avec 0,2 %.

### B. Un bilan mitigé

Globalement, en 2006, les PVD ont exporté pour 510 milliards d'euros vers l'UE-27, soit 36,5 % des importations européennes. Il s'agit essentiellement d'hydrocarbures, de minerais et de matières premières agricoles. L'Asie (110 milliards), les pays méditerranéens (102 milliards) ont été les premiers fournisseurs devant l'Amérique latine (55 milliards) et les ACP (41 milliards).

À 80 % en moyenne, ces exportations de PVD ont bénéficié de la prolongation du SGP et d'**entrée sans droits de douane dans l'UE-27**. Le système est prorogé jusqu'en 2015. Pour les ACP, le taux de SGP atteint 98 %. Mais **les échanges demeurent marqués par le passé colonial** : les PVD exportent des matières premières essentiellement.

Pour les ACP, le bilan est plus alarmant car **leur part du marché de l'UE décline (7 % des importations en 1976, 3 % en 2006)** et **les accords de Lomé sont depuis 2000 caducs**. Le Fonds européen de développement les aide encore, mais uniquement pour la phase de transition vers une libéralisation exigée par l'OMC.

### C. La fin d'une époque

Au long des années, les plaintes se sont multipliées contre les préférences accordées aux ACP par l'UE, en particulier de la part des États-Unis (guerres de la banane). L'Europe a été condamnée par l'OMC. Par exemple, **en 2005, le Brésil, la Thaïlande et l'Australie ont obtenu la condamnation de l'UE à propos du sucre** qu'elle revendait dans le monde à prix subventionné (après en avoir acheté au prix européen dans des pays ACP). Depuis le marché sucrier est profondément réformé, et l'UE est devenue importatrice nette de sucre.

**Les accords de Cotonou en 2000 ont donc mis fin au Stabex et au Sysmin**. Les 77 pays ACP se répartissent **en six régions avec des assemblées régionales et une Assemblée paritaire ACP-UE**. Le **10e FED** (car financé par le Fonds européen de développement), pour 2008-2013 est abondé à 22,7 milliards d'euros pour leur permettre de mettre en œuvre cette nouvelle relation *ACP-UE*.

# Conclusion

## L'Europe et ses marges

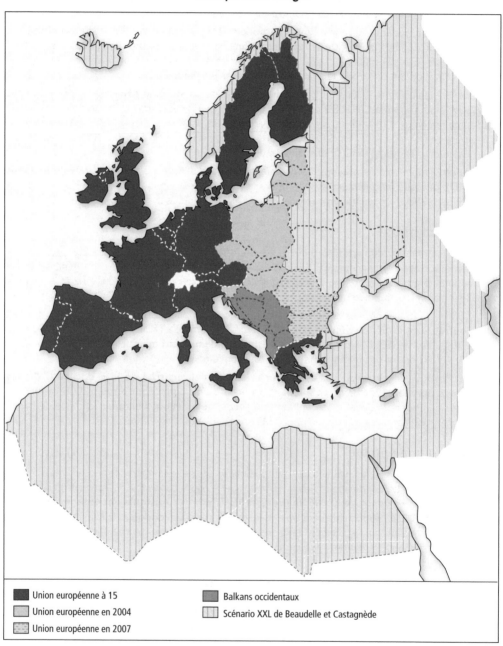

Légende :
- ■ Union européenne à 15
- ▨ Union européenne en 2004
- ▨ Union européenne en 2007
- ■ Balkans occidentaux
- ▨ Scénario XXL de Beaudelle et Castagnède

*Source : M. Roux, Avec ou sans les Balkans ? Outre-Terre n° 7, mars 2004, actualisé 2008.*

# Chapitre 10

# L'Europe et le monde

**L'Europe n'existe pas sans le reste du monde.** Mais ses relations au monde sont complexes. Du point de vue **diachronique**, elle est passée d'une **domination pluri-séculaire** du monde à un **quasi-effacement** au milieu du XXe siècle. Face à la « **globa-lisation** » impulsée par la **puissance américaine**, elle doit lutter pour retrouver une place. Elle y parvient du point de vue **géoéconomique**, mais le bilan est incertain du point de vue strictement **géopolitique**.

# 98 Les échanges commerciaux de l'UE dans la tourmente de la crise

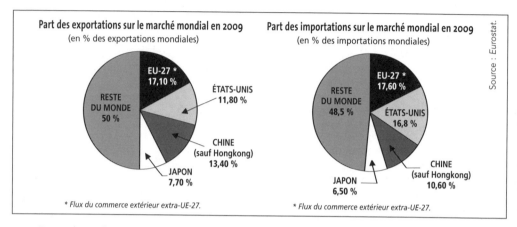

Part des exportations sur le marché mondial en 2009 (en % des exportations mondiales)

EU-27 * 17,10 %
ÉTATS-UNIS 11,80 %
RESTE DU MONDE 50 %
CHINE (sauf Hongkong) 13,40 %
JAPON 7,70 %

Part des importations sur le marché mondial en 2009 (en % des importations mondiales)

EU-27 * 17,60 %
ÉTATS-UNIS 16,8 %
RESTE DU MONDE 48,5 %
CHINE (sauf Hongkong) 10,60 %
JAPON 6,50 %

Source : Eurostat.

*\* Flux du commerce extérieur extra-UE-27.*   *\* Flux du commerce extérieur extra-UE-27.*

*De tradition, les pays européens sont des nations marchandes. Cette tendance s'est maintenue à travers les siècles. En ce début du XXIe siècle, **l'UE demeure le premier pôle du commerce mondial** (17 % environ dans les deux sens), alors même que ses échanges internes excèdent largement son commerce avec le reste du monde (66 % et 34 %). **Mais le contexte mondial est devenu très médiocre** et l'UE contribue à l'atonie du commerce mondial.*

## 1 Des échanges mondialisés

### A. Une place éminente dans un contexte sinistré

Par la somme des échanges commerciaux des États membres, l'UE-27 apparaît comme la première puissance commerciale du globe, réalisant **en 2009 1 094 milliards d'euros d'exportations (échanges intracommunautaires exclus) et 1 199 milliards d'euros d'importations**, soit un **déficit de 105 milliards d'euros**.

Ces résultats ont été obtenus dans **un contexte mondial médiocre de ralentissement des échanges**. En termes réels (corrigés des variations de prix), le commerce mondial de marchandises n'a progressé que de 2 % en 2008 contre 6 % en 2007 (et 12 % en 2000). L'Europe est d'ailleurs largement à l'origine de cette médiocrité : elle est **la région du monde où la croissance des exportations a été la plus faible en 2008 (à peine 0,5 %)**.

2009 a vu l'aboutissement de cette tendance, enregistrant **le plus grave recul du commerce depuis la Seconde Guerre mondiale (– 12 %)**. L'Allemagne, première économie et de loin premier exportateur de la zone euro (encore n° 1 mondial en 2008, perdant son « titre » en 2009 au profit de la Chine), a vu **ses exportations baisser de 18 % en 2009**, cause principale du recul de 5 % de son PIB, démontrant sa dépendance vis-à-vis du « tout-exportations ».

### B. Des échanges largement réalisés avec les pays industriels

L'UE échange avant tout avec les pays industriels : **en 2008, les États-Unis ont été le premier client avec 269 milliards d'euros d'importations** (et 187 d'exportations), une balance largement positive pour l'UE, même si **la tendance est à la contraction du déficit américain**.

**Avec le Japon, en revanche, l'UE est déficitaire** (75 milliards à l'import, 42 à l'export), déficit cependant stabilisé, à un niveau certes élevé.

**Les pays européens, hors UE-27, sont des partenaires importants pour l'Union**. Le commerce avec la Suisse, la Norvège ou la Turquie est presque du même ordre qu'avec le Japon, voire supérieur (en milliards d'euros, pour 2008 : Suisse I = 80, E = 98 ; Norvège I = 95, E = 43 ; Turquie I = 46, E = 54). On observera qu'à part la Norvège, avec laquelle le déficit s'explique pour des raisons énergétiques, l'UE est excédentaire avec ses grands partenaires européens extra-communautaires.

## C. Le séisme chinois et la part grandissante des pays émergents

La grande nouveauté du début du XXIᵉ siècle est la part prise par la Chine (sans Hongkong) dans le commerce européen, et surtout dans ses importations. **Les entrées de marchandises en provenance de Chine ont atteint 248 milliards d'euros en 2008 (exportations de 78 milliards)**, soit une fois et demie les importations européennes en provenance des États-Unis la même année. Depuis 2001, date d'entrée de la Chine dans l'OMC, les importations de l'UE (ramenée à 27) en provenance des États-Unis ont fléchi de 7 % alors que celles en provenance de Chine ont triplé ! La Chine en 2009 est devenue le principal fournisseur de l'UE et son 2ᵉ client.

Avec des volumes moins considérables et des conséquences moins systémiques, cette tendance se retrouve pour de nombreux pays émergents : **les importations en provenance du Brésil et d'Inde ont elles aussi doublé de 2001 à 2009** (faible déficit avec le Brésil, faible excédent avec l'Inde). **La Russie est un cas particulier** : le montant de ce que l'Europe importe auprès d'elle (pour 115 milliards d'euros, essentiellement des hydrocarbures) est proche de celui qui a été réalisé auprès des États-Unis, et il a doublé depuis 2001 ; le taux de couverture se limite à 56 %.

Les mêmes causes entraînent le **déficit avec l'OPEP**, mais les pays du Proche et Moyen-Orient sont aussi de bons clients de l'UE : avec l'Arabie saoudite, le taux de couverture atteint malgré tout 81 %.

# ❷ Des fluctuations conjoncturelles, un problème structurel

## A. Des fluctuations cycliques

L'examen de l'évolution de la balance commerciale de l'UE fait apparaître **des fluctuations cycliques** : si 1999 fut très excédentaire, les déficits se creusent à nouveau depuis 2000. **Ces cycles sont largement liés à l'évolution du cours des produits bruts** et des hydrocarbures en général.

En effet, si l'UE échange essentiellement des produits manufacturés (90 %), la part des produits bruts, qui était passée en vingt ans de 53,2 % à 21,6 %, **remonte fortement**, du fait de la hausse des matières premières et du pétrole ces dernières années et particulièrement en 2007-2008.

## B. Des problèmes structurels et conjoncturels

L'économie de l'UE repose d'abord sur ses échanges internes (66 % du total). Mais elle dépend aussi du reste du monde pour des produits de base (minerais, produits tropicaux) et des hydrocarbures (d'où l'importance de l'OPEP) et, **de plus en plus, pour des produits manufacturés** du fait de la désindustrialisation et des délocalisations. L'UE importe désormais plus de la moitié de son **textile habillement**. Sa **dépendance électronique** équivaut presque à sa dépendance pétrolière.

En fait, sur deux décennies, les déficits ont été un peu plus fréquents que les excédents et surtout plus lourds. L'UE a donc des difficultés à équilibrer ses échanges avec le reste du monde. Mais sa situation de fragilité n'a cependant rien de commun avec l'énorme déficit des États-Unis.

## C. Des profils disparates

Le Benelux, la Suède et l'Irlande affichent des résultats nettement positifs. **L'Allemagne est structurellement excédentaire depuis les années 1950** et en 2008, son taux de couverture était toujours de 122 %.

À l'opposé, **le Royaume-Uni, l'Italie, l'Espagne et le Portugal** sont fortement déficitaires.

La France avait renoué avec des excédents structurels tout au long des années 1990, mais sa balance se dégrade fortement avec les années 2000, et son déficit de 2008, aggravé de 40 % par rapport à 2007, entraîne **un taux de couverture de 85 % seulement**. Certes, le pétrole cher, le cours de l'euro et plus récemment l'entrée en récession des partenaires de l'Hexagone expliquent beaucoup de choses. Mais la France a un problème de compétitivité. Des secteurs comme l'agriculture ou l'automobile étaient très porteurs, or ils sont aujourd'hui en crise. La légère amélioration de la situation en 2009 n'est pas en soi rassurante : elle est un effet mécanique de l'érosion du prix de l'énergie et de la baisse de la consommation des Français fortement touchés par la crise.

Le commerce européen est en difficulté du fait des cours des produits bruts, du niveau de la monnaie, de la consommation atone du fait de la crise. Plus fondamentalement, **l'UE s'interroge sur sa compétitivité, prise en étau entre la technologie américaine et les faibles coûts chinois**.

# 99 Services et IDE

**Commerce international de services de l'UE-27 par catégorie principale\*** (en milliards d'euros)

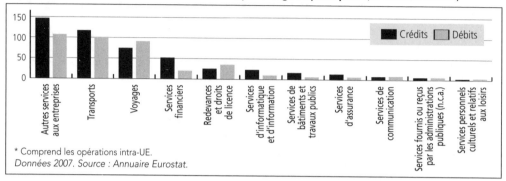

\* Comprend les opérations intra-UE.
*Données 2007. Source : Annuaire Eurostat.*

*Les échanges de service représentent aujourd'hui **le quart des échanges internationaux** et leur progression est en général plus rapide que celle du commerce de marchandises (souvent deux fois plus forte). **L'UE en est le pôle principal. L'IDE est le vecteur majeur de la mondialisation**, et dans ce domaine aussi **l'Europe est en tête du processus**. À son détriment ?*

## 1 Un quart du commerce mondial des services

### A. Un bilan globalement favorable

**Commerce de services de l'UE-27**
(en % des crédits et des débits extra-UE-27)

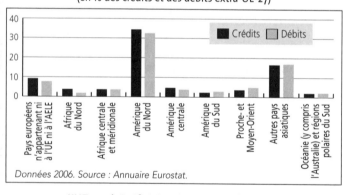

*Données 2006. Source : Annuaire Eurostat.*

L'UE-27 occupe de loin la première place mondiale dans les échanges de services, réalisant (intra + extra) près de **40 % du total mondial**. En ne prenant en considération que les échanges extra UE-27, on avoisine alors le quart du total mondial.

Le montant des exportations européennes (extra) dépasse 501 milliards d'euros en 2007, celui des importations voisine 413 milliards. La progression est à deux chiffres : **les exportations de services par l'UE-27 ont augmenté de 11,4 % en 2007 par rapport à 2006**, la progression des importations étant proche de 9 %.

**L'UE est bénéficiaire en matière de services commerciaux** : l'excédent net est de 88 milliards d'euros en 2007, ce qui représente **un taux de couverture de 121 %**. Mais les situations nationales sont très disparates.

### B. Les disparités sectorielles

Les services regroupent **une nébuleuse d'activités très diversifiées**, mais les transports, voyages et services aux entreprises en représentent 80 %. Si on y rajoute la propriété intellectuelle (droits et licences) ainsi que les services financiers, on est proche du total.

**L'UE-27 est excédentaire pour les services aux entreprises, pour les transports** (grâce aux transports aériens, au rôle de la Grèce et de Chypre pour le transport maritime…).

**Elle est fortement excédentaire pour les services financiers** : elle dispose de puissantes sociétés d'assurances et d'une tradition ancienne de pôle financier avec les places boursières de la City londonienne, mais aussi Francfort, Paris ou Milan. En revanche, **elle est globalement déficitaire en ce qui concerne les voyages, la propriété intellectuelle, les biens culturels** (films et téléfilms)

## C. Des disparités nationales

Trois pays réalisent chacun plus de 10 % des exportations (extra) des services de l'UE : de loin en tête, **le Royaume-Uni, puis l'Allemagne, enfin la France**. L'Allemagne est de loin la première importatrice de services.

**Les pays de l'Est n'occupent qu'une place très faible dans les échanges de service** (à l'exception de la République Tchèque). Le communisme, pathologiquement orienté vers le « produit matériel », n'a pas su développer la dimension « servicielle », et les PECO souffrent toujours de ce manque : la Pologne ne représente que 1 % des échanges de service (extra) de l'UE-27.

Le Royaume-Uni, le Luxembourg, l'Espagne, la France, l'Italie, l'Autriche, la Grèce représentent les pays très excédentaires. L'Allemagne est très fortement déficitaire en matière de services commerciaux. L'Irlande aussi a un très fort déficit. **On se rend compte ainsi du rôle décisif de deux postes surtout : les services financiers** (excédents britanniques et luxembourgeois) et **le tourisme** (excédents français, espagnol, autrichien, etc.). Le déficit allemand, énorme, est largement lié au fait que l'Allemagne soit le premier pays « émetteur » de touriste au monde. À l'Est, l'exception tchèque parmi les PECO s'explique ainsi essentiellement par le rôle touristique de Prague. Le fort déficit irlandais vient des services aux entreprises (vue la forte implantation de sociétés étrangères, américaines en particulier).

## D. Une dimension géopolitique ?

On notera **la fréquente complémentarité des profils économiques nationaux**. Les pays déficitaires sur le plan commercial (Royaume-Uni, Espagne, France désormais) présentent un excédent structurel en matière de services. À l'inverse, l'Allemagne, championne des exportations commerciales, creuse des déficits très importants en matières de services.

**Le Royaume-Uni assure près du quart de la performance en matière d'exportation de services hors UE.** Il en a retiré en 2007 un produit net de **42 milliards d'euros**. Vu son extrême fragilité commerciale, on comprend que **le gouvernement britannique défende la City malgré ses dérives spéculatives qui ont contribué à précipiter la crise mondiale depuis 2008**. Elle représente un point d'ancrage de l'économie britannique et un outil de puissance. La vision britannique d'une Europe du Grand Large n'est-elle pas liée aussi au **rôle mondial de la City** ?

# 2 Les investissements directs à l'étranger (IDE)

## A. L'UE, premier émetteur et première cible des IDE

Durant la dernière décennie du XX$^e$ siècle, du fait de la globalisation, les flux mondiaux d'IDE ont connu une croissance spectaculaire, culminant à près de 1 400 milliards de dollars en 2000 avant de régresser, mais la reprise fut vigoureuse : **en 2007 on atteignait 1 500 milliards de dollars**. Cette année-là, l'UE-27 a émis **420 milliards d'euros** ce qui représentait environ **40 % du total mondial**. Elle a reçu du monde la même année **319 milliards d'euros**. Elle a ainsi contribué au **financement net de l'économie productive mondiale à hauteur de plus de 100 milliards d'euros**.

Cependant, la situation s'est profondément dégradée avec la crise financière : **en 2008, les flux d'IDE mondiaux avaient fléchi de 15 %**. Là aussi la crise a servi de révélateur : les IDE émis par l'UE-27 vers le reste du monde ont chuté de 30 %, ceux émis par le reste du monde vers l'UE-27 se sont effondrés de 40 %. En 2011, les investissements ont repris : l'UE-27 a émis 370 milliards d'euros et en a reçu 225 milliards.

## B. Les stocks d'IDE de l'UE

Les **IDE entrants représentent en stock l'équivalent de 18 % du PIB, soit quelque 3 200 milliards de dollars**. À l'inverse, l'UE-27 détient à l'étranger un stock total d'IDE estimé à l'équivalent de **23 % de son PIB soit plus de 4 100 milliards de dollars**. Pour l'instant, c'est encore **une affaire entre pays riches occidentaux** : un tiers du stock extérieur est investi en Amérique du Nord. **Inversement, les États-Unis sont à l'origine de la moitié des investissements en Europe.** En 2007, 40 % du montant total des opérations de fusion-acquisition, soit 1 780 milliards de dollars ont été réalisés dans l'UE-25 contre 36 % aux États-Unis. La nouveauté majeure vient de l'apparition parmi les acquéreurs de firmes européennes de sociétés chinoises ou indiennes (exemple de Mittal, Tata). **L'Asie détient désormais 10 % du stock d'IDE en UE-27.**

# 100 UE : de fortes dépendances

**Évolution du commerce extérieur de l'UE-27 avec la Chine, la Russie, le Japon et la Corée du Sud** (en millions d'euros, 1999-2009)

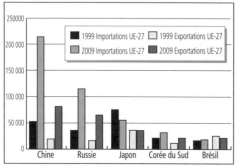

■ 1999 Importations UE-27    □ 1999 Exportations UE-27
▨ 2009 Importations UE-27    ▤ 2009 Exportations UE-27

Source : Eurostat, 2012.

**Importations de l'UE-27 en provenance de la Russie**
(5 premiers produits en 2006)

| Sections du Système harmonisé | Valeur d'échange 2006 (millions d'€) | Taux de croissance (% | | |
|---|---|---|---|---|
| | | Moyenne annuelle 1999 2006 | Annuel 2004 2005 | 20 20 |
| V Produits minéraux | 95 338 | 26,2 | 48,4 | 21 |
| XV Métaux de base et produits en métaux de base | 12 317 | 13,5 | 3,7 | 27 |
| VI Produits des industries chimiques ou connexes | 3 888 | 12,3 | 17,2 | 7 |
| XIV Perles ; pierres et métaux précieux ; pièces de monnaie | 2 786 | 12,7 | 16,9 | 10 |
| IX Bois ; charbon de bois ; liège ; objet de vannerie | 2 122 | 8,4 | 12,9 | 6 |
| Divers | 24 313 | 17,3 | 10,8 | 48 |
| Total | 140 763 | 21,6 | 34,1 | 25 |

Source : Statistiques en bref, Eurostat, 2C

*Les échanges mondialisés de l'UE reflètent des dépendances qui peuvent se révéler lourdes de conséquences géopolitiques. C'est d'ores et déjà le cas pour **l'énergie**, c'est de plus en plus le cas pour **les produits manufacturés**.*

## 1 Les dépendances en produits de base

### A. Une dépendance essentielle : l'énergie

Dans le cadre d'**une division internationale du travail** mise en œuvre dès le XIXe siècle, l'Europe a bâti sa machine économique sur l'importation des produits de base. Avec des fluctuations cycliques, jusqu'au début du XXIe siècle, par le recours à la force si nécessaire, du fait des évolutions technologiques aussi (produits de synthèse, dématérialisation de l'économie), l'Europe comme les États-Unis ont pu bénéficier de ressources à bas prix, associées à **une détérioration des termes de l'échange pour les pays de la périphérie**. Cependant dès 1973, le premier choc pétrolier a été un coup de semonce. Depuis 2005, le phénomène prend une nouvelle ampleur : la hausse des cours de tous les produits de base s'accélère du fait d'une demande mondiale croissante et de la spéculation. **Ce cycle haussier a culminé en juillet 2008** (le cours du pétrole atteint alors à 140 dollars le baril).

L'énergie, les hydrocarbures en particulier, est révélatrice de la dépendance européenne. L'Europe a basculé dans le « **tout pétrole** » dès les années 1960 et a donc été fortement touchée par les chocs pétroliers. L'OPEP est donc devenue un interlocuteur de premier ordre. Malgré le recours au nucléaire et **la diversification de des approvisionnements**, l'UE est toujours dépendante.

### B. Des implications géopolitiques et économiques lourdes

Après la Seconde Guerre mondiale, le Royaume-Uni et la France ont dû céder la place aux États-Unis dans une région du monde essentielle en raison de ses richesses pétrolières. **L'UE n'a plus de prise véritable sur les évènements du Moyen-Orient**. La problématique de **la candidature turque** n'est pas neutre à cet égard.

**En 2009, son déficit énergétique a coûté à l'UE 233 milliards d'euros.** Cependant, la crise financière et économique qui s'enclenche alors provoque une chute temporaire du cours des produits bruts (le pétrole tombe à 40 $ le baril, atteignant à nouveau 80 dollars en 2010). Si l'UE est dépendante de l'OPEP, elle l'est aussi de la Norvège surtout de la Russie. Des discussions eurent lieu en 2008 entre Algérie et Russie pour créer une OPEP du gaz. Celle-ci semble cependant mort-née, tant les intérêts géopolitiques sont opposés et par ailleurs, le transport du gaz, difficile, suppose davantage de coopération entre exportateurs et consommateurs (par exemple pour le gazoduc Northstream entre Russes et Allemands)

## ② Les dépendances en produits manufacturés

### A. Une nouvelle division internationale du travail

Les échanges avec l'Asie affichent un énorme déséquilibre du fait de la **nouvelle DIT** qui s'est mise en place à partir des années 1970. Jouant sur le stock de main-d'œuvre à bon marché, **les FMN y ont multiplié les délocalisations**. Plusieurs « pays ateliers » développent désormais des activités de haut niveau. La Corée du Sud produit désormais plus d'automobiles que la France. Habillement, jouets, mais aussi **informatique et services** viennent d'Asie Pacifique.

À l'export, l'UE fournit des services, des capitaux (joint-ventures) et des équipements (centrales électriques, métro…), en particulier en Chine. À l'import comme à l'export, 70 % des biens échangés sont des produits manufacturés. Mais souvent on exige de l'Europe **des transferts de technologie**. Airbus est construit en Chine.

### B. UE et Japon : des échanges toujours déséquilibrés

En 2009, **4,3 % des importations de l'UE-27**, souvent de haut niveau, sont venues du Japon. En revanche, le Japon ne représentant que **3,3 % du total des exportations** de la Communauté. Le déficit structurel européen a décuplé de 1973 à 1980. Sa quasi-stabilisation depuis plusieurs années vient du fait que les exportations de demi-produits japonais transitent par la Chine pour y être assemblé (DIAT).

Des mesures de rétorsion antidumping ont amené les firmes japonaises à s'implanter directement en Europe dans les années 1980. **Le Japon est passé en 2008 au sixième rang des fournisseurs de l'UE** (derrière les États-Unis, la Chine, la Russie mais aussi la Suisse et la Norvège). Il arrive derrière la Turquie parmi les clients de l'UE

### C. « L'étreinte du dragon » ?

En 2009, le déficit commercial de l'UE-27 atteignait 10,5 milliards d'euros avec **la Corée du Sud**, 13 milliards avec **Taïwan**. Avec ces deux pays, le taux de couverture des échanges européens plafonne respectivement à 64 et 45 %. Les échanges étaient relativement équilibrés jusqu'en 1997, puis les exportations de l'UE ont fléchi du fait des changes monétaires et de l'austérité imposée à l'Asie (crise asiatique).

Rappelons que **les importations de l'UE-27 en provenance de Chine ont triplé depuis l'entrée de ce pays dans l'OMC** pendant que les exportations européennes ne faisaient que doubler. **La Chine est devenue le premier fournisseur de l'UE, dépassant les États-Unis dans ce rôle depuis 2006.** Elle est bien sûr aussi le **premier déficit de l'UE**, atteignant 133 milliards d'euros en 2009. Cette année-là le taux de couverture des échanges européens avec la Chine tombe à 31 %. Avec la Russie le déficit, malgré l'énergie, n'est « que » de 73 milliards d'euros, le taux de couverture atteignant 59 %.

## ③ Une analyse des dépendances européennes

L'Europe importe de plus en plus la majorité de ses biens manufacturés de consommation courante (textile, électronique grand public) et une part grandissante de la haute technologie (pharmacie, aéronautique, informatique). Le processus est-il celui de la **désindustrialisation, associée à l'inexorable chute de compétitivité, le tout intimement lié au déclin pur et simple** ? En 2009, un consortium français (Areva, EDF, Vinci) a subi un échec majeur pour la vente de centrales nucléaires à Abou Dhabi face à un concurrent coréen.

Dans quelle mesure **le facteur monétaire** intervient-il, l'Europe étant victime de la force de sa monnaie, et de la surenchère américaine et chinoise pour la faiblesse de leurs devises ? **L'Europe est-elle prise en étau entre la technologie américaine et les faibles coûts asiatiques** ? Son incapacité d'y répondre n'est-elle pas avant tout liée à sa **faiblesse politique** ?

En nous vendant moins cher les produits manufacturés courants, l'Asie ne nous **protège-t-elle pas de l'inflation et ne préserve-t-elle pas notre pouvoir d'achat au profit d'autres secteurs** ?

# 101 L'Union européenne et les États-Unis

## Concurrence et interdépendance : l'UE face aux États-Unis

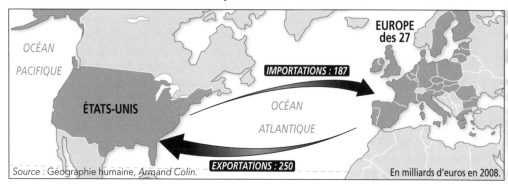

Source : Géographie humaine, Armand Colin. / En milliards d'euros en 2008.

*Dès sa création, la CEE a entretenu **une relation ambivalente** avec les États-Unis. **Le processus de construction européenne a été soutenu, sinon initié par les États-Unis dans un contexte de guerre froide**, mais il a suscité dans le même temps **une certaine incompréhension quant à « l'objet » Europe**, et une méfiance vis-à-vis d'une « puissance » potentielle interrogeant leur hégémonie. L'implosion de l'URSS, la montée en puissance de la Chine, un regard américain qui se tourne davantage vers l'Asie : tout contribue à des tensions que **l'élection de Barack Obama** à la présidence des États-Unis en novembre 2008 n'a pas entièrement dissipées.*

## 1 Des économies interdépendantes

### A. Des échanges importants

Les États-Unis furent **longtemps le premier partenaire de l'UE**, ils ne le sont plus tout à fait : depuis 2006, **la Chine les a dépassés comme premier fournisseur de l'UE-27**. En revanche, ils demeurent toujours de loin **le premier client de l'UE**. En 2009, les États-Unis ont absorbé pour 204 milliards d'euros d'exportations européennes (19 % des exportations de l'UE-27) et ont fourni pour 160 milliards de marchandises en sens inverse (11,4 % des importations de l'UE-27). **Depuis la fin du XX$^e$ siècle, l'UE est structurellement excédentaire avec les États-Unis**, le taux de couverture atteignant désormais 133 %.

Cette situation suscite bien sûr des tensions. Néanmoins, depuis 2009, **l'UE est déficitaire pour les services de 7,6 milliards d'euros avec les États-Unis**. Ces derniers évoquent la « forteresse Europe » à propos de la PAC. Les Européens font valoir qu'ils ne sont que faiblement responsables du déficit américain : en 2006, année de l'apogée du déficit commercial des États-Unis, **l'Europe ne représentait « que » 17 % du déficit américain, qui frôlait alors 800 milliards de dollars**.

### B. Des liens étroits

Au-delà des échanges de biens et de services, c'est par **les mouvements de capitaux** que l'imbrication est profonde. L'UE a été **un champ privilégié d'investissement pour les FMN états-uniennes depuis un demi-siècle** (IBM, Ford, General Motors). Près de 30 % du stock d'IDE de l'UE-27 à l'étranger est investi aux États-Unis. À l'inverse, la moitié du stock d'investissements étrangers en Europe provient des États-Unis.

Depuis la fin des années 2000, c'est désormais dans le sens Ouest-Est que le flux est le plus important : **les États-Unis contribuent au financement net de l'économie européenne**.

## 2 Une concurrence croissante

### A. La bataille commerciale

**À chaque étape de la construction européenne, les États-Unis obtenaient une phase de négociation commerciale multilatérale au sein du GATT** afin d'obtenir des contreparties économiques.

Ainsi le **Kennedy Round** a-t-il succédé à la mise en œuvre de la PAC, avec pour résultat l'entrée libre en Europe pour l'alimentation du bétail à partir de céréales américaines. Une autre étape importante fut l'élargissement de la CEE à l'Espagne, où les compensations furent importantes en échange de la perte du marché du maïs. Les menaces et les mesures protectionnistes de rétorsion se sont multipliées depuis le Trade Act de 1988 et la section « super 301 ».

**L'Uruguay Round** fut une phase cruciale même si un « armistice » fut conclu en matière agricole par les accords de Blair House en 1992, la CEE alignant quelque peu les mécanismes de la PAC sur ceux des États-Unis.

**La partie se joue depuis 1995 au niveau de l'OMC** : la conférence de Singapour de décembre 1996 a bien mis en lumière le décalage existant et la volonté états-unienne de libéralisation du commerce des services.

## B. L'enjeu industriel et stratégique

**Du « veau aux hormones » au roquefort**, les confrontations se sont multipliées. La dernière en date concerne **le marché des 179 avions ravitailleurs pour l'armée américaine** : alors qu'Airbus, allié à Northrop semblait avoir remporté ce marché énorme, Boeing a réussi à faire casser le contrat. L'Europe a dû conduire une action au niveau le plus élevé pour que son entreprise fétiche puisse à nouveau **concourir, en 2010**, dans des conditions équitables, en présentant une version militarisée de son A-330.

Si Airbus remportait tout ou partie du marché, ses appareils seraient construits aux États-Unis, en coopération avec de multiples sous-traitants américains. Accéder à une commande militaire de cette importance représenterait une reconnaissance, alors qu'à de nombreuses reprises depuis le début des années 2000, **Airbus livre plus d'appareils civils que Boeing**.

# 3 La dimension géopolitique

## A. La communauté occidentale

Au-delà de leurs dissensions, Europe et États-Unis se présentaient toujours comme les deux faces d'un même Occident. Nourris de Thucydide et de l'exemple édifiant de la guerre du Péloponnèse, les géopoliticiens américains voyaient l'avenir des États-Unis comme une thalassocratie aux côtés des démocraties d'Europe occidentale, contre les puissances « continentales » et dictatoriales, les nouvelles Sparte incarnées tour à tour par l'Allemagne ou par l'URSS.

En Europe même, l'option d'une construction « indépendant des blocs », s'opposant à « l'hégémonie américaine » (selon la **vision gaullienne**), est surtout franco-française. **L'élargissement à l'Est n'a fait que renforcer le tropisme atlantique de l'UE**, comme l'a révélé la seconde guerre d'Irak en 2003. **Le retour de la France dans les instances de commandement de l'OTAN en 2009** avalise cette situation.

## B. Une instrumentalisation américaine du projet européen ?

Malgré les tensions commerciales, **les États-Unis soutiennent toujours le projet européen**, mais ils en ont une vision spécifique. Leurs politologues reconnaissent parfois à l'Europe une forme de « *soft power* » (concept élaboré par **Joseph Nye**), mais au mieux est-elle « **Vénus** » quand les États-Unis demeurent « **Mars** » (Robert Kagan). **L'euro ne constitue pas une vraie menace face au dollar** car souffrant de trop d'indigence politique et stratégique.

Sans doute est-ce **Zbigniew Brzezinski**, conseiller de Jimmy Carter, encore aujourd'hui conseiller de Barack Obama, qui conceptualise le mieux la vision américaine de l'Europe. Conscient de l'érosion de la puissance des États-Unis dans le monde, il présente l'Europe comme **un outil utile pour organiser et maîtriser le flanc occidental du « Hartland »**, **le continent eurasiatique**, au cœur duquel la menace Russe se précise à nouveau. Dans cette optique, l'Europe doit pratiquer un « **régionalisme ouvert** », s'ouvrir le plus loin possible vers l'Est, et bien sûr intégrer la Turquie, pièce essentielle du dispositif américain.

## C. Une relation qui se distend ?

**L'Europe craint de son côté que « l'européanité » des États-Unis ne se dissolve de plus en plus**, vu l'évolution des flux migratoires et commerciaux.

L'absence du chef de l'État américain au sommet Europe-USA, que la présidence espagnole de l'UE avait programmé pour mai 2010, ne va-t-elle pas dans ce sens ?

# 102 L'UE et la mondialisation : géoéconomie et géopolitique

*La construction européenne s'est développée d'abord dans **le cadre géopolitique de la guerre froide** et dans **le cadre géoéconomique du keynésianisme**. Ce dernier a été remis en cause dès la fin des années 1970 et le premier au début de 1990 pour laisser la place à **un nouveau capitalisme tendant à se généraliser à l'ensemble de l'espace mondial**. L'UE, souvent en contradiction idéologique et structurelle avec ce processus (préférence communautaire, « exception culturelle », etc.), essaie de s'adapter. Au risque de se perdre ?*

## 1 Un sous-ensemble flou de la mondialisation ?

### A. La régionalisation la plus aboutie

**L'UE, même à 27, n'est qu'une partie de l'Europe**, d'autant moins cohérente qu'elle est elle-même divisée (**UE, Euroland, espace Schengen ne coïncident pas**). Mais les candidats tout comme les « candidats à la candidature » préparent leur éventuelle adhésion. Les pays qui refusent l'adhésion pure et simple (Norvège, Suisse) et ceux qui restent de l'AELE sont en fait étroitement intégrés sur le plan économique et dans certaines politiques communes (Schengen) : on a souvent dit d'eux qu'ils étaient **les premiers et les plus zélés des metteurs en œuvre des directives de Bruxelles**. Dans une sphère plus éloignée encore, les « **politiques de voisinage** » esquissent des solidarités, plus ou moins étroites et denses.

L'Europe dans son ensemble est de plus en plus **une construction « à géométrie variable »**, polarisée autour du **« noyau dur »** de l'UE. Elle ne se limite pas à une simple zone de libre-échange (Schengen, euro, PAC, TEC, politiques commerciales, éducatives, de R&D, etc.).

Dans l'ALENA, en Amérique du Nord, seuls les produits élaborés dans l'un des trois pays circulent à peu près librement (ils doivent être accompagnés d'un certificat d'origine) et un mur de quatre mètres de haut, la « Barda », la traverse. On est loin d'un marché commun ou d'un Schengen ! Dans le Mercosur, qui par bien des aspects imite l'Europe, le taux d'intégration commerciale n'excède pas 20 % contre plus de 60 % en UE. En Asie du Sud-Est, l'ASEAN, qui existe depuis 1967, prévoit une zone de libre-échange d'ici à 2020. En Europe, les taxes douanières sont nulles depuis 1968.

### B. Un *Commonwealth* et un *Commonwill* ?

Reprenant une formule de Michel Foucher, **l'Europe est de fait unifiée par la marchandise** ; elle est bien de ce point de vue un *Commonwealth* : les réseaux, les flux façonnent sans conteste une entité européenne qui pèse lourd à l'échelle mondiale. On retrouve là la dimension géoéconomique.

Mais c'est aussi, paraphrasant Hobbes, un *Commonwill*, « **une stratégie de coopération (...) expérience la plus avancée au monde d'intégration** » (Michel Foucher). Et ceci vaille que vaille, malgré les lacunes et les tensions internes et la géopolitique américaine actuelle que l'on peut résumer par une formule de Henry Kissinger : « Sans l'Europe, l'Amérique risque de devenir une île au large des rives de l'Eurasie. »

## 2 L'UE et la mondialisation multilatérale

### A. L'UE et le GATT/OMC

Les États européens ont été **des membres fondateurs et actifs du GATT**. Bien que le principe même de la construction européenne semble contraire à l'un des principes essentiels du GATT/OMC, celui de **« la clause de la nation la plus favorisée »**, la Communauté a été acceptée *de facto*. Certes, chacun des pays dispose de droits de vote propres mais **c'est la Commission de Bruxelles qui représente l'UE** aux négociations.

D'ailleurs, l'intégration commerciale au sein de la CEE/UE est telle que **les accords bilatéraux sont pratiquement interdits**. Les États membres ne peuvent plus être seuls maîtres de leur politique commerciale, car celle-ci engage forcément tous les partenaires aussi. La politique commerciale est donc forcément une politique commune, procédant d'une des plus importantes **dévolutions de souveraineté**.

Concrètement, **les pays européens commencent par discuter entre eux** afin d'aboutir à une **position commune qui est ensuite défendue par la Commission**. Longtemps même, il a existé une sorte de direction bicéphale du GATT entre CEE et États-Unis: on parlait de **la « Bilatérale »**. Le cercle des négociateurs importants fut ensuite élargi au Canada et au Japon (**la « Quad »**). Ces pratiques ont nettement régressé au sein de l'OMC.

Lors des différents rounds qui se sont succédé depuis 1960, la CE est allée dans le sens général de l'abaissement des murailles douanières et de la résorption des obstacles au libre-échange comme les Mesures non tarifaires (MNT).

Elle a dû accepter en 2002 le principe de **l'Accord général sur le commerce des services (AGCS ou GATS)**. Celui-ci demeure avant tout **un cadre de discussion** au contenu encore faible: des « exceptions culturelles » aux très sérieux obstacles **des services publics difficilement comparables**, jusqu'à l'opposition franche mise en œuvre par des associations non gouvernementales comme ATTAC, tout concourt à une situation largement figée.

## B. Le rapport à la mondialisation

L'Europe remplace-t-elle le protectionnisme national par **un protectionnisme de zone**? La « préférence communautaire » réduit-elle **l'efficacité économique mondiale** en privilégiant le voisin plutôt que le mieux disant? Il s'agirait alors d'une sorte de « **détournement** » de **substance économique**.

Certes, l'Union européenne est « **ouverte mais non offerte** » (Jacques Delors) mais, en dehors du cas particulier de l'agriculture, c'est une des régions économiques les plus ouvertes du monde. **Le TEC est à 7,5 % en moyenne, un des taux les plus faibles du monde.**

On peut considérer que **la construction européenne est une sorte de pédagogie de l'ouverture, un sas de la mondialisation**: ni les pays méditerranéens hier, ni les pays de l'Est aujourd'hui n'auraient supporté le passage direct de leur tradition protectionniste au libre-échange mondial.

On notera cependant le blocage actuel. **De Seattle en 1999 à Doha en 2001, puis Cancun en 2003, Hongkong en 2005**, toutes les tentatives de relance d'une phase de négociations commerciales multilatérales au sein de l'OMC ont échoué, sur la question agricole en particulier. **Le forum public de l'OMC à Genève en 2009** a voulu montrer que la mondialisation aussi a besoin de plus de régulation: les propositions et les engagements des dirigeants européens de relancer le « **processus de Doha** » ont pour l'instant échoué.

L'Europe, en même temps que d'autres, serait-elle désormais tentée, crises et délocalisations aidant, par une sorte de **protectionnisme régional « en creux »**, en même temps qu'elle s'interroge sur ses limites, ses valeurs et son identité?

## C. Une « puissance possible »

Hannah Arendt distingue « puissance », qui est toujours puissance potentielle, et « pouvoir », autorité porteuse d'ordre. Michel Foucher souligne à ce propos que, sur ces bases, le concept de puissance « se transcende en sa capacité de forger des règles nouvelles ». Et il montre ce que fait l'Europe politique en son laboratoire, où s'invente la « **république européenne** », matrice « **d'un monde véritablement polycentrique** ».

**L'OTAN en Europe**

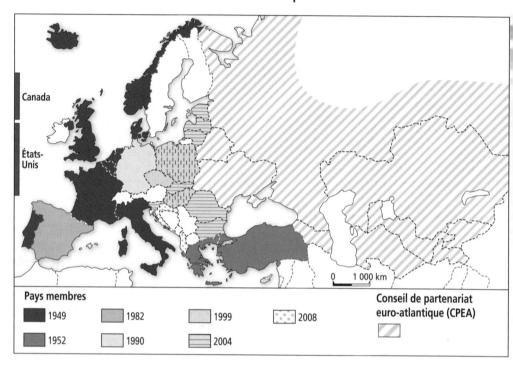

Canada

États-Unis

**Pays membres**

■ 1949    ■ 1982    ■ 1999    ⁑ 2008

■ 1952    ■ 1990    ⊟ 2004

**Conseil de partenariat euro-atlantique (CPEA)**

0    1 000 km

*La puissance, c'est la capacité, sinon d'imposer sa volonté et le respect de ses intérêts aux* **autres**, *au moins d'organiser leur prise en considération et leur défense efficace. L'Europe dispose incontestablement des fondements de la puissance. Mais Clemenceau disait jadis du Brésil qu'il était « un pays d'avenir et qu'il le restera longtemps ». Ne pourrait-on pas aujourd'hui appliquer la formule à l'Europe ?* **Le soft power** *théorisé par* **Joseph Nye** *et qui serait son apanage, face au* **hard power** *américain (***Vénus et Mars, selon Robert Kagan***), est-il autre chose que l'hypocrisie de l'impuissance ? Ou alors serait-il la seule forme de puissance qui vaille à l'ère des conflits asymétriques et de « l'impuissance de la victoire » ?*

## ❶ L'Europe, une puissance en devenir ?

### A. Des fondements économiques impressionnants

L'Europe à 27 produit chaque année presque **un quart de la richesse mondiale** (22,6 % du PIB mondial, contre 21,4 % pour les États-Unis, 12 % pour la Chine et 5 % pour l'Inde).

Elle réalise **34,6 % du commerce mondial**, elle est le principal investisseur (plus de 400 milliards d'euros annuellement contre moins de 300 pour les États-Unis).

Son marché intérieur est fort de plus de **500 millions de consommateurs** à haut niveau de vie ou en voie de rattrapage rapide. L'euro, monnaie commune à la majorité de sa population, valant 0,8 dollar lors de son lancement, a progressé jusqu'à 1,5 dollar en 2008 et se maintient (trop ?) à 1,3 dollar en pleine tourmente de la « dette grecque ». Elle devient **une monnaie de réserve**, et c'est un facteur de puissance.

## B. L'atout de la légitimité : « le rêve européen »

Après moult empires plus ou moins éphémères, **l'Europe est la première grande entité géoéconomique et géopolitique rassemblée par libre adhésion** et fondée sur un droit commun négocié. Son caractère de **« puissance pacifique »** est singulier et exemplaire dans un continent très longtemps marqué de conflits inextinguibles et gorgé de sang.

**L'UE consacre 27 % de son PIB aux financements sociaux contre 16 % aux États-Unis.** Prise globalement, elle est **le premier donateur d'aide publique au développement** avec 47 milliards d'euros. Sur le long terme, les **fondements éthiques de la puissance** ont leur importance.

## C. Puissance potentielle ou impuissance ?

Les meilleurs ingrédients mis côte à côte ne suffisent pas à faire un plat appétissant. Un politologue américain ne disait-il pas brutalement : « les Américains font la cuisine, les Européens font la vaisselle » ? **Beaucoup d'Européens**, en raison du passé du continent ou de leur conception de ce qu'est une puissance occidentale appuyée sur les États-Unis, et surtout par crainte d'être dépossédés d'une souveraineté chèrement payée ou récemment retrouvée, **ne veulent pas de « l'Europe puissance ».**

**L'Europe puissance serait surtout un fantasme de la France**, qui voit l'Europe comme **« le prolongement carolingien du pré carré capétien »** et qui imagine les Européens « prenant le relais de la Grande Nation devenue trop vieille pour faire ses croisades toute seule » (Jean-Louis Bourlanges). **L'absence de sa perception claire et le manque de volonté politique** sont sans doute les obstacles majeurs à la naissance d'une puissance européenne.

La puissance européenne, même sur un plan purement potentiel, est minée par **le déséquilibre démographique et le vieillissement accéléré**. L'Europe est la seule région du monde (surtout si on y inclut la Russie) à perdre des habitants sans pour autant réussir l'intégration de ses immigrants, alors même que **le ferment des nationalismes, parfois les plus archaïques, continue à rester actif**.

**La recherche privée ne représente guère plus de 1 % de son PIB** contre près de 2 % aux États-Unis et pas loin de 2,5 % au Japon. Le **classement de Shanghai**, qui répertorie les meilleures universités du monde, démontre la faiblesse européenne (**la première université française apparaît au 39e rang**), et les programmes européens comme **Erasmus ou le processus de Bologne** peinent à généraliser un espace universitaire européen, pôle initiateur de **« l'économie de la connaissance » (objectifs de Lisbonne)**.

Sur un objectif aussi douloureusement prioritaire que l'éradication du « nettoyage ethnique », il a fallu l'intervention des porte-avions américains pour restaurer l'ordre sur le Vieux Continent dans les Balkans, aux portes mêmes de l'UE, après un demi-siècle de construction européenne.

Dès lors, la puissance européenne ne serait-elle qu'un mythe ? On a pu souligner aussi, à travers les exemples de l'Irak ou de l'Afghanistan, **« l'impuissance de la victoire »** américaine. Les guerres d'aujourd'hui sont de plus en plus **des conflits « asymétriques » où la supériorité stratégique classique est un leurre**. La seule puissance qui vaille sur le long terme ne serait-elle pas le *soft power*, pour lequel l'Europe a bien plus d'atouts ?

## ② Le *soft power* européen

### A. La politique de la conditionnalité

Le *soft power* européen se fonde sur **des valeurs : la démocratie assortie d'institutions stabilisées, les droits de l'homme, le respect des minorités, le primat du droit**, mais aussi l'économie de marché, la concurrence, la liberté des entreprises. Il est mis en œuvre avec une méthode : la négociation, la conditionnalité, et en fin de compte, l'aboutissement à un contrat assorti d'un **« donnant-donnant »**. C'est, en quelque sorte, « la carotte et le bâton ».

En échange des exigences européennes, l'Europe propose, selon les cas, l'adhésion, du moins un accès variable au marché européen, la participation aux programmes européens, des aides spécifiques. Ce rapprochement pour les non-candidats peut aller jusqu'au **« tout sauf les institutions »**.

**Le Conseil européen de Copenhague, en juin 1993**, précise les exigences européennes dans la perspective de l'adhésion. Une aide spécifique est mise en place, le programme PHARE. On surveille l'évolution de pays vers ces critères par un rapport annuel, publié à l'automne. Ces rapports servent de base à la conduite des négociations.

Toute la **« politique de voisinage »** est fondée sur ces méthodes vis-à-vis de l'Est comme vis-à-vis de la Méditerranée dans le cadre des accords **MEDA** ou de **l'Union pour la Méditerranée** à partir de 2007.

À partir de 2004, on commence à définir **des sanctions possibles**, commerciales et économiques. L'action de l'UE a été décisive pour la mise en place par l'ONU du **tribunal pénal international pour la Yougoslavie**, aboutissant en 2002 à **une cour pénale internationale**, siégeant à La Haye aux Pays-Bas, compétente pour juger des individus accusés de crimes contre l'humanité. **Sur les 110 pays qui en font partie en 2009, on compte 40 États européens. Ni les États-Unis ni la Chine** ne comptent parmi leur nombre.

La politique de conditionnalité est mise en œuvre avec une rigueur particulière vis-à-vis des Balkans dans le cadre du **PSA (Processus de stabilisation et d'association)**. Des propositions pour sortir de crises, résoudre des conflits et adopter des critères européens sont échangées contre une aide immédiate et une adhésion échelonnée. Ainsi, la Croatie a-t-elle obtenu le statut officiel de candidat dès 2004. Elle devrait bientôt être le 28e pays de l'UE.

En 2006, la Commission propose au **Belarus (Biélorussie)** un partenariat dans le cadre de la Politique européenne de voisinage **(PEV)** en échange de mesures « convaincantes » en faveur de la démocratisation, en présentant des exemples concrets d'avantages qui y seraient liés. En attendant, les relations sont gelées.

## B. La « puissance normative » (Zaki Laïdi)

L'Europe serait un **« empire normatif »**. L'enjeu que constitue l'accès à son marché lui permet d'imposer ses normes au reste du monde. **La norme, c'est le respect contraignant de règles aboutissant à la réalisation d'un intérêt commun.** La nature même de la construction européenne repose sur la définition de normes.

**L'environnement et le domaine sanitaire** (teneurs admissibles de pesticides, critères de la qualité d'une eau potable, les limites d'émission et les exigences de réduction de gaz à effet de serre) en relèvent. **Le dispositif Reach** enregistre 30 000 substances chimiques assorties de contraintes spécifiques pour les industriels européens. Les dispositions hostiles aux OGM sont incluses. **La régulation de la concurrence** procède aussi de « l'empire de la norme » : barrières réglementaires, fusions, acquisitions sont strictement « normées ». Des dispositifs normatifs complexes apparaissent : **les critères de Maastricht, le Pacte de stabilité et de croissance en relèvent.**

**Ces normes s'imposent bien au-delà des frontières de l'Union européenne** et entraînent influence voire pouvoir politique. **Tous les États et les entreprises qui veulent avoir accès au marché européen sont obligés de se conformer aux normes européennes.** En 2007, Microsoft est condamné par la justice européenne pour défaut de concurrence sur le marché des systèmes d'exploitation. Depuis dix ans, l'Europe essaye d'imposer à la Russie des normes d'investissement en matière énergétique afin de réduire l'utilisation politique qu'elle fait du pétrole et du gaz.

# ③ L'esquisse d'un « *hard power* » européen

## A. L'élaboration d'un outil diplomatique et militaire

La CED et le « plan Fouchet » des années 1950 et 1960 ont manifestement été des projets trop précoces et suspectés de trop d'arrière-pensées. L'échec de la CED, derrière une évanescente UEO (Union de l'Europe Occidentale) au rôle politique et militaire mal défini, a durablement compromis la conception d'une Europe-puissance.

Il faut attendre **l'Acte unique et le traité de Maastricht** pour que l'Europe politique prenne de la consistance. **La PESC (Politique étrangère et de sécurité commune)** qui leur fait suite s'efforce de répondre à l'ironique observation de Henry Kissinger dans les années 1970 : « L'Europe, quel numéro de téléphone ? » **Un haut représentant pour la PESC est nommé en 1999** (l'Espagnol Javier Solana, ancien Secrétaire général de l'OTAN).

De même, l'amorce d'un outil militaire est perceptible. **Un accord franco-allemand de 1992 abouti à l'Eurocorps,** pouvant rassembler 60 000 hommes environ et dont le quartier général est basé à Strasbourg. Français, Allemands, Belges, Luxembourgeois, Espagnols ont été rejoints par des Polonais, des Autrichiens, des Grecs et des Turcs. Roumains et Italiens devraient suivre. Tout le monde porte son uniforme national mais un béret commun ; la langue de travail est l'anglais. Il est bien difficile de trouver à l'Eurocorps des mérites en dehors de **son caractère symbolique.**

Le rôle de la PESC est défini par **les « missions de Petersberg »** (petite ville qui fut le siège d'une conférence ministérielle) **intégrées au traité de Lisbonne en 2007** : mission humanitaire, maintien et rétablissement de la paix, gestion de crise. La conviction y est-elle, sachant que tout le monde se tourne vers l'OTAN ?

## B. Le « *hard power* » européen est-il soluble dans l'OTAN ?

**L'OTAN a été créée en 1949** et son rôle a été décisif dans la guerre froide. La plus grande crise de l'OTAN a sans doute été **le retrait de la France de son commandement intégré en 1966.**

En fait, personne en Europe ne songe plus à découpler la défense européenne de l'OTAN. Peut-être **les États-Unis eux-mêmes ont-ils fait peser le plus de risques sur l'organisation au début des années 1990** en la négligeant ou en étant tentés de la transformer en vague regroupement de toutes les démocraties du monde. Depuis 2001, l'OTAN est réinvestie d'une véritable attention stratégique. La Pologne, la République tchèque, la Hongrie ont intégré l'OTAN dès 1999, les pays Baltes, la Roumanie et la Bulgarie suivent en 2004. **La France réintègre le commandement militaire en 2009. Aujourd'hui, 21 États de l'UE-27 font partie de l'OTAN.** En dehors de l'UE, **la Croatie et l'Albanie ont été admises en 2008,** des promesses plus vagues ont pu être faites à l'Ukraine, à la Géorgie, non sans conséquences sans doute sur les évènements qui ont touché ces pays ces dernières années…

**L'OTAN demeure avant tout un instrument de puissance entre les mains des États-Unis.** Un véritable **« pilier européen »** de l'OTAN, disposant de quelque autonomie, a été refusé par les Américains. L'UEO est un faux-semblant à cet égard. De même, les Américains refusent toute discrimination statutaire entre les membres de l'UE et les autres au sein de l'OTAN. Il n'est pas question d'indisposer des alliés aussi précieux que **la Norvège et la Turquie.**

Néanmoins, l'organisation sert de plus en plus les intérêts européens, comme l'a montrée l'intervention de l'OTAN en Libye, sous mandat de l'ONU, en 2011 ; les États-Unis s'étaient alors effacé au profit d'un commandement européen des opérations.

## C. Quelques signes positifs

En 1998, les deux seuls pays d'Europe ayant des dispositifs complets de puissance et une grande marge de manœuvre, à savoir le Royaume-Uni et la France, publient la **« déclaration de Saint-Malo »** qui ouvre la porte à une véritable capacité militaire européenne. Comment l'articuler avec l'OTAN ?

**La naissance en 2000 de EADS** (European Aeronautic Defence and Space Company), à partir de la fusion de l'allemand DASA, du français Aérospatiale-Matra, de l'espagnol CASA, crée le deuxième groupe de défense du monde derrière Boeing. Si EADS réussissait véritablement à lancer **« l'Airbus militaire »,** si un signe positif américain était donné, par exemple par une participation au **marché des ravitailleurs** pour l'armée de l'air des États-Unis, peut-être l'Europe de la défense gagnerait un peu en crédibilité.

# Conclusion

L'**enjeu** est d'**importance** : l'**Europe** est seule à même de faire que le **système monde** soit **multi** et **non unipolaire**. En outre sa **construction** peut avoir valeur d'**exemple** pour nombre d'autres régions du **monde**.

Mais encore faut-il pour cela qu'elle surmonte ses **contradictions** internes et parvienne à une véritable **construction politique** qui en fasse un **pôle géopolitique** doté d'une réelle **capacité géostratégique**. Sur ce terrain, elle se heurte indubitablement aux desseins des **États-Unis** et aux **réticences** de nombre de ses **membres**, anciens et nouveaux.

La « **République européenne** » peut-elle être autre chose qu'une **utopie** ?

# TABLE DES CARTES

# TABLE DES SCHÉMAS

Achevé d'imprimer en juillet 2012
sur les presses de la Nouvelle Imprimerie Laballery – 58500 Clamecy
Dépôt légal : juillet 2012          1046206/01          N° d'impression : 207082

*Imprimé en France*